协和 专家教你
轻松孕妇操

北京协和医院妇产科主任医师、教授　马良坤　主编
王瑜　邱雨　副主编

电子工业出版社
Publishing House of Electronics Industry
北京·BEIJING

未经许可，不得以任何方式复制或抄袭本书之部分或全部内容。
版权所有，侵权必究。

图书在版编目（CIP）数据

协和专家教你轻松孕妇操 / 马良坤主编．— 北京：电子工业出版社，2017.4
（悦然·亲亲小脚丫系列）
ISBN 978-7-121-30322-7

Ⅰ．①协… Ⅱ．①马… Ⅲ．①孕妇－保健操 Ⅳ．① R715.3

中国版本图书馆 CIP 数据核字（2016）第 271259 号

责任编辑：周　林
特约编辑：贾敬芝
印　　刷：北京市大天乐投资管理有限公司
装　　订：北京市大天乐投资管理有限公司
出版发行：电子工业出版社
　　　　　北京市海淀区万寿路 173 信箱　邮编：100036
开　　本：720×1000　1/16　印张：11　字数：229 千字
版　　次：2017 年 4 月第 1 版
印　　次：2017 年 4 月第 1 次印刷
定　　价：39.90 元

凡所购买电子工业出版社图书有缺损问题，请向购买书店调换。若书店售缺，请与本社发行部联系，联系及邮购电话：(010) 88254888，88258888。
质量投诉请发邮件至 zlts@phei.com.cn，盗版侵权举报请发邮件到 dbqq@phei.com.cn。
本书咨询联系方式：zhoulin@phei.com.cn。

运动，让孕妈妈和胎宝宝更健康

　　传统观念中，女性一旦怀孕，就变成了"重点保护对象"。但是，这种"重点保护"注重的往往只是女性在怀孕期间怎样增加营养、休息好，而忽略了一个重要的方面——孕期的运动保健。

　　现代研究发现，女性怀孕期间适量运动，有助于改善孕期各种不适症状、促进胎宝宝的身心健康发育、帮助孕妈妈顺利分娩。

　　那么孕妈妈又该怎样做运动呢？孕期的不同阶段该做怎样的运动呢？不同的运动都有什么作用呢？孕妈妈又该怎样选择适合自己的运动方式呢？做运动时有什么要注意的呢？

　　北京协和医院的妇产专家马良坤大夫，针对孕妈妈健康管理的需要，推荐了缓解孕妈妈在孕期出现的各种不适症状，以及促进分娩的孕妇操。本书对此进行了详细的介绍，书中以孕期由早到晚为主线，按身体的不同部位、孕妇操的不同功效，分别给出相应的运动方式，如防治孕期腰痛、脚痛、水肿等症，预防和改善胎位不正，锻炼骨盆促进分娩……并且，本书中的动作都是由孕妈妈亲身实践、专业瑜伽老师亲身指导的，安全可靠。

　　在此，希望本书能让每位孕妈妈都健康快乐地度过孕期，生出聪明、健康的小宝宝。

{目录}

C O N T E N T S

第一章　妈妈爱运动，宝宝赢在"起跑线"

管理孕期体重，预防孕期肥胖	12
孕妈妈体重增长可以反映胎宝宝的发育情况	12
孕妈妈体重不都长在胎宝宝身上	12
孕期到底该增重多少	13
高龄孕妈妈更易发胖，体重更不宜增长过快	14
自身脂肪储备，孕妈妈自己说了算	14
长胎不长肉的饮食指南	15
一人吃两人补并不是加大饭量	15
数量不一定要多，但饮食要多样化	15
怀多胞胎应多增加营养	15
怀多胞胎一般需要服用膳食补充剂	15
主食中加点儿粗粮	16
水果糖分高，当加餐吃	16
细嚼慢咽能避免吃撑	16
体重增长过快要减少热量摄入	16
运动帮助孕妈妈控制体重、顺利生	17
帮助过胖孕妈妈调整体重	17
缓解孕期不适症状	17
瑜伽运动有助于自然分娩	17
瑜伽中的呼吸训练有助于缓解阵痛	18
孕期运动要提前做计划	18
不适合做运动的孕妈妈不要勉强	18

孕妈妈以不累、轻松、舒适为运动限度	18
运动能缓解孕妈妈紧张情绪	19
适当运动有助于减少妊娠纹	19
运动让胎宝宝更健康	20
有助于胎宝宝右脑发育	20
让胎宝宝更聪明	20
让胎宝宝身体强壮	20
坐好、站好、躺卧好，运动才安全	21
热身运动，让身体准备好运动了	24
正确的呼吸方式让胎宝宝和妈妈一起放松	29

第二章 孕早期（孕1~3月）动一动，宝宝发育好、早孕反应少

孕早期是流产危险期，运动要以"慢"为主	32
孕早期是流产高发期	32
运动要适度，避免不当外力导致流产	32
孕早期饮食配合，运动更有效	33
孕早期不需要太多营养	33
不挑食、不偏食，少食多餐	33
孕前饮食不规律的孕妈妈现在要纠正	33
清淡为主，避免油腻食物	34
多吃点新鲜蔬菜、水果，喝点果蔬汁	34
补充B族维生素	34
选择既有酸味又能加强营养的天然食物	34
孕吐也要该吃就吃	35
吃些既缓解孕吐又有营养的食物	35
适当吃点凉拌菜	35
常备一些苏打饼干	35
放松身体、愉悦心情：摇摆摇篮	36
锻炼大腿及胯部肌肉，有利于顺产（一）：盘腿坐	38
锻炼大腿及胯部肌肉，有利于顺产（二）：卧式扭腰运动	40
让妈妈心情好、让胎宝宝舒适：金刚坐	43

使脚腕关节变得柔韧有力：脚腕运动	45
强化脚部力量：脚部运动	48
加强腿部肌肉的弹性，促进生产：腿部画圈	49
增大肺活量，促进分娩时憋气用力：扩胸运动	52
专题·整个孕期都要补叶酸	54

第三章 孕中期（孕4~7月）动一动，缓解孕期不适

孕中期饮食配合，运动更有效	58
从现在开始少吃盐，避免中晚期水肿	58
少吃甜食，避免肥胖和妊娠糖尿病	58
多吃深色水果，摄取植物化学物	58
胎宝宝甲状腺开始发育，适量吃些海产品补碘	58
摄入充足的蔬菜和水果	59
适当增加维生素A的摄入	59
多吃富含β-胡萝卜素的食物	59
适当吃利尿食物，缓解轻微水肿	59
补钙和维生素D，防止腿抽筋	60
增加铁储存，预防缺铁性贫血	61
孕中期可以适当多一些运动	62
孕中期，孕妈妈整体感觉比较舒服	62
孕中期运动要以轻柔、缓慢为主	62
安全运动才会更有效	62
防止颈椎酸痛，不让颈椎变形：下颌画圈	63
预防并缓解手部水肿，活动肩臂肌肉：摇动手腕	65
缓解手腕不适，远离"妈妈腕"（一）：环旋手腕	68
缓解手腕不适，远离"妈妈腕"（二）：手掌推墙	70
锻炼肩臂肌肉，缓解颈椎不适：耸肩运动	71
强健肩部肌肉，舒展脊椎（一）：背后扣手运动	74
强健肩部肌肉，舒展脊椎（二）：手臂上抬伸展	76
锻炼肩颈、手臂的运动：颈后举臂	77
打开胸腔，缓解胸闷气短（一）：仰卧简易后弯	79

目录
CONTENTS

打开胸腔，缓解胸闷气短（二）：威尼斯海滩式	80
打开胸腔，缓解胸闷气短（三）：骆驼式	81
增加肺活量，塑造胸部曲线：膝盖俯卧撑	83
缓解乳房胀痛，缓解肩背疼：背手压身	85
缓解腰背痛（一）：猫式跪地	87
缓解腰背痛（二）：猫式单臂穿越	89
缓解下背部疼痛（一）：站立半前屈运动	90
缓解下背部疼痛（二）：幻椅式	92
缓解下背部疼痛（三）：椅子上的扭转	94
减轻孕期背部疼痛，还可帮助顺产：骨盆倾斜运动	96
活动腰肌，提升臀部，缓解心理压力：芭蕾体式之旋转	97
强化肩、背肌肉：推墙操	99
加强腰背、肩臂力量练习：反台式	101
锻炼腰部两侧肌肉：坐姿侧伸展	102
强健腹部与腰背部，缓解骶尾骨疼：仰卧侧抬腿式	103
端正脊椎，伸展四肢：扶椅展身	105
促进腿部血液循环，防止腿抽筋：坐姿抬腿	107
促进腿部血液循环、摆脱水肿：侧抬腿运动	109

端正子宫，给胎宝宝一个最舒适的环境（一）：五点提臀运动　112
端正子宫，给胎宝宝一个最舒适的环境（二）：柔软腹壁运动　114
锻炼腿脚肌肉，打开骨盆（静态）：敬礼蹲式　116
锻炼腿脚肌肉，打开骨盆（动态一）：下蹲运动　117
锻炼腿脚肌肉，打开骨盆（动态二）：靠墙滑行　118
锻炼骨盆区域，增加韧性：摇摆骨盆　120
全身运动，整体调整内脏器官和四肢：仰卧扭转　122
伸展臀部和大腿外侧肌肉：跷腿上抬　124
促进胃肠蠕动，改善腹胀：椅上腹部运动　126
促进肠道蠕动，防便秘（一）：波浪运动　128
促进肠道蠕动，防便秘（二）：半莲花伸展　130
强化腰背力量，改善消化不良及便秘：简易三角侧伸展　132
伸展臀部肌肉，预防及缓解坐骨神经痛：站立跷腿上抬　133
放松腰部肌肉，有助于顺产：仰卧束角式　134
锻炼核心肌群促进分娩：起跑式　136
专题　孕妈妈的办公室"微"运动　138

第四章 孕晚期（孕8~10月）动一动，培养体力、顺利生

孕晚期配合饮食，运动更有效　144
孕晚期需增加蛋白质摄入，以植物性食物为主要来源　144
脂肪摄入不过量，以不饱和脂肪酸为主　145
继续补钙和铁　145
控制盐分摄入，预防水肿　145
补充铜元素能预防早产　145
补充维生素C降低分娩危险　146
适当吃些富含维生素B_1的食物　146
多吃富含锌的食物有助于分娩　147
要少食多餐，减轻胃部不适　147
活动肩颈肌肉，改善肩颈不适：抱头扭动　148
减轻手臂和肩部关节压力，提升胸部：平衡移动　150

目录
CONTENTS

缓解腰背痛：腰部伸展运动	153
改善腰背部疲劳，增强腰部力量：扭腰运动	155
强化腿力，为孕晚期体重增加提供有力支撑：树式动作	158
增强阴道及会阴部肌肉弹性，避免生产时产道撕裂：	
产道肌肉收缩运动	161
准爸孕妈一起动：让胎宝宝在爱的环境中健康成长	164
双臂共舞	164
幸福拉手操	166
挽臂背背坐	168

附录一　临产前的征兆有哪些

附录二　帮助自然分娩的拉梅兹呼吸法

拉梅兹呼吸法的五个步骤	171
胸部呼吸法	171
嘻嘻轻浅呼吸法	172
喘息呼吸法	173
哈气运动	174
用力推	175

第一章
妈妈爱运动，宝宝赢在"起跑线"

　　如果没有医嘱不能运动的疾患或者并发症的话，孕期适当的运动会让孕妈妈和胎宝宝双受益。孕期运动能为胎宝宝创造一个最佳的子宫环境，还能为胎宝宝提供新鲜的氧气，对胎宝宝的生长发育起到良好的促进作用。有助于控制孕妈妈体重，降低肥胖导致的妊娠并发症风险，改善孕期不适症状，促进顺产。

管理孕期体重，预防孕期肥胖

孕妈妈体重增长可以反映胎宝宝的发育情况

孕期的每一次检查都包括一个例行项目，那就是称体重，足见体重管理在孕期的重要性。怀孕之后，体重增长是必然的，由于胎宝宝依靠胎盘获取营养，如果孕妈妈没有达到足够的体重，胎宝宝就有可能出现营养不良、生长迟缓等情况。因此可以说，孕妈妈的体重增长在一定程度上反映了胎宝宝的生长发育情况。

孕妈妈体重不都长在胎宝宝身上

孕妈妈的增重量和胎宝宝的增重量并不是相等的，胎宝宝的增重量只占孕妈妈增重量的20%~25%，其他75%~80%成为了母体储备的脂肪、液体等，主要表现在子宫、胎盘、乳房、血液、羊水等重量增加。

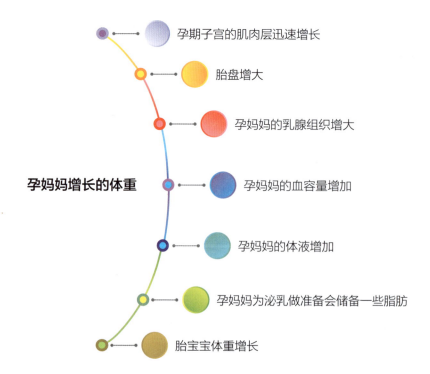

孕妈妈增长的体重
- 孕期子宫的肌肉层迅速增长
- 胎盘增大
- 孕妈妈的乳腺组织增大
- 孕妈妈的血容量增加
- 孕妈妈的体液增加
- 孕妈妈为泌乳做准备会储备一些脂肪
- 胎宝宝体重增长

孕期到底该增重多少

怀孕初期，孕妈妈身体会出现许多变化，体重应该从怀孕的时候就开始监测管理。胎宝宝长大、羊水增多、胎盘增大、子宫增大、乳房增重、血液及组织液增多、母体脂肪增加，都是孕妈妈孕期体重增加的原因。一般来说，使用体重指数评估孕妈妈的营养状况比较准确。

体重指数（BMI）= 体重（千克）÷ 身高的平方（平方米）

BMI	孕期体重增长	各阶段增长
BMI < 18	12~15 千克	孕早期体重增长 1~2 千克 孕中期体重增长 5~6 千克 孕晚期体重增长 6~7 千克
BMI 18~24	12 千克	孕早期体重增长 2 千克 孕中期体重增长 4 千克 孕晚期体重增长 6 千克
BMI > 24	7~10 千克	孕早期体重增长 1 千克 孕中期体重增长 2~4 千克 孕晚期体重增长 4~5 千克

Tips

表格中的数据仅供参考，孕妈妈怀孕后体重增加的幅度和时间是不同的，有些孕妈妈孕早期增加显著，并不表示整个孕期体重增长都处于领先地位；有些孕妈妈早期体重不增反而降，可到晚期增加迅速。所以只要孕妈妈增重幅度不是很大，就不要过于担心。但如果体重增减异常，就需要就医进行调理。

例如，孕妈妈身高 1.65 米，体重 60 千克，那么 BMI 指数为 60（千克）÷ 1.65^2（平方米）= 22.04，处于上述图表中"BMI 18~24"的范围，所以整个孕期体重的增长最好保持在 12 千克左右，有利于宝宝健康。

高龄孕妈妈更易发胖，体重更不宜增长过快

很多孕妈妈生怕胎宝宝营养不足、发育不良，因此拼命吃、吃、吃，往往造成孕期体重增加过多。孕期体重增长过快、过多，可能会引发妊娠并发症，如妊娠糖尿病、妊娠高血压等；还容易造成难产，使胎宝宝产伤发病率增高。

高龄孕妈妈更易发胖和患上妊娠糖尿病，因此要控制体重，怀孕期间体重增加最好不要超过12.5千克，多吃高蛋白、低脂肪食物，少吃甜食，适量运动。

增长过快的危害
导致巨大儿
增加分娩难度
引起妊娠并发症，如妊娠糖尿病、妊娠高血压
孕妈妈身材走样
容易长妊娠纹
产后身材不易恢复

体重增长

增长过慢的危害
易致胎宝宝发育迟缓
孕妈妈容易贫血
宝宝出生后免疫力低

自身脂肪储备，孕妈妈自己说了算

孕妈妈在孕期需要储备脂肪，为产后的哺乳做准备，而孕妈妈所吃的食物是脂肪的直接来源。孕妈妈的体重增长中，必要性体重增长是相对稳定的，但是脂肪储备的多少与饮食和运动有关，是可以控制的。

因为，除去必要性体重增长之外，孕妈妈要控制自身的脂肪储备，以免造成脂肪过分堆积，增加妊娠糖尿病、巨大儿等风险。

马大夫告诉你

哪些是必要性体重增长

胎宝宝要在40周的时间里从一个受精卵成长为一个重3千克左右的胎宝宝，支撑他生长发育的有胎盘、羊水、妈妈的血容量、增大的乳腺、扩大的子宫等。这些构成了孕妈妈孕期一部分增长的体重，称之为必要性体重增长。

长胎不长肉的饮食指南

一人吃两人补并不是加大饭量

胎宝宝主要通过胎盘从母体吸收养分，因此孕妈妈的营养直接关系胎宝宝的发育情况，注重饮食营养意义重大，可以说是一人吃两人补，但这里的为两个人吃饭不等于吃两个人的饭，孕期饮食要重质、重营养均衡，而不是一味加量。

数量不一定要多，但饮食要多样化

孕期的饮食应注意食物的多样化，数量可以不多，但为了保证营养的全面，饮食的种类要丰富多样。

有呕吐反应的孕妈妈，可以通过少食多餐的方式来进食丰富多样的食物，以免妊娠反应引起营养缺乏，同时要注重补充 B 族维生素，以帮助改善呕吐现象。

没有妊娠反应的孕妈妈，食物的数量不必增加太多，跟孕前保持相当的水平即可，种类也要尽可能的丰富多样，孕早期体重不宜增加太多，以免增加孕晚期控制的难度。

怀多胞胎应多增加营养

对于怀有双胞胎或多胞胎的孕妈妈来说，一个人吃的饭几个人来分享，因此要比怀单胞胎的孕妈妈摄取更多营养，以确保胎宝宝的生长发育。孕妈妈只有增加足够的体重，才能使胎宝宝们长到健康的个头，否则会出现早产、宝宝出生体重过轻等问题。因此多胞胎孕妈妈需要适当多吃点儿。饮食上可选择富含蛋白质、钙、碳水化合物的食物，尤其可增加粗粮的摄入量。

怀多胞胎一般需要服用膳食补充剂

加强营养能给多胞胎宝宝提供充足的营养，膳食补充剂对于胎宝宝的健康发育也十分重要，因此双胞胎或多胞胎孕妈妈最好咨询专业的营养医师，调整饮食及适当添加膳食补充剂。

主食中加点儿粗粮

适当增加粗粮的摄入,可以防止孕期便秘,还能防止体重增长过快。玉米、燕麦、荞麦、红豆、绿豆等都是很健康的粗粮,可以占全天主食总量的三分之一甚至一半。

水果糖分高,当加餐吃

很多孕妈妈以为孕期大量吃水果可以让胎宝宝皮肤好,其实水果不能过量食用,因为水果中糖分含量较多,进食过多容易引起肥胖。一般来说,每天最好吃2种不同的水果,总量不超过350克,并且最好当加餐吃。如果在此基础上多吃了水果,就要相应减少主食的摄入量,以维持每日摄入的总热量不变。

细嚼慢咽能避免吃撑

细嚼慢咽能促使唾液分泌量增加,唾液中含有大量消化酶,可在食物进入胃之前对食物进行初步的消化,有利于保护胃黏膜。细嚼慢咽可使食物进入肠胃的速度变慢,能使大脑及时发出吃饱的信号;如果进食过快,当大脑发出停止进食的信号时,往往已经吃得过饱,容易导致热量摄入过多,引发肥胖。

体重增长过快要减少热量摄入

体重超标的孕妈妈要考虑减少碳水化合物的摄入。为预防碳水化合物摄入过度,孕妈妈可以在进餐时先进食蔬菜类食物,将碳水化合物含量丰富的谷类等食物放到后面。此外,不要吃太多的甜食。但是,体重超标的孕妈妈千万不能用节食的方法控制体重,否则对孕妈妈和胎宝宝的健康都不利。

没有一种食物能满足人体所需的所有营养,孕期饮食更要注重均衡、多样化,孕妈妈可以在孕期膳食金字塔的基础上调整饮食,保证营养的全面。

运动帮助孕妈妈控制体重、顺利生

帮助过胖孕妈妈调整体重

孕期肥胖容易导致妊娠糖尿病、妊娠高血压、过期产、巨大儿、肩难产等风险。因此,有的孕妈妈在超过了指导性的体重标准后急于减肥,减肥的过程是需要燃烧一定量脂肪的,而孕期又是需要为胎宝宝补充营养的阶段,所以限制饮食减肥不是明智的方式。但是运动不同,孕妈妈通过均衡的、长期良好的运动,不仅能慢慢调整体重,还能获得帮助分娩的各种益处。

缓解孕期不适症状

增强心肺功能

适量的有氧运动有助于孕妈妈增强心肺功能,可以预防和减轻由怀孕带来的气喘或心慌等现象。

促进血液循环

随着胎宝宝的长大,子宫会压迫到下腔静脉,使静脉回流不畅,引起下肢凹陷性水肿,也容易压迫到坐骨神经,导致疼痛。孕期运动有助于促进腰部及下肢的血液循环,减轻中晚期的腰酸腿痛、下肢水肿等压迫性症状。

增加肌肉力量

增加腹肌、腰背肌和盆腔肌肉的力量与弹性,不仅能防止因腹壁松弛而导致的胎位不正或难产,也能缩短分娩时间,减少产道撕裂伤和产后大出血等风险,增强身体耐力,为最后的顺利分娩做好准备。

改善睡眠

适当的运动能使孕妈妈产生轻微的疲劳感,有效帮助孕妈妈改善睡眠,缓解可能出现的孕期失眠、少眠等不利症状。

瑜伽运动有助于自然分娩

每一位孕妈妈都希望能自然分娩,孕期瑜伽能很好地帮孕妈妈实现这个美好的愿望。孕妈妈瑜伽可以强化生殖器官,柔软腹部肌肉和身体各关节。生产时"用力"依赖于子宫和腹部肌肉、韧带、关节等柔韧情况,瑜伽运动就是反复训练并强化和分娩有关的肌肉群,训练肌肉的收缩和伸展功能。

瑜伽中的呼吸训练有助于缓解阵痛

瑜伽运动过程中需要配合呼吸训练，在宫缩的过程中也可以尝试，通过有频率的呼吸更为胎宝宝提供充足的氧气，缓解阵痛。

孕期运动要提前做计划

有的孕妈妈在孕前就有良好的运动习惯，能保证一周至少三次的运动频率，这种有运动基础的孕妈妈，在孕期也能很好地进入运动状态。

但是，有的孕妈妈之前完全不爱运动，这种没有运动基础的妈妈，在开始孕期运动前要做好运动计划。这类孕妈妈可以首先从自己感兴趣的运动入手，比如瑜伽、孕妇操等，开始每周的运动频率可以较少，但是要持续增加，比如由一周1次到一周2次、一周3次这样。

不适合做运动的孕妈妈不要勉强

孕期运动是为了帮助孕妈妈顺利生产，也是为了胎宝宝健康成长，如果孕期出现不适合做运动的情况，如有妊高征、心脏病史、流产史、早产史、贫血、肥胖、胎儿过小等，或怀有双胞胎、有早产迹象等的孕妈妈，不要勉强，选择运动前，最好先咨询产检医生，听取医生的建议。

孕妈妈以不累、轻松、舒适为运动限度

孕妈妈在运动中忌疲劳，千万不能过度劳累，也不要运动到身体过热，也就是说孕妈妈不宜做出汗过多的运动。对于孕妈妈来说，以不累、轻松、舒适为运动限度。

在运动期间要注意补水，最好喝温热的白开水，也可以适量补充鲜榨果蔬汁。可乐及运动饮料都不适合孕妈妈。

在运动时如果孕妈妈出现阴道出血、有液体流出，出现不寻常的疼痛或者突发疼痛、胸痛、呼吸困难、严重或持续的头痛或头晕等问题，一定要立即停止运动，最好马上去医院检查。另外，如果在停止运动半小时后仍然持续有宫缩，是否可以坚持运动，先咨询产检医生，听取医生建议。

运动能缓解孕妈妈紧张情绪

很多孕妈妈孕期脾气变差，从心理学角度来讲，属于"不健康情绪"。原因有孕激素的影响，更多是因为女人角色的转换——即将要做妈妈了，是紧张、担心、惶恐等多种情绪的体现。《黄帝内经》中记载了孕妈妈情绪对胎宝宝的影响：孕妇七情过盛会引发胎病，所谓的"七情"简单说就是妈妈比较明显的情绪波动，这些都可能影响到胎宝宝。

运动会让人体释放具有免疫调节作用的内啡肽、脑啡呔和其他神经肽，这些激素促使大脑分泌一种"愉快素"（即 β-内啡肽），有助于平缓情绪，保持良好心情。

快乐情绪促使孕妈妈分泌良性激素

↓

孕妈妈身体保持最佳状态

↓

有益于胎宝宝血液循环、稳定成长，不易发生流产、早产、妊娠并发症等

好情绪促使胎宝宝健康成长发育

孕妈妈情绪暴躁或悲伤等

↓

体内产生有害物质

↓

孕妈妈血压升高

↓

暂时性子宫和胎盘血液循环障碍

↓

影响胎宝宝身心正常发育

坏情绪易导致胎宝宝发育畸形

适当运动有助于减少妊娠纹

妊娠纹是让孕妈妈苦恼的一件事情。孕前光滑、柔嫩、弹性十足的腹部，随着宝宝的发育一天天变大，生完宝宝后，更是留下了很明显的妊娠纹。

妊娠纹可以算是疤痕的一种，怀孕时，肾上腺分泌的激素增加，使表皮细胞等细胞活性降低，造成细小的纤维断裂；而到了怀孕中晚期，由于胎宝宝的成长速度加快或孕妈妈短时间内体重增长过快，造成皮肤真皮内的纤维断裂，这些最终导致了孕妈妈身上的妊娠纹。

如果孕期能进行适当的锻炼，不仅可以控制孕期的体重，而且可以增加皮肤对牵拉的抗力，有助于预防或者减少妊娠纹。

运动让胎宝宝更健康

有助于胎宝宝右脑发育

人的大脑分左右两个部分，左脑会在出生后受外界的刺激飞速发育，然而在胎儿时期，右脑是最活跃的。右脑是感性脑，负责节拍、图像、想象、创意空间等相关能力，孕妈妈可以通过孕期运动以及其他艺术形式的胎教全面促进右脑发育，右脑相关能力会在宝宝出生后继续被强化，表现更为突出，这就是我们常说的"潜力"。

人出生后，外界的海量刺激大多作用于左脑，右脑能力相对逐步减弱，俗话说不用则废，因此孕妈妈应该在孕期积极进行胎教，产后仍继续强化宝宝在胎儿时期的感受力。

让胎宝宝更聪明

孕妈妈在运动过程中，特别是做腰胯部运动时，子宫里的羊水会随着孕妈妈的动作而轻轻晃动，持续晃动的羊水可以刺激胎宝宝全身的肌肤，就像在给胎宝宝做按摩一样，这些来自肌肤表面的触感传达到胎宝宝的大脑，传入中枢神经系统，刺激神经细胞的形成和智能的形成，让宝宝更聪明。

让胎宝宝身体强壮

孙思邈在《千金方》中就提倡孕期妈妈要"身欲微劳"，意思就是说这个时间段孕妈妈不能总是坐着、养着，要起来运动，特别是到了孕中期。孕妈妈的运动过程其实也是胎宝宝的运动过程。胎宝宝的胎动是一种自主运动的体现，通过胎动锻炼自己的肌肉力量，跟随孕妈妈的运动，虽然是一种被动运动，但是妈妈的力量、柔韧与伸展都会传递给胎宝宝。

坐好、站好、躺卧好，运动才安全

可以说，所有的运动都是从基本姿势慢慢演变起来的，如果妈妈的姿势不舒服，或者不正确的话，宝宝也会感到不舒服，所以掌握准确的基本姿势很重要。

基本站姿
站立时，双脚分开与肩同宽，双肩放松，背部挺直，腹部稍微用力，双臂自然下垂在身体两侧，同时双手自然握空拳。

错误姿势

老师指导
避免塌腰驼背。

基本趴卧姿势
双膝弯曲趴卧，指尖向前，五指分开支撑地面，肩胛展开，挺直背部，此时，腰背、小腿与地面平行，脚背、脚趾贴近地面。注意不要低头或者仰头。

盘腿坐姿

比较简单舒服的一种坐姿,先两腿伸直坐在垫子上,然后双腿弯曲收回同时自然交叉,尽量靠近会阴部。脊椎挺直,向上伸展,目视前方,肩膀手臂放松,双手自然放在脚踝位置。

马大夫告诉你

这个坐姿有利于股、踝等关节部位的健康,增强神经系统的功能。孕妈妈可以随时做这个姿势,配合自然呼吸。

老师指导

如果双脚不能完全触地,可以在下面垫上毯子,帮助平衡身体。同时注意不要让椅背成为支撑身体的力量,避免塌腰驼背。

错误姿势

椅子坐姿

臀部向后靠,在椅面上坐实,脊椎挺直,向上伸展,目视前方,双腿自然张开,双手自然平放在大腿上。

基本卧姿

1 自然坐在地板上,顺势侧躺,左臂弯曲、左手五指张开支撑地面,右臂掌辅助支撑。

2 左臂慢慢伸展,身体顺势下躺,右臂掌辅助支撑。

3 左臂完全伸直贴在地板上,头部顺势侧枕在左臂上,右臂自然放在身前。

热身运动,让身体准备好运动了

运动热身是为了舒缓身体,通知身体"我要运动了",降低运动受伤风险,热身运动一般是时间短、强度低,慢慢增加身体温度和血液循环,使全身各系统逐渐适应即将进行的运动。因此孕妈妈运动前一定不要忽略热身运动这个环节,同时注意运动时要站在瑜伽垫或者毯子上等安全防滑的地方。

头颈运动

请扫描二维码观看演示视频

1 站立,双脚分开与肩同宽,双手叉腰,颈部保持中正,把意识集中在颈部。

2 体会头远离肩膀,然后头部先左右转动,再前后摆动。

第一章 妈妈爱运动，宝宝赢在"起跑线"

3 用左耳找左肩，右耳找右肩。

伸展运动

老师指导

感受肩胛骨向两侧扩张。

2 膝盖微弯曲，背部顺势弓成半圆形，扩展后侧肩胛骨。

1 取站姿，双手在胸前十指交叉，手掌外翻，双臂向前水平伸展。

3 慢慢起身，双臂向上伸展，让腰部挺直，手掌朝上。

4 身体分别向左、向右伸展，各保持5个自由顺畅呼吸。

5 放松，还原站姿。

老师指导

做每一侧的伸展动作时，尽量不要挤压到同侧的腹部。

第一章 妈妈爱运动，宝宝赢在"起跑线"

腰胯运动

1 取站姿，双臂展开，向后振臂。

2 左手叉腰，右手贴近耳朵向上伸展（尽量不耸肩），然后向左做侧弯腰动作，感觉拉伸右侧腰肌，保持20秒。反方向重复动作。

3 恢复站姿，双手叉腰，顺时针扭胯一圈，再逆时针转一圈。

腿部运动

1 取站姿，双手叉腰，身体左转，左腿屈膝，背部挺直，双手稍微撑在左大腿上，做弓步压腿动作，保持10秒。反方向动作。

老师指导

做此动作时腰部稍微弯曲20度，让腰腹部感觉更舒适，同时腿部拉伸的程度以自己的感受为主，不要勉强拉伸。

马大夫告诉你

这套热身运动可以根据自己的感受来确定运动的频率，不要强行要求自己"保持30秒""转3圈"这样子，如果觉得某个动作舒服可以多做几次，如果觉得某个动作吃力，可以简单做一下或者不做。

2 随意站立，活动活动手腕和脚踝。

正确的呼吸方式让胎宝宝和妈妈一起放松

正确的呼吸方式,帮助孕妈妈呼吸到新鲜而充足的空气,可以给心脏温柔的按摩,让孕妈妈带动胎宝宝彻底放松,度过一段愉快的运动时光。在感受呼吸的时候,可以想象置身于景色怡人的山林中,有阳光、绿树、鲜花、湖水、鸟鸣,和平而美好。

1. 按照基本坐姿在椅子上坐好。双手交叉放在腋下,用鼻子吸气口呼气,呼气时双肩自然下垂,慢慢放松。

2. 双手放在两侧肋骨处,吸气,感受胸腔慢慢膨胀;呼气,感受胸腔慢慢收缩。

3. 吸气,双手离开肋骨,放在胸腹部。

4. 双臂最大限度打开,呼气,双臂慢慢收回,还原到基本坐姿。

第二章

孕早期（孕1~3月）动一动，宝宝发育好、早孕反应少

很多孕妈妈都会担心怀孕早期胎宝宝的安全，对是否运动犹豫不决，其实只要做好充足准备，进行增强身体力量的适当锻炼是非常有益的。而且，孕妇操也是专门为孕期不同阶段孕妈妈设计的安全、有效的运动形式。

孕早期是流产危险期，运动要以"慢"为主

孕早期是流产高发期

妊娠不足 28 周，胎宝宝的体重不足 1 千克而中断妊娠的，就称为流产，分为早期流产和晚期流产两种。早期流产发生在怀孕的 12 周之前，比较多见，占到了全部流产的 80% 以上。晚期流产发生在怀孕 12 周之后，它的发生率在全部妊娠中占 10%~15%。

流产的征兆是什么？

阴道出血： 阴道出血可分为少量出血和大量出血，持续性出血和不规律出血，尤其是阴道出血还伴随着腹痛，需要特别注意。

疼痛： 骨盆、腹部或者下背可能会有持续的疼痛感，当阴道出血的症状出现后，可能几小时或者几天后开始感到疼痛。

阴道血块： 阴道排出血块或者浅灰色的组织。

运动要适度，避免不当外力导致流产

怀孕的前 3 个月是胎儿形成的关键期，同时也是胎儿最不稳定的一个时期，和母体的连接还不是很紧密，此阶段要注意运动的强度，避免不当外力导致胎儿流产。所以，孕早期的运动不能再按照孕前的运动节奏和模式，要以"慢"为主，尽可能让身体处于舒缓的状态。

同时，即使是适合孕早期妈妈的运动，也要根据自己的身体情况量力而行，是否有运动基础、孕周大小、早孕反应强弱都可能影响运动方式和效果，别人能做到的运动未必自己就做得舒适，所以不用攀比，自己舒适的状态才是可取的。

> **马大夫告诉你**
>
> **流产有时是不幸中的万幸**
>
> 自然流产是每个孕妈妈都不愿面对的，但换个角度看，这也是人体对异常胚胎的一种自然淘汰。大部分的早期流产都是因为染色体有问题而导致的，这样的胚胎即便存活下来也可能是畸形或者不健康的。而排除染色体问题外，有流产征兆的孕妈妈经过休息和治疗也可以继续妊娠。因此孕妈妈要正确看待流产。

孕早期饮食配合，运动更有效

孕早期不需要太多营养

有的孕妈妈刚一得知怀孕的消息，家里就开始迫不及待地给补营养。孕期饮食非常重要，摄入的营养不仅为孕妈妈自身提供所需的养分，还为胎宝宝的发育提供营养，毫无疑问，孕妈妈需要比平时消耗更多的热量，需要更多的营养。但是怀孕前3个月，所需营养与平时相差不多，孕妈妈自身的营养储备可满足需要，不需要特别补充营养。

不挑食、不偏食，少食多餐

现在生活条件好，食物种类丰富，孕妈妈只要平时饮食不挑食、不偏食，营养就能够满足早期胎宝宝的发育。没食欲的时候不要强迫自己吃，有食欲的时候就适当进食，一天可以多吃几顿，还可以随时准备点自己喜欢的健康零食，既能补充营养，还能避免空腹引起的恶心感。

整个孕期的营养要以均衡、多样、足量为原则，而不主张大补特补。

孕前饮食不规律的孕妈妈现在要纠正

好的饮食习惯是保证母胎健康的基础，如果你怀孕之前饮食习惯很不好，不按时按点就餐、饥一顿饱一顿、不吃早餐等，那么在孕期就要刻意调整了，否则不仅容易造成肠胃不适，还会影响胎宝宝的生长发育。

清淡为主，避免油腻食物

油腻食物最容易引起孕妈妈的恶心或呕吐，而且需要较长的时间才能消化，因此要避免吃油腻的食物，蔬菜、菌菇等食物在烹调过程中也要注意少油少盐，越清淡越能激发孕妈妈的食欲。

多吃点新鲜蔬菜、水果，喝点果蔬汁

新鲜的蔬菜和水果富含维生素，可以增强母体的抵抗力，促进胎宝宝生长发育，还能缓解孕吐，孕妈妈要适当多吃。此外，也可以将蔬菜和水果搭配起来打成果蔬汁饮用，比如苹果汁、橙汁、芹菜汁等。

补充 B 族维生素

孕早期，胚胎很小，几乎不需要多吃，此时孕妈妈的食欲通常较差，饮食宜清淡。需要注意的是，在恶心呕吐不严重时尽量多吃些东西，可以补充所需营养，特别是 B 族维生素对缓解妊娠反应很有帮助，但没必要吃任何补品。

选择既有酸味又能加强营养的天然食物

怀孕期间，很多孕妈妈都会较偏爱吃些酸味食物，觉得吃完舒服些，这可能是因为酸味食物能提升食欲、促进消化。喜欢吃酸味的孕妈妈，最好选择既有酸味又能加强营养的天然食物，比如番茄、樱桃、杨梅、橘子、酸枣、青苹果等，不要吃酸菜等腌制食品，因为腌制食品中的营养成分很低，致癌物质亚硝酸盐含量较高，过多食用对母胎均不利。

孕期最好不吃山楂，山楂对子宫有收缩作用，孕期大量食用会刺激子宫收缩，易引发流产。

孕吐也要该吃就吃

孕妈妈在没有食欲的时候，不必强迫自己进食，但是不要在有食欲的时候也不敢吃，孕吐的间隙，只要能够进食就要大胆吃，选择自己想吃的东西。此时不要让自己饿肚子，对于食物选择不要过分禁忌，能吃东西总比不吃要好。

吃些既缓解孕吐又有营养的食物

如果你没有特别的偏好，那么不妨选择下边这些食物，既能缓解孕吐，又富有营养。比如燕麦面包、麦片、杂粮粥、杂豆粥、牛奶、酸奶、水煮蛋、蒸蛋羹、带汤水饺、新鲜的蔬菜和水果等。

适当吃点凉拌菜

虽然孕妈妈个人口味不同，但凉拌菜的气味一般没有热菜那么强烈，比较清爽不油腻，凉拌黄瓜、海藻沙拉、大拌菜等都能对孕吐起到一定的缓解作用。

常备一些苏打饼干

经常孕吐的孕妈妈可以常备点苏打饼干，苏打饼干是碱性的，能中和胃酸，减轻孕吐反应。如果早晨起床的时候就开始恶心甚至呕吐，可以先吃几块苏打饼干，能让你好过一些。

苏打饼干

马大夫告诉你

出现妊娠剧吐要就医

程度较轻的孕吐是不会影响正常妊娠的，但是也有少数孕妈妈早孕反应较重，发展为妊娠剧吐，这个时候就需要就医了。

那么什么程度的孕吐属于妊娠剧吐呢？一般来说，孕吐呈持续性，无法进食或喝水，体重消瘦特别明显，体重下降超过原有体重的15%；出现严重的电解质紊乱和严重的虚脱，甚至发生生命体征的不稳定；孕吐物除食物、黏液外，还有胆汁和咖啡色渣物，这时应及时到医院检查。

放松身体、愉悦心情：摇摆摇篮

　　一旦怀孕，如何安胎保胎就成了孕妈妈最关注的一个问题。这期间，孕妈妈不仅要注意生活有规律，饮食有营养，心情要愉快，要注意休息，同时，偶尔适度的放松运动也是必要的。

1 让孕妈妈更快更好地适应怀孕后的身体状况。
2 让新生胚胎更好地适应环境，并帮助营造一个更舒适的环境。
3 锻炼臀部和大腿肌肉，放松腹部。

请扫描二维码观看演示视频

1 取坐姿，最好是坐在软垫或是毯子上，两脚脚心相对，上身挺直，双手交握，握住脚尖。

2 双手双臂保持不动，使整个上半身向右摆动，然后依次按照后、左、前的顺序自然摆动一圈，停下来休息1~2秒，再重复动作。期间两腿可随身体而动。

第二章　**孕早期（孕1~3月）动一动，**
宝宝发育好、早孕反应少

老师指导

1 做此套动作时，双手也可以一只放在胸部，一只放在腹部。

将毯子卷起，绕过臀部垫在大腿根下，帮助固定根基不晃动。

2 如果觉得转圈会晕，也可以不用身体转圈，改成以臀部为基点，由左到右、由前向后摆动的方式运动。

 孕妈妈体验谈

喜欢早上起床的时候做这个运动，可以舒缓身体，感觉也是在叫宝宝起床。我是上班族，早上做完这套小运动，感觉一天的好心情都跟着打开了，带着宝宝开开心心去上班。

锻炼大腿及胯部肌肉，有利于顺产（一）：盘腿坐

在孕妇自然分娩的过程中，最痛苦的是疼痛，而比疼痛更痛苦的是被疼痛折腾了半天也生不出来。为了减少孕妇生产时的痛苦，从孕早期开始，孕妈妈就开始做一些轻缓的、小幅度的腿部及胯部运动，可以起到促进顺产、减轻生产痛苦的作用。

1. 能够有效地锻炼肛提肌收缩力，在分娩中协助胎儿的娩出。
2. 拉伸大腿与骨盆的肌肉，同时可以改善妊娠晚期和分娩时的体形，保持骨盆肌肉和韧带的柔韧性，促进下半身的血液循环。

请扫描二维码观看演示视频

环绕大腿根垫毯子，帮助稳定身体。

1 盘腿坐在瑜伽垫上，双脚不交叉，双手轻压双膝内侧，同时收缩阴道、肛门、尿道，然后放松，再次收缩，再放松。重复动作20次。

2 脚掌心相对而坐，坐骨坐实，骨盆稳定，双膝向两侧打开，感觉大腿内侧有轻微伸展，手放在臀后侧支撑身体，保持胸腔打开，肩胛下沉，保持8个自由呼吸（可结合凯格尔运动）。

锻炼腿、胯肌肉的其他运动方式

坐在椅子上,背部挺直,双手自然放在双膝上,最大程度打开膝盖,再合拢,重复动作8~10次。

孕妈妈坐在地上,双臂向前平伸,屈膝,然后抬起脚跟,脚尖着地保持3~5秒。

凯格尔运动

凯格尔运动主要是锻炼盆底肌,以便更好地控制尿道、膀胱、子宫和直肠。研究表明,加强盆底肌锻炼可改善直肠和阴道区域的血液循环,有助于产后会阴撕裂的愈合及预防产后痔疮。甚至有研究表明,强有力的盆底肌可有效缩短产程。

孕妈妈可以在任何地方做凯格尔运动,在电脑上网、看电视,甚至在超市排队时都可以做。按照以下方式即可:

(1)吸气收紧阴道周围的肌肉,就像努力憋尿一样。

(2)保持收紧状态,从1数到4,然后呼气放松,如此重复10次,每天坚持做3次。

锻炼大腿及胯部肌肉，有利于顺产（二）：卧式扭腰运动

孕妈妈做一些轻缓的、小幅度的腿部及胯部运动，不仅可以锻炼大腿及胯部肌肉，同时可以促进顺产，减轻生产时的痛苦。

运动理由
1. 锻炼孕妈妈大腿外侧、臀部和腰部肌肉。
2. 缓解改善孕妈妈脊椎及背部不适。

分步动作

请扫描二维码观看演示视频

1 平躺在床上，头下枕一个软枕，身体两侧再各放一个软枕，双臂水平伸展，双腿伸直分开。

2 右腿屈膝，右脚脚心踩在床上。

第二章　**孕早期**（孕1~3月）**动一动，**
　　　　宝宝发育好、早孕反应少　　41

在扭转时双肩尽量保持放松，平放在床（地板）上，向左侧扭转时，右侧的肩膀尽量不要离开床（地板），反侧亦然。

3 上半身保持不动，下半身向左侧扭转，使右腿压住左侧软枕，保持2秒，回到平躺姿势，放下右腿。

4 换左腿做步骤3的动作，使左腿压住右侧软枕，保持2秒，回到平躺姿势，放下左腿。

❀ 老师指导

此套动作也可两腿同时屈膝，然后同时朝着一个方向的枕头压去，略保持1~2秒后，回复原位，再同时向另一个方向的枕头压去。

锻炼腿、胯肌肉的其他运动方式

1 平躺（后背部垫上抱枕），两脚脚心相对，然后将两个膝盖尽力向下压。

2 平躺，两脚交叉，然后将两个膝盖尽力向下压。

老师指导

在练习这两个动作时，建议在后背部垫上抱枕或枕头，给腰后侧一定的空间，以便减轻腰后侧的压力。如果用的是瑜伽专业抱枕，建议在颈部位置垫上毯子，保持颈曲正常，如果用的是家用枕头，弹性较大，可以不用垫毯子。

锻炼腿、胯肌肉的其他方法

孕妈妈在平时按摩或用手掌轻拍大腿外侧及胯部肌肉，也有助于增强大腿外侧和胯部肌肉的张力。

让妈妈心情好、让胎宝宝舒适：金刚坐

怀孕后，因为身体的各种变化，孕妈妈难免会出现心情浮躁、焦虑等心情不好的时候，偶尔的心情不畅影响不大，但若长此以往，不仅孕妈妈自身可能会抑郁，对胎宝宝的成长也是不利的。因此，孕妈妈必须学会并善于调节自己的心情，其中金刚坐是一个不错的选择。

运动理由

1. 使腿部血液循环减少，并放慢整个下半身的血液循环，而使上半身尤其是胸部和脑部的血液循环加速，平衡身体各部位的神经系统，进而起到安抚情绪、改善心情的作用。
2. 促进消化，调理肠胃功能。
3. 使盆骨肌肉得到伸展，对生殖器官十分有益。

分步动作

1. 跪坐姿势，小腿和脚背平贴于地面，膝盖并拢，双脚略分开，大腿压在小腿和两脚之间。脊背挺直，上半身保持直立，两臂自然下垂，放在大腿上。

2 起身，呈跪立状态，并打开双膝与肩同宽，踮起脚尖，保持3~5秒，同时做一个深呼吸。

跪立时，上身尽量放松，主要锻炼肩膀及胸部的力量，注意收紧下巴，腰背挺直。可以在脚踝下方垫毯子，缓解足背、脚踝的压力。

3 慢慢将臀部坐回到双脚上。在最终的金刚坐上保持1分钟或者更久的时间。

老师指导

跪坐时，可以在臀部下方横垫一块瑜伽砖，让身体感受更舒适。

改善心情的其他方法

孕妈妈可在平时多做一些自己喜欢的事，一来可以放松心情，二来也可以通过注意力转移而改善心情。

孕妈妈也可以通过饮食来改善心情，适当多吃一些深海鱼、鸡肉、菠菜、土豆、香蕉、樱桃、巧克力等，同时又可补助营养。

使脚腕关节变得柔韧有力：脚腕运动

怀孕期间，体重的增加，再加上身体激素的变化，孕妈妈常常会出现双脚麻痹、水肿等症状，孕妈妈在平时适当做一做脚腕运动会有助于改善这种状况，并会使脚腕关节变得柔韧有力。

1 为中晚期孕妈妈日益增加的体重压力做准备，使脚腕关节柔韧有力。

2 长期坚持，有助于改善孕妈妈晚期的脚部水肿。

1 孕妈妈取仰卧姿势，两腿平伸，两臂水平伸展。

老师指导

在做平躺姿势时，可以将毯子卷几折垫在颈部下面，保持颈部的正常曲度。

2 两脚同时前后活动脚踝，充分伸展、收缩跟腱10次。

3 抬起左脚，左右摇摆脚踝10次，放下。

4 抬起右脚，同样左右摇摆脚踝10次，放下。

老师指导

此套动作也可以坐在椅子上完成，踮脚，以脚尖为基点，分别按照顺时针、逆时针方向转动脚踝。

 孕妈妈体验谈

我平时上班到公司或下班到家的时候，会练习这套动作，走累的双脚脚踝能得到很好的舒展，缓解疲劳。

改善脚腕柔韧度的其他运动方式

孕妈妈坐在椅子，抬左腿伸直，脚背用力向下压，使膝关节、踝关节和足背连成一条直线，然后脚背用力向上勾，反复做5~10次。换右腿重复动作。

脚背用力向下压

老师指导

孕妈妈在做脚腕运动时，最好采取坐姿或卧姿的方式，而不要采用站姿的方式，以免因为失去平衡而摔倒。

脚背用力向上勾

改善脚腕柔韧度的其他方法

孕妈妈可在平时经常轻柔、缓慢地按揉脚腕关节，每次时间在10~15分钟左右即可。

孕妈妈在每晚睡前泡脚可促进脚部血液循环，起到改善脚腕关节柔韧度的作用，注意泡脚时尽量选择深一些的泡脚盆，水的量最好也盖过脚踝部位。

强化脚部力量：脚部运动

脚部的有力对孕妈妈来说非常重要，因此，孕妈妈在平时注重锻炼脚部力量也就非常有必要了。

1. 加快脚部血液循环，锻炼脚部肌肉，预防脚部水肿、疲劳等问题。
2. 锻炼小腿肌肉，增强小腿力量。

1. 孕妈坐在椅子上，右腿压在左腿上，跷起二郎腿，然后慢慢上下左右活动右腿的小腿和脚尖，约1~3分钟，然后换左腿运动。

2. 向前、向后掰一掰自己的脚趾。
换腿重复动作。

加强腿部肌肉的弹性,促进生产:腿部画圈

锻炼腿部肌肉的弹性也是促进孕妈妈顺利生产的运动方式之一。

1. 增强会阴部位、胯部、骨关节周围肌肉的弹性,可以促进分娩,缩短产程。
2. 锻炼腿部肌肉,使腿形更美。

请扫描二维码
观看演示视频

1 左侧卧姿势,双腿伸直,左手支撑头部,右手摊开平放,掌心朝下,自然支撑在胸前。

2 抬起右腿略比胯高,注意腿和脚一定要伸直。然后右脚以顺时针方向,慢慢画一个圈,然后悬停在开始的位置,保持2~3秒;再逆时针画一个圈,保持2~3秒。

3 换右侧卧,抬起左腿重复动作。
进行5~8组。

老师指导

做这组动作时,如果感觉手臂支撑头部太累,也可以将头部直接枕在枕头上来做。

增强腿部肌肉弹性的其他运动方式

孕妈妈平躺在床上,双膝曲起、并拢,然后由双膝带动大小腿,缓慢而有节奏地画圈,注意活动时,双肩和脚掌要紧贴床面。

老师指导

做这个动作时,孕妈妈不要追求所画圆圈的大小,以免因用力过大,给骨盆、胯部肌肉带来伤害。

改善腿部肌肉弹性的其他方法

孕妈妈可以在休息时,盘腿坐上5~10分钟,也有助于会阴、骨盆肌肉弹性的锻炼,但要注意每次时间不宜过长,以免影响腿部血液循环。

此外,孕妈妈平时可特意收紧骨盆底肌肉,保持8~10秒,然后放松8~10秒,然后再收紧,每天3次重复这个动作各5~10分钟,也可起到锻炼会阴、骨盆肌肉弹性的作用。

增大肺活量,促进分娩时憋气用力:扩胸运动

怀孕后,孕妈妈一个人呼吸两个人的用氧量,做做扩胸运动,增加肺活量,不仅有助于孕妈妈日常的氧气需求,对孕妈妈日后的分娩也是很有帮助的。

1. 锻炼胸肺部肌肉,增加肺活量,促进分娩时憋气用力。
2. 锻炼肩臂部的肌肉,放松肩颈部肌肉。

请扫描二维码观看演示视频

1 盘腿坐姿,双臂向前平伸,与肩同高。

2 两前臂向上弯曲呈90度,双手握拳,合并放于眼前。

第二章 孕早期(孕1~3月)动一动，
宝宝发育好、早孕反应少   53

3 吸气，做扩胸运动，保持两前臂弯曲状态，慢慢展开成180度，保持2~3秒。

➤ 老师指导 ❦

做这套动作时，也可双手握拳朝下，双臂伸直与肩齐，然后整条手臂向外扩展。
另外，要注意尽量避免憋气行为，以免使胎宝宝缺氧。

4 呼气，慢慢恢复到步骤2的姿势。

扩大肺活量的其他运动方式

孕妈妈在平时可以适当地游游泳，这样不仅可以增强心肺功能，增加肺活量，同时还是缓解关节压力、促进血液循环、增强体质并帮助控制体重的一种好运动。但孕妈妈游泳时要注意，不可以屏气，一定要保证呼吸顺畅。

改善肺活量的其他方法

孕妈妈可有意识地加大呼吸的深度，多做深呼吸，对于增加肺活量也有一定的帮助。

此外，平时做做吹气球、吹蜡烛等游戏或动作，都是有助于增加肺活量的。

专题 整个孕期都要补叶酸

叶酸能有效预防神经管畸形

叶酸是一种水溶性B族维生素，最初是从菠菜叶中发现的，所以称为"叶酸"。叶酸是胎宝宝大脑发育的关键营养素，孕期适当补充叶酸可预防胎儿神经管畸形。

如果母体叶酸缺乏，会造成胎儿神经管闭合不正常，造成无脑儿、智力低下、脊椎裂等出生缺陷。

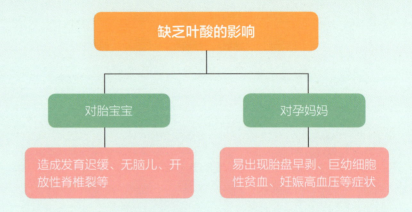

孕前补了，孕期还要继续补

有的孕妈妈在备孕期就补叶酸了，那么孕期也要继续补。也就是说任何一位孕妈妈都要补叶酸，而且要持续整个孕期。

虽然孕早期是胎儿神经系统发育的关键期，但叶酸的补充并不能仅限于孕早期，因为在孕中期、孕晚期，胎儿DNA的合成，胎盘、母体组织和红细胞的增加，都将使叶酸的需要量大大增加，此时缺乏叶酸容易导致孕妈妈引起巨幼红细胞性贫血、先兆子痫、胎盘早剥等的发生。

孕期每日需摄入叶酸600微克

孕妈妈对叶酸的需求量比正常人高，每日需要约600微克才能满足胎宝宝生长需求和自身需要。加上我国育龄女性体内叶酸含量普遍偏低，因此孕期更要重视叶酸的补充。

补叶酸的天然食物

人体不能自己合成叶酸,天然叶酸只能从食物中摄取,因此你应该牢记这些高叶酸含量的食物,让它们经常出现在你的餐桌上。

柑橘类
橘子、橙子、柠檬、葡萄柚等

深绿色蔬菜
菠菜、西蓝花、芦笋、莴笋、油菜等

豆类、坚果类
黄豆及豆制品、花生(花生酱)、葵花子等

谷类
大麦、米糠、小麦胚芽、糙米等

动物肝

牛奶及乳制品

含叶酸的食物很多,但由于叶酸具有不稳定性,遇光、遇热容易损失,所以人体真正能从食物中获得的叶酸并不多。比如,蔬菜储存2~3天后叶酸可损失一半,在烹调过程中叶酸也会有所损失。也就是说,除去烹调加工的损失,叶酸的实际吸收利用率大概只有50%,如果仅靠食物补,很难达到所需的量。

食物补不足,叶酸片来补

叶酸补充剂比食物中的叶酸能更稳定地被人体吸收利用,因此,在以食补为主的基础上,适当补充叶酸制剂是很有必要的。

叶酸片主要用于纠正饮食中叶酸摄入不足的情况,但是不能脱离食物而单依靠制剂,任何一种营养素的补充都要以食物为基础。一般正常饮食的情况下,每天服用400微克的叶酸片或者复合维生素片即可满足一日的叶酸需求。

第三章

孕中期（孕4~7月）动一动，缓解孕期不适

随着月份的增大，孕妈妈的身材也逐渐变得臃肿，孕中期的孕妇操动作充分考虑到孕妈妈这方面的特点，设计了对孕妈妈来说最为恰当的姿势，不论肚子多大，都可以很方便又安全地进行运动。

孕中期饮食配合，运动更有效

从现在开始少吃盐，避免中晚期水肿

正常人每天的食盐建议摄入量是6克，孕妈妈可以在此基础上降低到5克，而对于孕前就有高血压的孕妈妈来说，更要减少食盐用量。减少吃盐不仅要控制饮食中的烹调用盐，还应留意一些食物中的隐形盐。

少吃甜食，避免肥胖和妊娠糖尿病

这个时期大多数孕妈妈的胃口好了，经常感到饿，所以可能会经常买一些零食，如蛋糕、面包、甜饮料等。这些食物含有反式脂肪酸和食品添加剂，含糖量很高，吃多了不仅容易造成肥胖，还易升高血糖，增加妊娠糖尿病的发病率。

多吃深色水果，摄取植物化学物

水果具有低热量、低脂肪、高膳食纤维、高维生素和含多种矿物质的特点，经常食用有益于预防孕期慢性疾病。深色水果含有更多的植物化学物，如花青素、番茄红素等，可以减轻孕期妊娠斑，是孕妈妈的聪明选择。常见的深色水果有葡萄、桑葚、草莓、芒果等。

胎宝宝甲状腺开始发育，适量吃些海产品补碘

在怀孕第14周左右，胎宝宝的甲状腺开始发育，而甲状腺需要碘才能发挥正常的作用。孕妈妈如果摄入碘不足的话，可能会导致胎宝宝出生后甲状腺功能低下，影响中枢神经系统，特别是大脑的发育。

孕妈妈每天宜摄入200微克碘。鱼类、贝类和海藻类等海产品是含碘比较丰富的食物，孕妈妈适宜多食。一般孕妈妈只要坚持食用加碘盐，同时每周吃1~2次海带或紫菜、虾等海产品就基本能保证足够的碘摄入了。缺碘、碘补过了都不好，一般来说，如果孕妈妈不缺碘，就不用特意补。

摄入充足的蔬菜和水果

蔬菜和水果中含有人体必需的多种维生素和矿物质，它们可以提高机体的抵抗力，帮助孕妈妈加速新陈代谢，还有解毒利尿的作用，因此孕妈妈应每天进食充足的蔬菜和水果。值得注意的是，孕妈妈应尽量避免过度食用山楂、桂圆、马齿苋，它们可促使子宫收缩，有诱发流产的可能。

适当增加维生素 A 的摄入

维生素 A 与感受光线明暗强度的视紫红质的形成有着密切关系，对胎宝宝的视力发育起着至关重要的作用。在胎宝宝的成长过程中，维生素 A 还有许多其他的重要作用，比如促进器官发育、提高抵抗力等。

中国营养学会推荐普通女性和孕早期每天宜摄入 700 微克维生素 A，孕中期和孕晚期每天摄入 770 微克维生素 A，所以这个时期要适量增加维生素 A 的摄入量。动物性食物如动物肝脏、肉类等不但维生素 A 含量丰富，而且其中的维生素 A 能直接被人体吸收，是维生素 A 的良好来源。

1/10 个猪肝（约 100 克）含有 4972 微克维生素 A

多吃富含 β-胡萝卜素的食物

β-胡萝卜素通过胃肠道内的一些特殊酶的作用可以催化生成维生素 A，在红色、橙色、深绿色植物中广泛存在，所以可适量多吃些胡萝卜、菠菜、南瓜、芒果等。

1 根胡萝卜（大约 100 克）含有 4130 微克 β-胡萝卜素

适当吃利尿食物，缓解轻微水肿

为了满足胎宝宝生长发育的需要，孕妈妈体内的血浆和组织液增多，从而会造成水肿。孕妈妈有轻微的水肿是正常现象，可以每天多进食具有利尿作用的食物，如冬瓜、黄瓜、红豆等，以缓解水肿症状。

黄瓜

补钙和维生素 D，防止腿抽筋

孕中期，每天钙需求量为 1000 毫克

孕妈妈对钙的需求量随着胎宝宝的生长发育而变化。到了孕中期，孕妈妈对钙的需求量比孕早期要大。中国营养学会建议孕妈妈在孕中期每天补充 1000 毫克的钙。

- 小腿抽筋
- 牙齿松动
- 妊娠高血压综合征
- 关节疼痛
- 骨盆疼痛

缺钙 → 补钙

钙和维生素 D 一定要同补

维生素 D 是一种脂溶性维生素。维生素 D 可以全面调节钙代谢，增加钙在小肠的吸收，维持血中钙和磷的正常浓度，预防肋软骨钙化。

目前有关食物中维生素 D 含量的数据很少，其中主要的原因是天然食物中很少富含维生素 D，认为维生素 D 主要来源于动物性食物，如肉、蛋、奶、深海鱼、鱼肝油等。另外一个主要的维生素 D 来源是晒太阳，上午 9~10 点和下午 4~5 点都是晒太阳补维生素 D 的好时间段。

牛奶是钙的最佳来源

除了有乳糖不耐受症状的孕妈妈，其他孕妈妈都应该每天喝奶，因为奶中的钙含量较高，而且容易被人体吸收，此外，还可以多食用一些奶制品，比如酸奶、奶粉、奶酪等。

孕妈妈每天喝牛奶时，可以吃一小把坚果，这样营养更丰富，补钙效果也更好。

> **马大夫告诉你**
>
> 孕期补钙可以通过食物加钙片的方式。从孕中期开始，胎宝宝进入了快速发育的时期，必须补充足够的钙质来保证胎儿四肢、脊椎、头颅骨和牙齿等部位的骨化。喝牛奶是孕妈妈补钙的聪明选择。孕妈妈如果在孕中期不能保证每天摄入 500 毫升牛奶（或含有等量钙质的奶制品），就需要补充一定量的钙剂。
>
> 但现在市场上一些钙剂中含有对孕妈妈身体有害的元素，如镉、铋、铅等，长期服用可能导致重金属中毒，因此建议孕妈妈买质量有保障的钙剂。

增加铁储存，预防缺铁性贫血

铁的摄入量应达到每日24毫克

是人体造血合成血红蛋白最重要的元素，孕中期的孕妈妈对铁的需求量增加，如果铁的摄入量不足，孕妈妈可能会发生缺铁性贫血，这对孕妈妈和胎宝宝都会造成不利影响。

在孕4~7月，孕妈妈平均每日铁的摄入量应为24毫克；孕8~10月，每天应增加到29毫克。

补铁首选人体吸收率高的动物性食物

铁元素分两种，血红素铁和非血红素铁。前者多存在于动物性食物中，后者多存在于果蔬和全麦食品中，血红素铁更容易被人体吸收。因此，补铁应该首选动物性食物，比如牛肉、动物肝脏、动物血。

猪肝补铁效果好，可一周吃1次

为预防缺铁性贫血，整个孕期都应该注意摄入含铁丰富的食物，如猪肝。为使猪肝中的铁更好地被吸收，建议孕妈妈食用猪肝坚持少量多次的原则，每周吃1~2次，每次吃30~50克。但是为避免猪肝的安全隐患，应购买来源可靠的猪肝，在烹调时一定要彻底熟透。

补铁也要补维生素C，以促进铁吸收

维生素C可以帮助铁质的吸收，帮助制造血红蛋白，改善孕妈妈贫血症状。维生素C多存在于果蔬中，如橙子、猕猴桃、樱桃、柠檬、西蓝花、南瓜等均含有丰富的维生素C。孕妈妈在进食补铁食物时搭配吃这些富含维生素C的果蔬或喝一些这类果蔬打制的果蔬汁，都是增进铁质吸收的好方法。

马大夫告诉你

补钙与补铁不要同时进行

孕妈妈在吃富含铁的食品或服用补铁剂时，不要同时服用补钙剂或者含钙的抗酸剂。这是因为钙会影响身体对铁的吸收。在服用补铁剂时不要喝牛奶，否则牛奶中的钙、磷会阻止铁的吸收。

孕中期可以适当多一些运动

孕中期，孕妈妈整体感觉比较舒服

到了孕中期，孕妈妈整体感觉舒服些了，早孕反应已过去，胃口也好了，吃饭也香了，肚子隆起日益明显，心情舒畅了许多。此时，胎盘已经形成，胎盘和羊水的屏障作用可缓冲外界的刺激，使胎宝宝得到有效的保护。

孕中期运动要以轻柔、缓慢为主

孕中期，胎宝宝成长到4~7个月，情况已经相对稳定，孕妈妈也度过了孕早期流产的危机，一些不适的生理状况也得到了改善，不用像孕早期那样太过小心，可以适度增加运动量，增强身体的循环活力，当然具体运动量还需要依自身的体能和承受能力而定。

孕中期避免做仰卧起坐和长时间站立。怀孕时所有的关节都在为生产做准备，会变得比较松弛，因此不要给膝盖造成过大的压力，尤其不要做过度弯膝或者重心过度后移的下蹲运动。

安全运动才会更有效

孕妈妈在运动时一定要注重安全，运动虽然能为孕妈妈和胎宝宝带来诸多好处，但是如果超出孕妈妈身体承受能力，反而会给孕妈妈和胎宝宝带来伤害。因此，需要在各方面注意运动安全。

运动细节

①每次运动时间以20~30分钟为宜，不宜超过1小时。每周运动3~5天为宜。
②建议在饭前或者饭后一小时运动，运动前后要充分补水。
③运动时保持良好的通风环境。

运动强度

①运动中出现头痛、眩晕、恶心、胸闷、呼吸困难等症状时要停止运动，马上休息。
②运动要采取循序渐进的方式，以身体的状态和承受力为前提。

防止颈椎酸痛，不让颈椎变形：下颌画圈

随着月份越来越大，孕妈妈颈椎的不适感可能会越来越明显，平时要注意多做一些锻炼颈椎的运动，帮助改善颈椎的不适。

1. 锻炼颈部肌肉和骨骼，改善颈椎酸痛等不适，预防颈椎变形。
2. 促进头颈部的血液循环，预防和缓解孕期头痛等不适。

1 孕妈妈取坐姿或站姿，肩背挺直，双手自然下垂，伸展颈椎，两眼向前平视。

2 下颌向前探出，以下颌为基点，按顺时针方向转圈，转出时吸气，转回时呼气，共转5~10圈。

老师指导

做这套动作时,孕妈妈也可以直接按上、下、左、右的顺序来扭动脖子。

预防并缓解手部水肿，活动肩臂肌肉：摇动手腕

孕妈妈怀孕期间，尤其是随着月份增大，往往会出现手和手腕水肿以及手腕痛、手指麻痛等不适情况，且夜间病情更严重，为预防这一点，孕妈妈可以做一些手腕部运动，锻炼一下手腕部肌肉。

运动理由

1. 锻炼前臂及手腕部位的肌肉张力。
2. 促进血液循环，预防并缓解孕晚期易出现的手腕疼痛、水肿现象。

分步动作

请扫描二维码观看演示视频

1 孕妈妈取坐姿或站姿，双臂平伸于胸前，双手五指分开，指尖朝下，左右摇摆双手10次，放下手臂，休息2~3秒。

2 再次伸起双臂，平放于胸前，双手自然握拳，左右摇摆双手10次，放下手臂，休息2~3秒。

3 放开拳头,双手五指用力伸开,然后上下翻转手掌手背5~10次。

老师指导

平时也可以通过简单的互压手指动作锻炼手腕:五指分开,然后五个指尖相对,左右手指分别用力向对立的方向压去,使五指呈左右活动状态。

孕妈妈体验谈

我孕期仍然是坚持上班的,工作中经常使用电脑,手腕本来就很容易疲劳,随着月份增大,手腕酸麻、肿胀的感觉越来越强烈。所以,我在电脑前工作一段时间,就在座位上做一遍这套动作,不仅是手腕,感觉整个身体都有种放松的舒畅感。

缓解手部水肿的其他运动方式

孕妈妈可将双手合十,手腕下沉至感觉到前臂有伸展感,保持5~10秒;然后将手指转向下,用力提升手腕至有伸展的感觉。每天重复做3~5组,对于缓解手腕痛及手肘痛很有帮助。

请扫描二维码观看演示视频

此外,孕妈妈将十个手指交叉,来回活动一下手指、手腕等部位,也对于缓解孕妈妈手腕部不适也很有帮助,对于利用电脑工作的孕妈妈来说,这种运动更有必要。

马大夫告诉你

孕妈妈应避免单手提拿1千克以上的重物,以免因手腕和手臂负担的加重而造成不适。

缓解手腕不适的其他方法

孕妈妈怀孕期间若感到手腕不适,可佩戴护腕,以保护手腕,预防外来刺激对手腕的影响。此外,还要注意不要总是低垂手腕,可不时抬高手臂,增加血液回流,以减轻腕部水肿状况。

缓解手腕不适,远离"妈妈腕"(一):环旋手腕

孕妈妈怀孕晚期,因为体内激素的变化,易引起手腕韧带水肿,肌腱也变得脆弱,有些孕妈妈会出现"妈妈腕"现象。孕妈妈平时可适当做一些手腕部运动来防治"妈妈腕"。

运动理由

1. 活动手腕部的肌肉,促进血液循环,缓解手腕水肿现象。
2. 活动肩、颈部的肌肉,缓解肩颈不适。

分步动作

请扫描二维码观看演示视频

1 孕妈妈取站姿或坐姿,左手叉腰,右臂伸直上举,掌心朝左,手腕放松,五指呈自然花苞状态。

2 旋转右手腕,使掌心朝右外侧旋转,轻轻摇、转,环旋30~50次。旋转次数根据自身感受而定,不要勉强。

3 换右手叉腰，向上伸直左臂，旋转左手腕30~50次。

4 两手同时向上伸起，双手腕同时环旋30~50次。

改善"妈妈腕"的其他方法

注意手腕部保暖

孕妈妈平时洗手、洗脚和洗脸注意使用温水，避免接触凉水，更不要使用凉水洗衣服等。

热姜水泡手掌和指根

民间有一个缓解手腕疼痛的小偏方，孕妈妈可以尝试一下：用热姜水泡手掌和指根，有助于把手关节中的寒气驱走，因为姜有驱寒的作用。

不要过于劳累

孕妈妈出现手腕、手指疼痛时，一定要注意休息，一些不是必须由孕妈妈来做的事情，可以让家人帮助分担。

缓解手腕不适，远离"妈妈腕"（二）：手掌推墙

孕妈妈不可能在孕期完全处于静养状态，而且也不提倡"久坐不动"，日常生活、家务劳动、职场工作中需要"动手"的情况很多，而孕妈妈因为孕激素的影响，比较容易手腕疲惫，做一些方便简单的手腕运动可以帮助很好地缓解手腕不适等症状。

1. 促进腕部血液循环，缓解手腕疲劳症状。
2. 通过"施压－放松"来锻炼腕部肌肉，而且随着身体的配合，进而锻炼手臂、肩背肌肉群，让身体得到放松。

1. 孕妈妈取站姿，伸出左手五指张开推墙（手腕下方放个卷状瑜伽带），感受不适的手腕下方有个力量向墙延展，保持20秒。

2. 换另一侧，用右手掌推墙，重复动作。

老师指导

卷状瑜伽带：艾扬格标准瑜伽带，用带尾部卷，不用卷太厚，卷一两卷就好，将卷好的瑜伽带横放在手腕根部。

缓解肩臂肌肉，缓解颈椎不适：耸肩运动

随着胎宝宝的逐渐长大，孕妈妈在妊娠过程中，也易出现颈椎僵硬、疼痛等不适。

运动理由
1. 锻炼肩颈及臂部肌肉，放松颈椎，减轻不适感。
2. 美丽肩部，使肩臂曲线更优美。

分步动作

请扫描二维码观看演示视频

1 孕妈妈坐在椅子上，背部挺直，双手自然下垂，抬起右肩连续向上耸动3次，回复原状。

2 保持坐姿，再抬起左肩，连续向上耸动3次，回复原状。

3 保持坐姿，双肩同时抬起，连续向上耸动3次，回复原状。

老师指导

可以双手在后背交握，然后左右肩膀分别向上耸动3次，或者双肩同时向上连续耸动3次。

4 以上3个动作交替进行，进行5~8组。

孕妈妈体验谈

我喜欢在电脑前工作一两小时后做一遍耸肩运动，能很好地缓解颈肩的僵硬，放松全身。

锻炼肩臂肌肉的其他运动方式

孕妈妈可以在平时举举小哑铃或者矿泉水瓶、饮料瓶等,以锻炼肩臂肌肉。

1 取站姿,双手各握一瓶饮料,先向上托举到肩膀。

2 再用力举过头顶,保持3~5秒,重复动作10次。

改善颈椎不适的其他方法

孕妈妈睡觉时,重力都压在一边,同时也使颈背部肌肉、颈椎等处于紧绷状况,因而容易造成颈椎不适或手臂发麻。所以,孕妈妈平时睡觉时不要老保持一个姿势,要注意翻身和变换姿势。

随着子宫的快速增长,孕妈妈整个人的重心会往前移,站立时,不自觉的前倾姿态会加速颈椎病的病变,因此孕妈妈平时站立可不时调整一下自己的站姿,不要让前倾的姿势过度影响自己。

强健肩部肌肉，舒展脊椎（一）：背后扣手运动

妊娠期间，在子宫增重等因素的作用下，孕妈妈的肩颈部易因长期处于紧张状态而出现肩颈部不适，做做背后拉手这个小运动，不仅有助于改善肩颈部不适，对扩大肺活量、缓解胸闷状况也是有帮助的。

1. 锻炼肩、颈及背部肌肉，缓解疲劳，并使脊椎挺直。
2. 扩大肺活量，缓解胸闷状况。

1 金刚跪坐，双膝并拢，小腿分开，脚踝内侧放一个瑜伽砖，臀部坐于瑜伽砖上，挺直腰背，双手分别放在膝盖上。

2 双手从腰两侧背后，十指相扣，保持微屈肘部，上提胸腔，肩胛内收，缓缓伸直手臂，保持3~5秒后还原到步骤1。

3 双臂相扣手指位置互换,保持微曲肘部,上提胸腔,肩胛内收,缓缓伸直手臂,保持3~5秒后还原。

老师指导

做这套动作时也可以在1的基础上,一手上一手下曲肘,让双手于身体后侧手指扣住,两手肘彼此反向延伸不压头部,尽量与脊椎保持在一条直线上,停留3~5个呼吸。(图1)换反侧。如果双手直接相握太吃力,可以借助一条毛巾,两手都握在毛巾上,然后拉伸(图2)。

图 1　　　　　　　　　图 2

改善肩颈部肌肉不适的其他方法

孕妈妈出现肩颈不适时,可由家人从后颈部沿着发际部位向颈根部轻缓地进行按捏,同时还可轻轻按压风府和大椎两个穴,这对于缓解不适也有一定帮助。

此外,用热毛巾或电吹风对肩颈部进行热敷或热吹,也会起到一定的缓解改善作用。

强健肩部肌肉，舒展脊椎（二）：手臂上抬伸展

妊娠时因为孕激素的影响，关节韧带松弛，子宫增大，压迫盆腔组织与神经，同时由于腹部增大，身体的重心向后移，孕妇为了适应身体姿势的平衡腰向前突，久而久之容易让脊椎变形。

1 拉伸颈部，舒展脊椎。
2 很好地缓解肩背痛。

请扫描二维码观看演示视频

老师指导

手臂向前伸展时肩部下沉，体会肩膀远离耳朵。手臂头顶伸展时，手臂向耳后靠拢，尽量保持手臂伸直。

1 取坐姿，双手在身体前十指交叉，手掌外翻，手臂向前伸展与肩同高。注意感受胸腔扩展、上提，肩胛骨向下沉。

2 吸气，手臂向头顶伸展，掌心朝向屋顶，拉伸躯干，保持3个呼吸回合，然后呼气，放松还原。

第三章 孕中期（孕4～7月）
动一动，缓解孕期不适

锻炼肩颈、手臂的运动：颈后举臂

孕妈妈易出现颈椎、肩胛处疼痛或僵硬等不适，尤其是看电视或聊天等长时间保持一个姿势的时候，更容易加重这种不适。

1. 活动颈椎、肩胛，防治颈椎和肩胛不适。
2. 促进手臂血液循环，改善手、臂部水肿，纤细手臂。
3. 防治胸部下垂。

请扫描二维码观看演示视频

1 孕妈妈取跪坐姿，挺直上身，两腿略分开，双腿中间夹一个瑜伽枕（或枕头），让孕妈妈感觉更舒适，并减轻小腿的压力。

2 直立起身，向上伸直右臂，左臂从脑后伸过去，用左手握住右臂，同时头用力后仰来增加手臂压力。

3 上半身和头部向右转,保持2~3秒,回复原状,再向左转,回复原状。

老师指导

孕妈妈做这一动作时,也可屈臂向后上举,双手分别扶住左右肘部做这套动作。

4 休息3~5秒后,重复上述动作5~8次。

改善肩颈、手臂不适的其他方法

日常生活中注意细节,也有助于预防和缓解肩颈、手臂的不适。

①坐着时,用软垫靠住腰背部,给腰部一个支撑。

②用电脑时稍抬高屏幕,让屏幕和眼睛呈5度仰角,可以让颈部得到放松。

③用笔记本电脑时,外接一个键盘,有利于手的摆放,让手臂和肩膀呈现自然松弛的状态。

打开胸腔,缓解胸闷气短(一):仰卧简易后弯

随着月份的增大,孕妈妈会感到身子越发沉重,呼吸困难,爬楼梯时,走不了几级就会气喘吁吁。这是因为随着胎宝宝的生长发育,孕妈妈日益增大的子宫压迫到肺部,所以需要通过适当的锻炼打开胸腔、增加肺活量,帮助缓解孕期胸闷气短的现象。

运动理由
1 充分伸展背部,扩展胸腔,让呼吸更顺畅。
2 舒展骨盆区域,让骨盆更有力。

分步动作

请扫描二维码观看演示视频

1 坐姿,屈膝,准备两块瑜伽砖。

2 手支撑住身体缓慢躺下,将一块瑜伽砖垫在两侧肩胛骨中间,另一块枕在后脑勺,双手自然摊开,停留20秒或者更长的时间。

3 手支撑住身体慢慢回正。

打开胸腔,缓解胸闷气短(二):威尼斯海滩式

孕妈妈呼吸顺畅会为胎宝宝带来更多氧气,能更好地促进胎宝宝大脑及身体的生长发育。

运动理由
1. 扩展胸腔,让呼吸更顺畅。
2. 舒缓肩背、双臂,缓解身体疲劳。

分步动作

1. 从坐姿开始动作,屈膝,手放在身体后侧做支撑。

2. 依次屈肘,让小臂贴于地面,大臂往下推垂直于地面,拉伸胸腔,抬起向上。

3. 慢慢依次伸直双腿,脚跟稍微分开,脚背回勾,保持5个呼吸。

4. 屈膝,伸直手臂推起身体还原。

打开胸腔,缓解胸闷气短(三):骆驼式

孕妈妈呼吸顺畅,可为胎宝宝提供更舒适的子宫环境,让胎宝宝更好地伸展四肢,有利于胎宝宝健康成长。

1. 缓解子宫压力,舒缓背部疼痛。
2. 扩展胸部,让呼吸更舒畅。

请扫描二维码
观看演示视频

老师指导

也可以在脚踝两侧,分别竖放一块瑜伽砖。放置瑜伽砖的高度以自己感受舒适为主。

1 跪姿,双腿分开与肩同宽,脚踝两侧各放两块瑜伽砖。

2 吸气,双手叉腰放于腰后侧,保持脊椎延展,大腿收紧,脚踝压地。

3 呼气,保持胸椎的延展并向后弯,手依次放到瑜伽砖上,调整姿势。

4 依次收回手,还原跪姿。

增加肺活量，塑造胸部曲线：
膝盖俯卧撑

很多人可能觉得孕妈妈不宜做俯卧撑，但与普通俯卧撑相比，这种简单的俯卧撑耗力程度低得多，孕妈妈适量做几次，有着多重好处。

运动理由

1. 增加肺活量，有助于分娩时憋气，缩短产程。
2. 提升胸部，紧致胸部曲线。
3. 增加腹部肌肉的收缩力，预防因腹肌松弛而造成的胎位不正。

分步动作

1. 取趴卧姿势，孕妈妈脚背、小腿、膝盖和双手着地，双手俯撑在瑜伽垫上。

做此动作时双手分开大点，让膝盖下位置受力，避免膝盖触地吃力。

2 双臂弯曲,身体下压,同时双脚翘起,然后再慢慢撑起身体,恢复步骤1姿势。

老师指导

孕妈妈也可以双脚交叉翘起。这种以膝盖着地进行的俯卧撑,孕妈妈可以轻松做到,但是要注意量力而行,一开始可以只做2~3个,然后慢慢加到5~8个。

3 根据自己体力反复进行5~8个即可。

增加肺活量的其他方法

孕妈妈平时可以适当做一些胸背部的按摩,并配合做做深呼吸,以提高肺活量。

缓解乳房胀痛，缓解肩背疼：背手压身

一个简单弯曲下压身体的小动作，却有多方面的保健作用，很适合于孕妈妈，平时可多做几次。

1. 扩胸，缓解乳房胀痛等不适。
2. 缓解肩背疼痛和疲劳，改善手臂水肿、抽筋等不适。
3. 锻炼腹部肌肉的收缩力，扩张骨盆，为自然分娩增加助力。

请扫描二维码观看演示视频

1. 站立姿势，两脚分开比肩宽，保持双脚平行，双手叉在后腰，吸气，抬头挺胸。

2. 呼气，缓缓向前向下弯腰，用双手掌支撑地面，保持3个呼吸。

3 吸气,抬头,双手扶于腰胯部,保持腰背部平直,微屈膝,慢慢起身。

4 恢复站立姿势,休息1分钟。

> **老师指导**
> 如果触不到地面,可以在双手下方各放一个辅助物(比如瑜伽砖)。

改善乳房胀痛的其他方法

孕妈妈平时要选择合适的乳罩,最好是可以调节松紧的乳罩,可以随着胸围的增大而自然放松。

此外,孕妈妈平时要注意乳房清洁,每天用干净的毛巾和温水擦洗乳房,并做一些简单按摩,以起到较好的预防乳房胀痛作用。

缓解腰背痛（一）：猫式跪地

进入孕中晚期，子宫明显增大，孕妈妈身体重心前移，为保持身体平衡，孕妈妈会形成肚子前挺，腰部和肩部向后倾的姿势，这样就使得腰部和背部承受较多的力量，容易腰酸背痛。孕期腰背酸痛一般出现在怀孕 20 周以后。

1. 充分伸展背部、腰部和肩部，消除酸痛和疲劳。
2. 脊椎骨得到适当的伸展，增加灵活性。
3. 缓解骨盆疼痛。

注意，肘关节向内。

1 四脚板凳式，小腿及脚背紧贴垫子，十指张开撑地，指尖向前，手臂、大腿挺直与地面成直角。注意腰背要挺直，身体与地面平行。

2 吸气，抬头，打开胸腔，臀部翘起，坐骨打开，感觉体前侧完全展开。

3 呼气，同时慢慢地把背部向上拱起，微微收腹，用下颌靠近锁骨，视线望向大腿位置，直至感到背部有伸展的感觉。把1~3的动作重复3~5次。

4 完成步骤3后，再次挺直腰背，抬起右腿向后伸直与背部齐平，脚掌蹬直，左手向前水平伸展。抬头，眼望前方，伸展背部。左右轮换，每一侧保持3~5个自然顺畅呼吸。

老师指导

步骤3也可以这样做：在步骤2的基础上，双臂向前伸直、平行着地，下颌着地，臀部向上撅起，跪趴在垫子上休息。

缓解腰背痛（二）：猫式单臂穿越

怀孕后随着肚子越来越大，孕妈妈会不知不觉向后仰肩膀，使得颈椎和肩胛骨受力过大引起腰背疼痛，通过适当运动可以缓解疼痛症状。

1. 舒展脊背，锻炼腰部的柔韧性。
2. 舒缓肩背肌肉，减轻腰背压力。

请扫描二维码观看演示视频

1 膝盖触地，双膝打开与肩同宽，双手手掌撑在瑜伽垫上。

2 吸气，找到身体重心，呼气，左手撑地，右手臂从左手臂下穿过，身体重心随之倾斜，头向左转。左右轮换，重复动作4次。

老师指导

跪姿时，如果孕妈妈觉得肚子有压迫感，可以稍拉宽两膝间距离，使腹部自然下垂，孕妈妈肚子舒服了胎宝宝也会感到舒适。

缓解下背部疼痛（一）：站立半前屈运动

因为肚子负重的原因，下背部疼痛是孕妈妈常见的症状，适当的拉伸运动能帮助腰背部肌肉放松，促进血液循环，缓解疼痛症状。

运动理由

1. 舒缓长期处于紧张状态的脊椎神经，放松身体。
2. 缓解下背部疼痛，增强消化功能。

分步动作

请扫描二维码观看演示视频

1 站姿，双脚分开与肩同宽，双脚保持平行，距脚尖前半步位置，分别竖放一块瑜伽砖。吸气，手臂伸展向上，保持手臂向上伸展，肩胛下沉。

2 呼气，身体前屈，孕14~20周妈妈，双手置于瑜伽砖上，伸展胸椎和腰椎，大腿肌群向上提，坐骨向后打开，脊椎伸展，保持20秒。

3 孕20~28周妈妈，双手置于椅子上，头与脊椎在一条直线上，伸展胸椎和腰椎，大腿肌群向上提，坐骨向后打开，脊椎伸展，保持20秒。

4 吸气向内走步，呼气起身，还原。

缓解下背部疼痛（二）：幻椅式

幻椅式，就是由想象自己是坐在椅子上而得名，这个姿势会让孕妈妈背部变得强壮，促进身体灵活性。

1. 强健双腿，保持体态平衡稳定，并矫正不良姿势。
2. 强壮脊椎、强壮背部肌肉群，消除肩背酸痛、缓解僵硬不灵。

请扫描二维码
观看演示视频

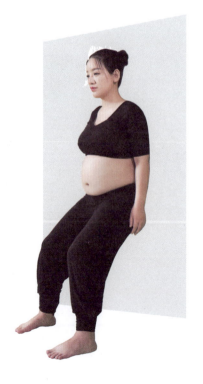

1　站立，后背靠墙，双腿分开与髋同宽，屈膝慢慢下蹲，感觉大腿稍微吃力停留，大腿用力收紧，膝盖不超过脚尖。

第三章 孕中期（孕4~7月）
动一动，缓解孕期不适
93

2 吸气，双手从体侧向上伸展，手臂放在耳朵两侧，保持肩胛下沉。

3 呼气，上身向前，上身与手臂同时向前斜上方，保持脊椎延展，停留3个呼吸。

◆ 老师指导 ◆

觉得不吃力的妈妈可以试着让臀部离开墙面。

改善腰背痛的其他方法

　　孕妈妈平时睡觉时，最好选择稍硬一些的床垫，太软的床垫会加重孕妈妈腰背部的压力，而稍硬一些的床垫则有助于缓解腰背部的压力和酸痛感。

　　孕妈妈平时坐着时，应保持背部和肩膀的平直。臀部要坐在整个椅子上，并尽量靠着椅背，还要注意避免保持同一个坐姿在30分钟以上。

缓解下背部疼痛（三）：椅子上的扭转

下背部疼痛是孕妈妈比较常见的现象，强壮躯干和腹部周围肌肉，有助于关节和脊椎的稳定性，缓解疼痛症状。

运动理由

1. 促进脊椎良好发展，按摩盆腔器官。
2. 舒缓背部肌肉，缓解下背部疼痛。

分步动作

请扫描二维码观看演示视频

1. 坐于椅子上，双腿分开，双脚保持平行，脊背挺直，手自然放在大腿上。

2. 吸气，双手侧平举打开，骨盆稳定，肩胛下沉，胸腔上提打开。

第三章 孕中期(孕4~7月)
动一动,缓解孕期不适

3 呼气,将身体右转向椅背,双手抓椅子背靠,保持20秒。

4 吸气还原,换左侧重复动作。

改善背部不适的其他方法

为了更好地保护背部,孕妈妈平时可以适当地泡个热水澡,不仅有助于背部肌肉的放松,同时也可在一定程度上减轻背痛。

此外,孕妈妈日渐增长的子宫,使得背部压力日渐增大,孕妈妈可以使用托腹带来分担一部分重量,以缓解对腹肌和背部造成的压力。

减轻孕期背部疼痛，还可帮助顺产：骨盆倾斜运动

顺产是孕妈妈最理想的生产方式，适量运动可以帮助打开骨盆，加快产程，增加顺产概率。

1 促进脊椎良好发展，按摩盆腔器官。
2 舒缓背部肌肉，缓解下背部疼痛。
3 锻炼骨盆利于顺产。

与地面完全贴合

1 仰卧，双腿打开与骨盆同宽，同时脚后跟不要过于贴近臀部，尽量保持膝盖不超过脚尖。

2 吸气，收紧腹部和臀部肌肉，并轻微向前倾斜骨盆，卷收骶尾骨，让后腰背与地面完全贴合。

3 保持姿势，数5秒，然后呼气。随着呼吸的节奏，重复数次。

活动腰肌,提升臀部,缓解心理压力:芭蕾体式之旋转

孕妈妈跳几个芭蕾体式的小运动,不仅有助于自身的健康、美化体形和提升气质,同时伴着悠扬的音乐,还有助于安抚孕妈妈情绪,促进胎宝宝的健康发育。

1. 活动腰部肌肉,提升臀部,美化孕妈妈的腿部线条。
2. 舒展肩臂肌肉,减轻疲劳。
3. 缓解孕妈妈的心理压力,改善产前焦虑状况。

请扫描二维码观看演示视频

1 找一个稍高于腰部的支撑,如高背椅子、单杠等,但不仅限于这些辅助工具,只要稳定性好,方便找到即可。

2 孕妈妈双手扶住辅助工具站立,双脚并拢,先将重心移到右腿。

3 左腿慢慢向旁侧打开，绷脚背，脚尖离开地面。

4 左腿向前，绷脚背，脚尖离开地面。

5 左腿向后，绷脚背，脚尖离开地面。

6 左腿单腿划一圈，始终保持右腿稳定。换另一侧，重复3-6动作。

 孕妈妈体验谈

我很喜欢这套动作，想象自己如果有个女儿的话，把她打扮成漂亮的小公主，可以带着她一起跳舞，心里充满了甜蜜。

强化肩、背肌肉：推墙操

锻炼肩背肌肉的韧性，促进体内血液循环及新陈代谢，让孕妈妈身体处于舒适的状态。

1. 锻炼肩部、背部、腰部的肌肉，使其得以伸展，减轻僵硬感。
2. 锻炼手臂，使手臂更有力量，并防治手部水肿。

1. 距离墙壁一步远的位置，取站姿。

2. 双手分开与肩同宽，支撑在墙壁上。

> **老师指导**
>
> 注意肩部前压时,用力不可过大,以免造成拉伤。

3 双脚不动,屈肘,肘关节靠近身体,身体向墙的方向靠近,但不要完全贴靠在墙上。

4 慢慢伸直手臂,身体还原。重复动作3~5次即可。

伸展肩背的其他运动方式

1. 时常将头部转向不同的方向。
2. 将两肩向后打转,甚至伸个"大懒腰"。
3. 用热敷,或在淋浴时用暖水喷射肩背酸痛的部位,也有一定的舒解作用。

改善肩背肌肉酸疼的其他方法

孕妈妈可以将左手放在右肩上,然后用右手用力上抬左手肘部,可以锻炼肩臂肌肉。此外,孕妈妈用肩撞撞墙,也是很方便的一个锻炼放松肩部肌肉的好办法。

加强腰背、肩臂力量练习：反台式

孕妈妈肌肉的力量能为胎宝宝带来更好地支撑，为胎宝宝提供更大的空间，让胎宝宝舒适地伸展肢体，为顺产做好准备。

运动理由

1. 伸展髋区，增加腰部、腿部、臀部、脚踝的力量。
2. 放松肩颈，减轻孕期驼背。

请扫描二维码观看演示视频

1 坐姿，屈膝，脚掌压地，手放在臀部后侧，保持骨盆在手与腿部的中间。

手掌微外旋。

2 吸气，抬臀部，向脚跟靠近。呼气，继续抬臀部尽量与地面平行，手臂微外旋，锁骨展开，打开胸腔，脚掌压地支撑，保持3个呼吸。

锻炼腰部两侧肌肉：坐姿侧伸展

腹壁肌肉是子宫的重要支撑力量，同时，其收缩力是第二产程时娩出胎儿的重要辅助力量，怀孕期间孕妈妈注意适度锻炼腹肌，分娩时就会感觉轻松很多。

1. 锻炼腹部肌肉的收缩力，使分娩更顺利。
2. 锻炼腹部肌肉，使子宫的支撑力更稳，防止因腹壁松弛造成的胎位不正和难产。
3. 使孕妈妈腹部肌肉更有力，便于产后腹部的恢复。

1. 取坐姿，右腿弯曲，使右脚跟尽量靠近会阴处，左腿向外侧打开，双手扶住右脚踝。

2. 身体左侧弯，左臂顺势向斜前方伸展，左脚脚背回勾，左大腿根部伸展，保持2~3秒。换另一侧做动作。

强健腹部与腰背部,缓解骶尾骨疼:仰卧侧抬腿式

腰腹部的骨盆区域是胎宝宝的活动空间,通过运动锻炼腰腹部肌肉、打开骨盆,可以给胎宝宝提供更大的空间,为胎宝宝创造更好的"生活"环境,帮助顺产。

1 锻炼腹部肌肉的收缩力,增加子宫的支撑力,避免因腹壁松弛出现的胎位不正与难产。
2 锻炼大腿肌肉的力量,促进自然分娩。
3 锻炼胸部和手臂,扩展肺活量。

请扫描二维码
观看演示视频

1 仰卧,双腿伸直,双臂放在身体两侧,头颈下垫一个薄毯,双脚用一块瑜伽砖垫高。

2 吸气,抬左腿,将瑜伽带套在左脚上,左手握住瑜伽带两端,然后左腿向上伸直(尽量抬到与地面垂直),呼气,保持姿势3~5秒。

3 吸气，左手控制瑜伽带，慢慢屈膝，小腿与地面保持平行。

4 呼气，左腿慢慢落在身体左侧，打开，保持3~5秒。

5 松开瑜伽带，还原到步骤1姿势。休息30秒，换右腿重复动作。

老师指导

做此套动作时，可以在侧抬腿的旁边放个瑜伽抱枕。

端正脊椎，伸展四肢：扶椅展身

随着怀孕月份的增大，肚子的负重给脊椎带来压力，做一些全身的舒展运动，能帮助孕妈妈缓解脊椎的紧张感，减轻孕期驼背现象。

1 伸展脊椎，改善脊椎压力；放松四肢。
2 放松子宫，增加胎宝宝活动空间。

1 孕妈妈自然站立，与身体右手边相隔约一臂的距离放一把椅子，椅面朝向自己。

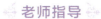

如果手臂有力量，足以支撑身体，也可把椅子换成三块摞在一起的瑜伽砖，然后将整个前臂放在瑜伽砖上作为支撑做相同的动作。

2 身体右弯，右手扶在椅面上，慢慢抬起左腿直到与地面平行，右腿伸直，左臂向上伸展。保持3~5秒，做一个深呼吸，然后恢复站姿休息3~5秒。

3 将椅子移到身体左手边相隔约一臂的距离，换成左手扶在椅面上，重复步骤2动作。

4 两侧动作视情况交替重复3~5次即可。

改善四肢肌肉不适的其他方法

孕妈妈感觉肌肉紧张或有酸痛感时，可以用手握拳或是用按摩棒，轻轻敲打一下胳膊或腿部，注意力道一定要轻缓。

当然对于孕妈妈来说，洗上一个热水澡，更是缓解四肢与身体疲劳的最简单方法。

促进腿部血液循环，防止腿抽筋：坐姿抬腿

怀孕后，孕妈妈总不免会出现各种各样的症状与问题，腿抽筋就是其中之一，特别是在夜间很容易发生，给孕妈妈造成了很大的困扰。

1. 促进腿部血液循环，防止腿抽筋。
2. 锻炼骨盆，帮助自然分娩。

1 右脚上左脚下，盘腿坐在瑜伽垫上，双手放在右脚踝处。

2 双手握住右脚，慢慢向上抬起，尽量抬至肩膀高度或不能再升高时，保持3~5秒，做一两次深呼吸。

3 回复到盘腿坐姿，左脚上右脚下，休息2~3秒，抬起左脚重复动作。

4 双侧交替重复5~10次。

改善腿抽筋的其他运动方式

孕妈妈平时可多散步，并注意养成正确的走路姿势，让脚后跟先着地；同时要伸直小腿，脚趾弯曲不朝前伸。

孕妈妈也可以坐在椅子上，做一做高抬腿、屈腿等运动，也是促进腿部血液循环、锻炼腿部肌肉的好方法。

改善腿抽筋的其他方法

孕妈妈每晚睡前用温水泡泡脚，并对小腿肚进行2~5分钟的按摩，有助于缓解一天的疲劳，防止腿抽筋。

此外，孕妈妈在饮食上要注意多食用牛奶、豆制品、虾皮等富含钙的食物；同时，也要时不时外出晒晒太阳（不要暴晒），以促进维生素D的合成，帮助吸收钙质。

促进腿部血液循环、摆脱水肿：侧抬腿运动

随着身体重力的逐渐加大，孕妈妈腿部的压力也越来越大，因而更容易出现腿部水肿，孕妈妈平时适当地做一些腿部运动，有助于改善腿部水肿状况。

运动理由
1. 促进腿部血液循环，改善腿部水肿。
2. 活动腰部，使腰部肌肉更有力量。

请扫描二维码观看演示视频

1. 孕妈妈左侧卧在垫子上，双膝微屈，左手支撑头部，右手自然放在右膝盖处。

2. 抬起右腿，尽量抬起右膝与头部同高，右手食指和中指抓住小脚趾头。

3 慢慢伸直右腿，直到不能伸展为止，保持3~5秒，做深呼吸。恢复左侧卧姿势，休息2~3秒，重复上述动作5~8次。

4 身体换成右侧卧，换成左腿做同样的动作5~8次。

老师指导

如果觉得双腿伸直开合有难度，可以侧卧时弯曲双腿，抬腿开合程度根据孕妈妈自己情况而定。也可借助瑜伽带辅助锻炼。

改善腿部水肿的其他运动方式

孕妈妈睡前或休息后，躺在床上，可以将双腿抬起，平贴到墙上（或椅背上），保持1~3分钟，做几次深呼吸。这是促进腿部血液循环，改善水肿的好方法。

此外，孕妈妈也可在睡前躺在床上，或休息时坐在椅子上时，抬起双腿，上下摆动一下双腿做游泳状，这也是促进腿部血液循环，改善水肿的好办法。

马大夫告诉你

孕妈妈做腿部运动，促进血液循环时，注意要适可而止，不要贪多过度，以免因疲劳反而加重水肿状况。

改善腿部水肿的其他方法

水肿一般在下午和晚上较为严重，经过一夜休息，水肿状况就会得以缓解。孕妈妈最好每天中午休息一段时间，并注意抬高腿脚，以促进腿部血液回流。

孕妈妈水肿严重时，要少吃一些盐，多吃一些冬瓜、南瓜等利水的食物，也有利于改善腿脚水肿状况。

端正子宫，给胎宝宝一个最舒适的环境（一）：五点提臀运动

怀孕期间，由于日常活动及胎宝宝发育的缘故，孕妈妈的子宫会有一个不断适应的过程，孕妈妈可以通过小运动让子宫和胎宝宝之间更切合，来给胎宝宝一个最舒适的环境。

1. 使子宫找到最适宜的位置，使胎宝宝的健康发育得到保障。
2. 锻炼腰部、腹部和骨盆的力量，伸展胸部，增加肺活量。

1. 身体仰卧屈膝，双腿分开，与胯部同宽，双手自然平放在身体两侧。从臀尾开始，慢慢用力抬起臀部，高度呈逐渐提升状态。

2 将臀部抬起到最高位置，直至身体只剩双脚、双肩、头颈、双臂着地支撑，保持2~3秒，自然呼吸。

3 重复此套动作5~8次。每天可视情况做2~3次。

端正子宫的其他运动方式

孕妈妈躺着休息时，可以在腰下和臀部多放几个靠垫，并保持膝盖弯曲状态，保持5~10分钟即可。

孕妈妈也可以取一个舒适的坐姿，双手分别支撑在身后（或是直接用瑜伽球做支撑），然后做身体后仰动作。

端正子宫的其他方法

孕妈妈晚上睡眠时，建议采取左侧卧的姿势，并要注意感觉累时就翻翻身，不要怕影响胎宝宝，其实这本身也是让胎宝宝在子宫中寻找更舒适姿势的方式。

孕妈妈平时要注意按时做产检，以便了解发现子宫及胎宝宝的情况，便于及时做出改善。

端正子宫，给胎宝宝一个最舒适的环境（二）：柔软腹壁运动

孕妈妈的腹部肌肉柔软，会给胎宝宝带来更舒适的感觉，让胎宝宝安然地待在妈妈肚子里，等待足月降临。

1. 柔软腹壁，让子宫环境更舒适。
2. 缓解背部强直感，伸展两侧躯干。

请扫描二维码观看演示视频

1 跪立在瑜伽垫上，左腿向左侧伸直，脚尖向左，左脚、右膝保持在一条直线上。

2 吸气，双臂侧平举，与地面平行，掌心向下。

第三章 孕中期(孕4~7月)
动一动，缓解孕期不适　115

3 呼气，向左侧弯腰，左手放在左小腿上，右臂随身体向上拉伸，保持3~5秒。

4 换右腿向右侧伸出，重复动作。

❖ 老师指导 ❖

可以双手高举过头顶，掌心相对，做左右侧弯的动作。

锻炼腿脚肌肉，打开骨盆（静态）：敬礼蹲式

骨盆是产道最重要的组成部分，分娩的快慢和顺利与否，和骨盆的大小与形态有密切的关系，狭小的骨盆可能引起难产，练习帮助打开骨盆的运动，可为顺产做准备。

1. 锻炼盆底肌肉，打开骨盆，促进顺产。
2. 有助于产后会阴撕裂伤愈合。

1. 坐姿，双脚打开，脚尖微朝外。双手于胸前合十，肘关节抵在双膝内侧。吸气，背部挺直，肘关节发力推向膝，膝盖发力推向肘关节。

2. 保持20秒，在这个基础上如果可以，加上凯格尔运动（见P39）。

打开骨盆的其他运动方式

日常休息时，不要坐高凳或沙发，选择一个较矮的小板凳，每次视情况坐上10～15分钟，期间也可做做分开、合并双腿的动作。

此外，偶尔不坐，而是双腿分开到舒服的角度，尽量深的下蹲并保持1～2分钟，也会有助于锻炼大腿及胯部肌肉，促进胎儿入盆，从而帮助缩短产程。

锻炼腿脚肌肉，打开骨盆（动态一）：下蹲运动

孕妈妈骨盆的打开速度与程度，对分娩时间有着重大影响，孕妈妈平时做一些有助于打开骨盆的运动，有助于自然分娩，缩短产程。

1. 可增加腰、髋、膝、踝关节的活动范围，滑利关节。
2. 增加背、腰、腿部肌肉的力量。

1. 站在椅子后面，双脚与肩同宽，脚尖向外，双手扶住椅背。

2. 收腹、挺胸，肩部放松，然后降低尾骨，就好像坐在椅子上，找到一个平衡点，尽量将重心移向脚后跟。深呼吸，然后缓慢站起。重复蹲起数次。

锻炼腿脚肌肉，打开骨盆（动态二）：靠墙滑行

1 扩大骨盆及附近肌肉的张力。
2 帮助打开骨盆口，以给胎儿更大的空间进入产道。

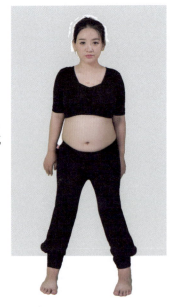

1 背靠墙站立，双脚分开稍比肩同宽。

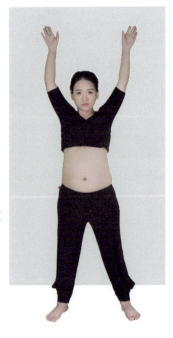

2 手臂贴着墙面举过头顶。

第三章　孕中期（孕4~7月）
动一动，缓解孕期不适

> **老师指导**
>
> 为了减轻膝盖的压力，可以在后背放个小瑜伽球，以减少滑行过程中的阻力。

3 双脚不动，身体慢慢顺着墙面向下滑至坐姿，保持3~5秒。

4 慢慢起身，顺着墙面向上滑至站立状。反复进行该套动作3~5次。

打开骨盆的其他方法

　　孕妈妈可在吸气时，收紧阴道及肛门周围的肌肉，然后再放松，每天做几次，也有助于骨盆的扩大。

锻炼骨盆区域,增加韧性:摇摆骨盆

孕妈妈从怀孕中期就应该开始有意识地锻炼骨盆,以增加其张力,使生产时更顺利。

1. 增加孕妈妈阴道肌肉的弹性,缩短分娩时间。
2. 促进孕妈妈直肠和阴道区域的血液循环,加强孕妈妈对膀胱的控制,预防痔疮和压力性尿失禁。

请扫描二维码观看演示视频

1. 孕妈妈呈站姿,双腿分开,双膝略曲,双手分别放于胯部两侧。

2. 双脚不动,胯部开始缓慢地、有节奏地前后摇摆各5~10次。

3 恢复双腿保持弯曲状态，然后胯部开始分别向左右做摇摆运动约5~10次。

> **马大夫告诉你**
>
> 有流产史或早产史的孕妈妈、患有产前并发症的孕妈妈应该请医生评估是否只能从事较轻松的运动，如散步、柔软操等，或是应该卧床多休息，适度运动。

锻炼骨盆韧性的其他运动方式

孕妈妈日常要注意保持正确的坐姿，挺直腰背，偶尔可以做一下双腿分合的动作。

此外，孕妈妈双腿分开坐在瑜伽球上，慢慢上抬下压臀部，也是一种有助于骨盆韧性锻炼的方法。

增加骨盆韧性的其他方法

骨质不疏松，骨盆就不易损伤，因此孕妈妈日常可适当增加牛奶、鱼、虾、牡蛎、蛋黄、核桃等有助增强骨质的食物的摄入量。

全身运动,整体调整内脏器官和四肢:仰卧扭转

全身性的运动,不仅有助于活动四肢,同时对孕妈妈的内脏器官也是一个很好的调整。

1. 锻炼四肢的协调性及其肌肉的张力。
2. 活动腰腹部,使内脏器官得到一个整体的调整。

请扫描二维码观看演示视频

1 仰卧,双腿分开略比肩宽,双脚踩在瑜伽垫上,双臂打开水平伸展。

2 吸气,同时双膝向右扭转,头扭向左侧,呼气,同时还原。

第三章 孕中期(孕4~7月)
动一动,缓解孕期不适

3 吸气,同时双膝向左扭转,头扭向右侧,呼气,同时还原。

❖ 老师指导 ❖
做这个动作时,双臂也可以自然垂放在身体两侧。

4 休息2~3秒,重复做。重复此套动作5~8次即可。

马大夫告诉你
孕妈妈在运动过程中若有疼痛、不舒服、晕眩或是呼吸不畅等状况时,应立刻停止运动。

调整内脏器官的其他运动方式

孕妈妈站姿,双膝略下弯,双臂伸开,上下摇动,或做做腰腹部左右前后的慢慢摇摆,也有助于内脏器官的调整。

孕妈妈每周游泳一两次,也可以调整全身及内脏器官。

调整内脏器官的其他方法

孕妈妈要注意保持良好的心情,因为内脏各器官受心情的影响很大,好的心情才使各内脏器官免受身体毒素的影响。

此外,孕妈妈日常要注意饮食均衡,生活规律,好的生活习惯对内脏的保养最有利。

伸展臀部和大腿外侧肌肉：跷腿上抬

孕妈妈的身体为了给分娩做准备，关节、韧带会变得松弛，腰部稳定性减弱，导致孕中晚期容易出现大腿、下肢关节疼痛，可以通过锻炼来缓解症状。

1. 锻炼大腿外侧肌肉，增强腿部承受力。
2. 锻炼膝关节，缓解关节疼痛。

1. 孕妈妈坐在瑜伽垫上，双腿伸直，双手放在身后，身体略后仰。

2. 抬起左腿，将左脚脚踝放在右腿的膝盖上。

> **老师指导**
>
> 孕妈妈也可以在椅子上做这个动作，小腿与地面垂直，大腿与地面平行，然后用力上抬两腿。

3 抬起右腿，同时双手也略向身体靠近，直至感觉大腿和臀部有拉伸感为度，保持3~5秒，做深呼吸。

4 回到步骤1姿势，双腿互换，重复上述动作5~10次。

> **Tips**
>
> 孕妈妈跷腿时，部位以自己感觉舒适为度，不一定非得强求在正膝盖和脚踝位置。

伸展臀部肌肉的其他运动方式

孕妈妈站姿状态下，分别从大腿根部用力后抬腿，然后恢复，这也是伸展臀部的一个较简单的办法。

此外，孕妈妈站姿或坐姿状态下，分别绷紧一条腿，用力拉伸臀部，也可以起到伸展臀部的作用。

伸展臀部肌肉的其他方法

孕妈妈可以在平时用拳头轻轻地敲打一下感觉不适的臀部部位。

此外，也可请准爸爸帮忙做一下臀部的按摩，尤其是尾椎部位，但要注意孕妈妈应在坐姿或站姿状态下，不宜俯卧。

促进胃肠蠕动，改善腹胀：椅上腹部运动

有的孕妈妈在经历了孕吐期后，有的会出现腹胀现象，肚子有很多气出不来，憋得很难受。这是因为孕激素的增加，使得孕妈妈的胃肠蠕动减弱，胃酸分泌减少，从而使孕妈妈的肠胃消化能力减弱。下面的运动对孕妈妈的腹胀现象有一定的改善作用。

1. 促进胃肠蠕动，改善孕妈妈腹胀等肠胃不适。
2. 锻炼腹肌，增加子宫支撑力。

请扫描二维码观看演示视频

1 孕妈妈坐在椅子上，双腿分开到最大程度，双脚踩在地面上，双手五指分开，大拇指朝内，放在大腿近膝盖处。

2 孕妈妈身体向下压，双手按压双腿一路向下，直至脚踝处，保持2~3秒，并做深呼吸，然后双手慢慢向上按压双腿，身体随着向上，直至恢复坐姿。

3 双腿并拢,踮起脚尖,双手扶在椅面的后半部分,上半身及头部向后仰,胸部向上挺,保持2~3秒后恢复坐姿。

马大夫告诉你

孕妈妈出现腹胀时,先不要着急,排除病理性因素后,从饮食和运动两方面着手就一定会慢慢得以改善的。

4 上述动作,重复5~10次。

改善腹胀的其他方法

吃易排气食物

白萝卜被公认是排气的食物,能够增强肠蠕动,促进排气,减少腹胀感,保持大小便通畅。糖、黄豆、淀粉类食物,都是易发酵而产气的食物,容易导致腹胀,不利于排气,最好不吃或少吃。

吃鸡蛋要适量

鸡蛋是优质蛋白质、卵磷脂的最佳来源,但是要适量食用,每天一个,一周5~6个即可。大量吃鸡蛋极其错误,会给肠胃带来负担,可能引起消化不良,导致腹胀。

促进肠道蠕动，防便秘（一）：波浪运动

由于怀孕后体内激素分泌的改变，使得孕妈妈胃肠道的蠕动速度变慢，代谢废物停留在肠内的时间变长，从而易出现便秘现象。此外，如果孕妈妈摄取的膳食纤维不足，或是缺乏运动，也会影响肠胃道代谢，造成便秘。

1 促进胃肠道蠕动，促进排便，改善便秘。
2 锻炼腰腹部和大腿根部肌肉，促进生产。

请扫描二维码观看演示视频

1 孕妈妈坐在瑜伽垫上，双脚脚心相对，脚跟朝会阴靠近，双手分别放在膝盖上。

2 身体下压，同时双手慢慢从膝盖处顺按到脚尖部位，保持2~3秒，做一次深呼吸。

3 双手慢慢从脚尖回按到膝盖部位,同时上半身慢慢向后仰,至双手不离膝盖的最大角度。

正面图

侧面图

老师指导

孕妈妈做这一动作时,也可借助瑜伽球来完成,尤其是后仰动作时,直接靠在瑜伽球上即可。

4 慢慢回复到坐姿,休息2～3秒后,然后使身体重心分别左右移动。

5 再次回复坐姿,休息2～3秒。重复整套动作5～8次。

促进肠道蠕动,防便秘(二):半莲花伸展

运动能促进肠胃蠕动,增强便意。

运动理由

1. 改善孕期消化不良和便秘。
2. 缓解孕期膝关节压力。
3. 伸展腿部肌肉,舒展背部,让脊椎更有弹性和力量。

分步动作

1 坐姿,双腿伸直,双手自然撑在身后,然后屈右膝,将右脚放在左腿大腿根处。

2 吸气,高举双臂,在头顶上方双手合十。

老师指导

伸直的腿脚跟向前蹬,保持腿部肌肉紧张。

3 呼气，向前伸展双臂，用双手去抓左脚掌（尽量抓住），吸气，挺直背部感受脊椎向上延展，保持3~5分钟。

4 还原到步骤1坐姿，屈左膝做反向动作。

老师指导

如果无法抓住脚掌，可以借用瑜伽带拉伸。

强化腰背力量,改善消化不良及便秘:简易三角侧伸展

孕妈妈良好的消化能力,可以帮助胎宝宝对母体营养吸收,利于胎宝宝健康成长。

运动理由
1. 强壮脊椎、腰背肌肉,放松髋关节。
2. 促进消化和排泄功能,缓解便秘。

分步动作

请扫描二维码观看演示视频

1 双脚分开一腿半距离站立,双臂侧平举,右脚踝内侧放块瑜伽砖。吸气,右脚外转90度,左脚稍内扣,左大腿收紧,呼气,屈右膝,尽量让右大腿与地面平行。

2 身体向右侧下压,右手放在瑜伽砖上,左手向上伸展,保持胸腔打开,不打开右大腿与躯干之间的距离,不给腹部制造压力,保持三个自由顺畅呼吸。吸气还原,换另外一侧重复动作。

伸展臀部肌肉，预防及缓解坐骨神经痛：站立跷腿上抬

由于胎宝宝重量的日渐增加，会压迫坐骨神经，给孕妈妈的坐骨神经带来了压力，从而引发坐骨神经痛。

运动理由　强健脊椎，增加腰部力量，预防和缓解坐骨神经痛。

分步动作

请扫描二维码观看演示视频

1 站姿，双手叉腰，双腿分开，微屈膝（平衡不好的可以一手扶墙）。

2 吸气，同时抬右腿，脚踝放在左大腿上方，双手于胸前合十，呼气，同时臀部微往下坐，身体重心稍微向前，保持平衡，三个呼吸。还原，换另一侧。

放松腰部肌肉，有助于顺产：仰卧束角式

孕妈妈身体舒适，能为胎宝宝带来更好地健康生长环境，因此做一做缓解背部肌肉的运动，不仅有助于孕妈妈顺利生产，而且能促进宝宝的生长发育。

运动理由
1. 有助于减少分娩时的疼痛。
2. 缓解下背部疼痛，帮助打开骨盆，有助顺产。
3. 帮助缓解坐骨神经痛。

准备两个毯子，躺下时垫在两臂下方。

1 坐姿，脚心相对，双手握住脚尖。将一个抱枕纵向摆放，放置于背部下方，头部下垫一块瑜伽砖。（可先躺下找准道具位置）

两臂下方垫上毯子，分担脊椎、腰部压力，让整体感觉更舒适。

2 瑜伽带围绕下背部，跨过腹股沟，套在双脚上，将脚跟拉近骨盆。

3 手肘支撑身体向背后的抱枕躺下，头部用瑜伽砖支撑，保持脊椎平稳放置，双手放在身体两侧。此姿势可以保持停留30秒甚至更长时间。

可以将瑜伽砖放置在双膝的外侧，支撑膝盖。

4 手肘支撑身体慢慢还原坐姿。

锻炼核心肌群促进分娩：起跑式

位于腹部前后，环绕着身躯，负责保护脊椎稳定的重要肌肉群，是核心肌群，如腹横肌、骨盆底肌群以及下背肌这一区域。锻炼核心肌群能为胎宝宝带来更好地支撑，提供安全的子宫环境。

1. 提高身体稳定性，缓解腹部压力给行动带来的不便。
2. 增强腰腹力量，促进分娩。

1. 双膝分开与髋同宽，双手支撑跪在瑜伽垫上。

2. 双脚蹬地起身，收紧膝盖和腿部肌肉，双臂前伸撑在瑜伽垫上，背部向腿的方向推进，拉伸大腿，头、颈、背在一条直线，保持3~5秒。

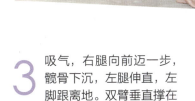

> **老师指导**
>
> 向前迈右腿时，步幅根据自身情况而定，如果不能一步到位，可以分解动作完成。

3 吸气，右腿向前迈一步，髋骨下沉，左腿伸直，左脚跟离地。双臂垂直撑在瑜伽垫上，保持3~5秒。

4 呼气，收回左腿，抬起臀部和骨盆，向后移动重心，右腿伸直，右脚跟着地，双臂伸直自然撑在瑜伽垫上。

> **老师指导**
>
> 有体力的孕妈妈做步骤3时，还可以将右手臂向前平伸，五指张开，目视前方，保持3～5秒。

5 换另一条腿，重复上述动作3~5次。

专题：孕妈妈的办公室「微」运动

梳梳头

1. 首先慢慢把头发全部梳理开，梳通，然后以百会穴（双耳尖在头顶的连线处）为中心，用梳子呈放射状摩梳头皮，以充分刺激头部的血液循环。

2. 梳头时也可不用工具，直接用双手或单手轻轻抓梳头皮。

压压肩

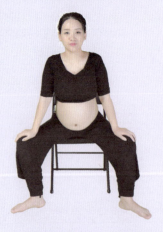

1. 孕妈妈坐椅子上，双腿张开比骨盆略宽，双手放在膝盖上。

2. 右肩用力向前向下压，双手保持不动，使手臂也随肩伸压，保持2~3秒后回复原状；然后换左肩做重复同样的动作，两肩各做5~10次。

旋肩式

请扫描二维码
观看演示视频

1. 坐在椅子上，双手的指尖轻轻搭放在肩部上方。

2. 吸气，挺胸，感觉背部用力，用双臂肘尖带动整个臂部向上运动，手背贴近双耳。

3. 呼气，臂部继续向前运动，大臂贴紧身体，再向下、向后，如此循环的绕双肩3圈。调整自然的呼吸，反方向练习3圈。

活动肩臂

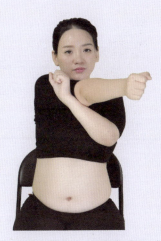

1. 右臂伸直，平放在胸前，左前臂放于右臂肘关节处，使两臂呈交叉状。

2. 保持这个姿势，然后两臂同时向左用力，保持2~3秒。换方向重复动作。

扩展胸部，增加肺活量：缓解胸闷瑜伽

请扫描二维码观看演示视频

1 采用基本跪坐姿势，双手自然放在大腿上，保持脊背挺直。

2 吸气，同时双臂缓缓侧平举至与肩同高，掌心向前。

3 呼气，同时头颈尽量向上后仰，手臂保持平行地面的高度，张开扩胸。

4 吸气，还原到步骤2。

5 呼气,同时头颈向前弯曲,双臂保持平行地面向前收拢,尽量向前伸直,背部自然成弧形。

6 吸气,打开双臂,向上伸展。

7 呼气,同时双臂自然垂落在身体两侧。

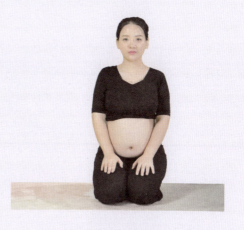

8 还原跪坐姿势,平稳呼吸。

第四章

孕晚期（孕8~10月）动一动，培养体力、顺利生

宝宝就快要降临了，此阶段的孕妈妈既兴奋又紧张。孕晚期的运动有助于孕妈妈控制和调节不稳定情绪，缓解压力，舒展身心。经过孕期的锻炼，可以使脊椎更加柔韧，强化骨盆及腹部的肌肉，有利于缩短分娩时间。

孕晚期配合饮食，运动更有效

孕晚期需增加蛋白质摄入，以植物性食物为主要来源

孕晚期是胎宝宝发育最快的时期，孕妈妈每日蛋白质的摄入量要增加到85～90克。蛋白质摄入严重不足，也是导致妊娠高血压发生的危险因素，所以孕妈妈每天都应摄入充足的蛋白质。

一般来说，动物性蛋白质的必需氨基酸种类齐全，比例合理，易于消化、吸收和利用，但是对于孕晚期需要控制体重、避免营养过剩的孕妈妈来说，蛋白质的摄取应以植物性食物为主。但是并不等于完全不能摄入动物性蛋白质，可以适当选择高蛋白质、低脂肪的鱼、禽肉、瘦肉等。植物性食物如谷类、豆类、坚果类等都是蛋白质的良好来源。

孕妈妈需注意的是，米、面粉所含蛋白质缺少赖氨酸，豆类蛋白质则缺少蛋氨酸，它们单独食用无法提供全部的必需氨基酸，混合食用可实现互补。例如在米、面中适当加入豆类，可明显提高蛋白质的营养价值及利用率。

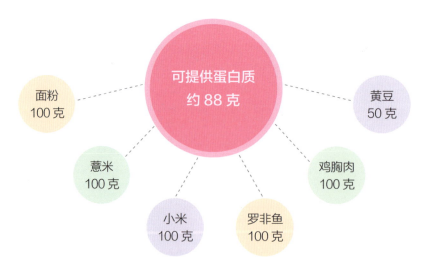

以上为一日膳食蛋白质的主要来源，不足的部分可通过蔬菜、水果、薯类等获得。

脂肪摄入不过量，以不饱和脂肪酸为主

脂肪对孕妈妈和胎宝宝都十分重要，但如果摄入太多，摄入量大于消耗量，会导致孕妈妈体重增加过多，妊娠高血压、妊娠糖尿病的发病率增加，导致胎儿体重超重，造成分娩困难等。故在脂肪的选择上，要注意多摄取含有不饱和脂肪酸的食物，如鱼类、坚果等。

继续补钙和铁

孕晚期，孕妈妈需要继续补充钙和铁。钙能促进胎儿的骨骼和牙齿发育，还可以帮助孕妈妈预防缺钙及妊娠高血压综合征，铁可以预防孕妈妈贫血。

奶及奶制品、虾皮、豆类及豆制品、芝麻等食物中含有丰富的钙质。动物肝脏、动物血、瘦肉、蛋黄、海带、紫菜、木耳等食物中铁含量较高。

控制盐分摄入，预防水肿

盐中所含的钠会使水分潴留体内，成为水肿、高血压、蛋白尿等妊娠高血压疾病的诱因之一。为了预防这些疾病，孕妈妈饮食要清淡，适量多吃菌菇，绿叶菜等，而且这时候要减少盐的摄入量，并且要避免在外就餐。

> **马大夫告诉你**
>
> **孕妈妈控制食盐摄入的妙招**
>
> 1. 使用香味浓郁的调料代替盐，比如葱、姜、蒜、醋等，提高菜品口感。
> 2. 利用番茄和柠檬这些气味浓郁的蔬菜和水果来调味。
> 3. 煮汤时多放菜，也可以使汤中的盐分减少。
> 4. 尽量少吃快餐和饼干，这些食物中含有较高的钠。

补充铜元素能预防早产

铜元素是无法在人体内储存的，所以必须每天摄取。如果摄入不足，就会影响胎宝宝的正常发育。孕晚期如果缺铜，则会使胎膜的弹性降低，容易造成胎膜早破而早产。

补充铜元素的最好办法是食补，含铜丰富的食物有口蘑、海米、榛子、松子、花生、芝麻酱、核桃、猪肝、黄豆及豆制品等，孕妈妈可选择食用。

口蘑

补充维生素 C 降低分娩危险

在怀孕期间，由于胎宝宝发育吸收了不少营养，孕妈妈体内的维生素 C 及血浆中的很多营养物质都会下降，所以应当多吃一些富含维生素 C 的水果和蔬菜，如猕猴桃、橙子和西蓝花等。

维生素 C 有助于胎膜功能的稳定，因此孕妈妈在妊娠期间补充足量的维生素 C，可以降低分娩风险。

适当吃些富含维生素 B_1 的食物

孕 9 月，孕妈妈可适当多吃些富含维生素 B_1 的食物。如果维生素 B_1 摄入不足，易引起孕妈妈呕吐、倦怠、体乏，还可影响分娩时子宫的收缩，使产程延长，分娩困难。

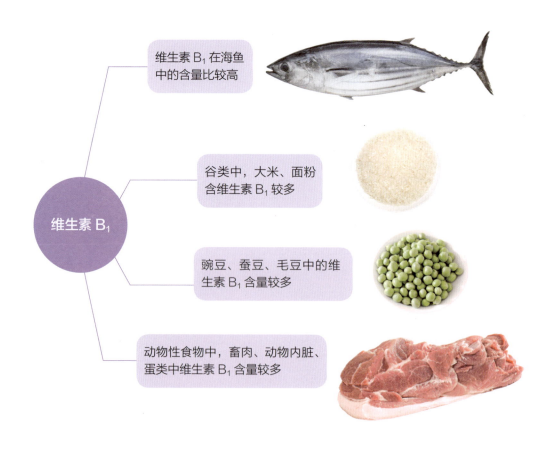

维生素 B_1

- 维生素 B_1 在海鱼中的含量比较高
- 谷类中，大米、面粉含维生素 B_1 较多
- 豌豆、蚕豆、毛豆中的维生素 B_1 含量较多
- 动物性食物中，畜肉、动物内脏、蛋类中维生素 B_1 含量较多

多吃富含锌的食物有助于分娩

锌能增强子宫有关酶的活性，促进子宫收缩，使胎宝宝顺利娩出。在孕晚期，孕妈妈需要多吃一些富含锌元素的食物，如猪肾、牛瘦肉、海鱼、紫菜、牡蛎、蛤蜊、核桃、花生、栗子等。特别是牡蛎，含锌量最高，可以适当多食。

要少食多餐，减轻胃部不适

孕晚期胎宝宝增长迅速，使得孕妈妈的胃受到压迫，饭量也会随之减少。有时孕妈妈虽然吃饱了，但并未满足营养的摄入需求，所以应该少食多餐，以减轻胃部不适。宜食富含优质蛋白质、矿物质和维生素的食物，适当控制进食的数量，特别是高糖、高脂肪食物，如果此时不加限制，过多地食用这些食物，会使胎宝宝生长过大，给分娩带来一定困难。

饮食宜选择体积小、营养价值高的食物，孕妈妈要多摄入一些蛋、鱼、肉、奶、蔬菜和水果等，主要是增加蛋白质和钙、铁的摄入量，以满足胎宝宝生长的需要。要注意热量不宜增加过多，做到定期称体重，观察尿量是否正常。

马大夫告诉你

顺产分娩当天吃什么能提高产力

生产是非常消耗体力的，但是产妇胃肠分泌消化液的能力降低，蠕动功能减弱，所以选择清淡、容易消化、高糖分或高淀粉的饮食为好，比如软烂面条、牛奶、蛋糕、面包等，不要吃不易消化的高脂肪、高蛋白质食物。

分娩时，孕妈妈还可以吃些巧克力，每100克巧克力含碳水化合物55～66克，能够迅速被人体吸收利用，增加体能。

剖宫产前12小时禁食

一般情况下，剖宫产手术前12小时内孕妈妈不要再进食了。如果进食的话，一方面容易引起产妇肠道充盈及胀气，影响整个手术的进程，还有可能会误伤肠道；另一方面，产妇剖宫产后，失血比自然分娩要多，身体会很虚弱，发生感染的机会就更大，有些产妇还会因此出现肠道胀气等不适感，延长排气时间，对产后身体恢复不利。

活动肩颈肌肉，改善肩颈不适：抱头扭动

改善孕妈妈的肩颈不适有很多方法，这个抱头扭动的小动作就是其中较为有效的一种。

1. 放松肩部肌肉，改善肩部僵硬酸痛等不适。
2. 活动颈部，改善颈部不适。

1 孕妈妈坐在椅子上，双手手指交叉放于脑后，双臂尽量张开，背靠在椅背上，双脚分开。

2 双手抱头向左侧弯曲，向下压左肘部3次，然后回复原状，休息2~3秒。

第四章 孕晚期（孕8~10月）动一动，培养体力、顺利生

3 双手抱头向右侧弯曲，向下压右肘部3次，然后回复原状，休息2~3秒。

4 两侧交替重复上述动作5~10次即可。

老师指导

孕妈妈也可以做抱头前压、后仰的动作，使颈部锻炼更全面。

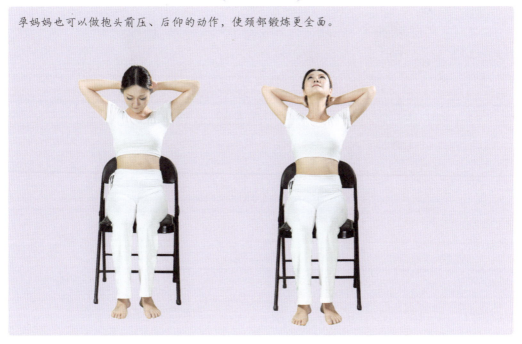

减轻手臂和肩部关节压力，提升胸部：平衡移动

手臂和肩膀总是处于下垂或弯曲状态，伸展手臂，可使其关节得以放松，减轻孕妈妈手臂、肩膀等关节部位的压力。

1. 放松手臂及肩部的关节部位，减轻其压力。
2. 提升胸部，防治胸部下垂。

1 孕妈妈取站姿，双腿分开约60度角，双臂分开呈180度，与地面平行。

2 孕妈妈双脚不动右腿略弯曲，上半身左右平衡移动2~3次。

3 右手放在右腿膝盖上，左臂向右弯曲，可连续弯曲2~3次。

老师指导

做这个动作时，孕妈妈也可以取坐姿，双臂张开分别向两侧移动。

4 恢复最初的姿势，然后换个方向做同样的动作，两侧重复各做5~10次即可。

 孕妈妈体验谈

这套动作不会耗费太大的体力，可以休息一会儿再做一会儿，间歇练习既能保证充足的休息，也可有效改善不适症状。

放松肩臂关节的其他运动方式

孕妈妈平时可做一下向上举臂的运动,不论是站立,还是坐着时,或是躺着时,都可以进行。

孕妈妈也可以与准爸爸一起做做肩臂伸展运动,效果也不错。

改善手臂和肩部关节不适的其他方法

到了孕晚期,如果孕妈妈仍然在工作,要尽量避免长时间操作电脑,最好每小时休息5~10分钟,活动一下颈肩部和手腕。平时尽量少低头玩手机。

缓解腰背痛：腰部伸展运动

孕妈妈因肚子逐渐变大，腰背部因后倾而承受了更多的压力，易出现疲劳、酸痛等不适感，这个小运动可帮孕妈妈减轻和改善这些不适感。

运动理由
1. 锻炼背部、腰部和肩部肌肉，消除酸痛和疲劳。
2. 使脊椎骨得到适当的伸展，增加其灵活性。

分步动作

1. 孕妈妈双膝着地，双手掌心朝下撑于地上，使身体呈卧弓式。

2. 双手、右腿不动，伸直左腿，使左脚背着地。

3 抬起左手，用力向上向后伸去，然后回到1的姿态。

4 换个方向，使右腿、右手重复上述动作。左右交替各做5~10次。

老师指导

孕妈妈如果觉得单手手臂支撑上身的压力过大，也可以前臂弯曲，用肘部着地来作为支撑。

由于孕期黄体酮会刺激松弛肽的分泌，会使韧带肌肉松弛，如果孕妈妈感觉到手腕或脚踝酸胀，用不上力，就不要做这个动作了。

缓解腰背痛的其他运动方式

孕妈妈可以适当地游游泳，游泳有助于增强腰背部肌肉的力量，还可锻炼四肢的肌肉，帮助顺产等。但要注意，游泳时动作一定要轻柔，不宜幅度过大。

改善腰背部疲劳，增强腰部力量：扭腰运动

日渐增加的胎宝宝和自身体重，使孕妈妈腰背部的压力越来越大，孕妈妈需要一个强有力的腰背支撑，腰背部的锻炼也就必不可少了。

1. 锻炼腰腹、大腿等部位肌肉的张力，增强腰部支撑力。
2. 缓解内脏器官压力，适应位置变化，彼此间协调性更强。

1 孕妈妈平躺在床上或瑜伽垫上，双臂自然放在身体两侧，小腿抬起，使小腿、大腿和上半身形成一个阶梯形。

2 双臂张开呈180度不动，以腰部为基点，使小腿慢慢向右侧压去，注意不要使腿部着地，保持2~3秒，然后慢慢回复到原位。

3 小腿慢慢向左侧压去,保持2~3秒,然后慢慢回复到原位。两侧动作交替重复5~10次即可。

老师指导

孕妈妈做这个动作时,也可以双脚脚心着地,膝盖屈起,然后分别向左、右两侧压去。

改善腰部疲劳的其他运动方式

孕妈妈也可以在躺着休息时,屈起一条腿,然后向下压,两侧交替做几次,也可以锻炼腰部肌肉,改善腰部不适。

此外,孕妈妈站立或散步时,也可以轻缓地扭扭腰,但要注意,扭腰的幅度与动作都不宜过大。

改善腰部疲劳的其他方法

准爸爸可以给孕妈妈做做按摩。孕妈妈侧卧,准爸爸沿着孕妈妈脊背一侧肩胛骨内侧的直线,用两手的食指、中指和无名指推按肌肉,直至肌肉放松。然后换另一侧同样按摩。

此外,孕妈妈也可以做一下腰部的热敷,用热毛巾或热水袋均可,每天半小时,有助于减轻疲劳感。

强化腿力，为孕晚期体重增加提供有力支撑：树式动作

随着孕妈妈的肚子越来越突出和笨重，身体负担也在增加，孕妈妈需要有更好的平衡感，下面这个小动作可帮助孕妈妈增强平衡感。

运动理由

1. 增强孕妈妈的平衡感。
2. 拉伸四肢肌肉，增强四肢血液循环，增强脚腕的力量。

分步动作

1. 呈站姿，双腿分开与肩同宽，双臂自然放于身体两侧。

2. 将重心放于左脚上，然后提起右脚，放于左大腿根部（或是膝盖处），呈单腿站立状，同时双手合十放于胸前。

3 保持单腿站立状，注意身体平衡，挺胸，直背，双手慢慢向头顶举去，至双臂伸直。

4 两腿交换，换成左脚放于右腿上，做同样的动作。

老师指导

这个动作也可以改成一臂垂放在大腿上，一臂伸展，抬起的腿可以展开，然后像钟摆一样左右摆动。

增强平衡能力的其他运动方式

孕妈妈也可以在平时练单腿站立以锻炼平衡能力：一条腿小腿后抬，然后用同侧手扶住脚踝，另一只手臂尽量向上伸展，保持 3~5 秒，然后换另一边重复动作。

老师指导

孕妈妈如果本身平衡能力不是很好，而且之前也很少锻炼时，一开始最好借助椅子或墙壁来练习，以保证安全。此外，孕妈妈也可以做做猫式伸展，也是一种很好的平衡感锻炼法。

增强阴道及会阴部肌肉弹性，避免生产时产道撕裂：产道肌肉收缩运动

孕妈妈从中晚期开始，可以做一些有助于产道肌肉收缩的运动，为顺利生产打下基础。

1. 增加腹肌、腰背肌和骨盆底肌的收缩力。
2. 改善盆腔充血，使分娩时的肌肉放松，减轻产道的阻力，顺利分娩。

1 双腿分开呈下蹲状，双手放于膝盖上。

2 保持下蹲姿势，双手不动，然后抬起左脚向前迈一小步，右脚抬起脚后跟，注意身体重心的变化，以保持身体平衡。

3 保持上述姿势2~3秒后,收回左脚,恢复原状,然后换右脚做同样的动作。交替重复上述动作5~10次即可。

老师指导

双腿分开到舒适的宽度,扶住椅子或一个把手,尽量向下深蹲并保持1分钟,也有助于锻炼大腿及胯部肌肉,促进胎儿入盆,从而帮助缩短产程。

锻炼产道肌肉的其他运动方式

孕妈妈仰卧,双腿高抬,双脚抵住墙,然后双腿用力向两边分开,这是一种很简单的产道肌肉锻炼方法。

锻炼产道肌肉的其他方法

孕妈妈平时常做一做提肛或会阴部收缩运动,也可以起到锻炼产道肌肉的作用。

此外,孕妈妈睡眠时,采取侧卧姿势,在大腿中间夹一个枕头,也有助于增强会阴部肌肉的弹性。

准爸孕妈一起动：让胎宝宝在爱的环境中健康成长

准爸爸和孕妈妈一起运动，能让孕妈妈感觉受到重视与疼爱，孕妈妈心情好，胎宝宝也能感受到愉快的心情，有助于培养胎宝宝的快乐性格。

双臂共舞

 柔韧放松颈椎、肩胛部肌肉，改善颈椎和肩胛部的不适。

1. 准爸爸和孕妈妈，背靠背，盘腿坐，双手放在膝盖上，做深呼吸。

2　准爸爸身体向右转，手臂随之右转，放在孕妈妈的膝盖（或大腿）上，保持2~3秒。然后恢复坐姿，转向另一侧，孕妈妈重复动作。两个方向交替重复5~10次即可。

3　两人伸展双臂成一条直线，一侧随掌心朝下向地面压去，另一侧上举，保持2~3秒。然后换方向做，交替重复5~10次即可。

幸福拉手操

运动理由

1 扩展胸部，增加肺活量。
2 改善胸闷气短的状况。

分步动作

1 准爸爸和孕妈妈，背靠背，盘腿坐在垫子上，双手相握举过头顶上方。

2 准爸爸拉着孕妈妈的手向自己这一方移动，直至使孕妈妈的背部完全靠在准爸爸的背上。

3 准爸爸带动孕妈妈的双手向下压,直至孕妈妈的双臂展成一条直线,保持姿势2~3秒,做一次深呼吸。

4 准爸爸继续慢慢向下压,直至双手放在垫子上,这时孕妈妈完全放松地靠在准爸爸的背上。

重复动作5~10次即可。

挽臂背背坐

1 放松腰背部肌肉,改善腰背不适。
2 打开骨盆,帮助顺产。

1 准爸爸和孕妈妈,背靠背,盘腿坐在垫子上,双臂肘部相互交叉挽在一起。

2 准爸爸上身和头部前倾,孕妈妈头部和上半身随着准爸爸的动作后仰,可完全放松靠在准爸爸背上。

3 动作互换，孕妈妈身体前倾，准爸爸身体后仰。交替进行 5~10 次。

> **老师指导**
>
> 做步骤 3 时，准爸爸的动作幅度宜轻一些小一些，以减少给孕妈妈的压力。

4 恢复到步骤 1 姿势，准爸爸和孕妈妈一起左右摇摆，重复 5~10 次即可。

附录一 临产前的征兆有哪些

有的时候，孕妈妈的分娩时间会比预产期提前到来，此时身体发出的信号就成为孕妈妈分辨宝宝是否即将出世的重要依据。也就是说，一旦出现这些信号，家人应该立即将孕妈妈送往医院。

1 子宫底下降

在孕晚期，由于胎儿的头部开始下沉，子宫底下降，使孕妈妈的上腹部开始变得轻松起来，呼吸也变得比以前舒畅，胃部不舒服的感觉明显减弱，胃口随之变好，食量因此有所增加。此时子宫底下降只是分娩前的信号，并不是代表分娩的真正开始，孕妈妈不必过于紧张，但如果此时出现流血或者腹痛的情况，则应该赶快前往医院待产。

马大夫告诉你

不是每个孕妇都同时有这些临产征兆

见红、阵痛、破水都是非常有力的临产征兆，这三者没有固定的先后顺序，也并不是所有的孕妈妈都会出现这些临产先兆。有的孕妈妈宫口全开了都没有发生破水，而是胎儿娩出和破水同时发生；有的出现假性宫缩后很快就进入规律宫缩，宫口打开得也很快，整个生产过程非常迅速；可有的产妇虽然前期宫口开得快，晚期却又慢下来……总之，了解临产先兆，配合个人的自我感觉，随时咨询医生，是非常安全的选择。

2 见红

在临产之前，孕妈妈会出现见红的现象。随着胎儿头部开始下坠入盆，伴随子宫收缩，子宫颈管逐渐扩张，附近的胎膜和子宫壁发生分离，会有少量出血的情况发生，这是子宫开始扩张的现象，也是临产的重要信号。

3 破羊水

临近分娩的时候，孕妈妈会出现破羊水的现象，主要表现为淡黄色液体从阴道流出，这时可以用卫生巾来防漏，也便于查看流出物的颜色是否正常，以此来帮助判断分娩进程。破羊水后孕妈妈很快就要开始分娩了，此时应该尽早入院待产。

4 规律阵痛

规律阵痛是分娩的重要信号，主要表现为腹部的周期性剧烈疼痛，每次持续45秒左右，每5分钟左右收缩一次。一般情况下，初产妇的分娩时间为12~18个小时。需要注意的是，子宫收缩会造成胎头压迫妈妈的直肠而出现强烈的便意，此时切勿上厕所，以免将小宝宝产到马桶里。

附录二 帮助自然分娩的拉梅兹呼吸法

拉梅兹呼吸法通过对神经肌肉的控制及呼吸技巧，能有效地让产妇在分娩时将注意力集中在对自己的呼吸控制上，从而转移疼痛，适度放松肌肉，以达到加快产程、让胎儿顺利出生的目的。

拉梅兹呼吸法的五个步骤

胸部呼吸法

应用时间

此方法应用在分娩开始的时候，此时宫颈开3厘米左右。孕妈妈可以感觉到子宫每5~20分钟收缩一次，每次持续30~60秒。

操作方法

孕妈妈在感觉到子宫收缩时，用鼻子深深吸一口气，用嘴吐气，反复进行，直到阵痛停止再恢复正常呼吸。

动作分解

1. 开始时先做一个廓清式呼吸，以坐或躺的姿势皆可。
2. 眼睛注视一个定点。
3. 身体完全放松。
4. 用鼻子慢慢吸气至胸腔。
5. 将嘴唇像吹蜡烛一样，慢慢呼气。
6. 结束时，再做一个廓清式呼吸。

练习

1分钟做6~9次。

注：廓清式呼吸是用鼻子慢慢深吸一口气，再以口缓慢吐出，并全身放松。

嘻嘻轻浅呼吸法

应用时间

此方法应用在胎儿一面转动、一面慢慢由产道下来的时候。宫颈开至3~7厘米,子宫的收缩变得更加频繁,每2~4分钟就会收缩一次,每次持续45~60秒。

操作方法

用嘴吸入一小口空气,保持轻浅呼吸,让吸入和呼出的气量相等。注意要完全用嘴呼吸,保持呼吸高位在喉咙,就像发出"嘻嘻"的声音。练习时由连续20秒慢慢加长,直至一次呼吸练习能达到60秒。

动作分解

1. 先做一个廓清式呼吸。
2. 眼睛注视一个定点。
3. 身体完全放松。
4. 在做廓清式呼吸时,将肺部的空气排出,吸入一小口气,保持轻浅呼吸,呼出和吸入的气是等量的,以免换气过度。
5. 呼吸技巧在于嘴唇微微张开,完全用嘴呼吸。
6. 保持呼吸高位在喉咙,就像发出"嘻嘻"的声音,保持胸部高位呼吸。
7. 若使用正确的呼吸技巧,则照镜子时会发现喉咙在动。

练习

在一次子宫收缩中,也许会有几次感觉最强烈,因此呼吸速度可依需要调节。

喘息呼吸法

应用时间

当宫颈开至 7～10 厘米时,孕妈妈感觉到子宫每 60～90 秒就会收缩一次,这已经到了产程最激烈、最难控制的阶段了。胎儿马上就要临盆,子宫的每次收缩持续 30～90 秒。

操作方法

先将空气排出后,深吸一口气,接着快速做 4～6 次的短呼气,感觉就像在吹气球。练习时由一次呼吸练习持续 45 秒慢慢加长至一次呼吸练习能达 90 秒。

动作分解

1. 开始时先做一个廓清式呼吸。
2. 眼睛完全注视于一点。
3. 身体完全放松。
4. 深吸一口气,再做 4～6 次的短呼气,技巧在于用嘴吹,速度要短和快,像吹气球一样,但比嘻嘻式呼吸浅。
5. 结束时再做一个廓清式呼吸。

练习

此技巧也可加速或减速来配合强烈收缩,以 90 秒一次宫缩计算,假如有困难,先从 45 秒开始练习。

哈气运动

应用时间

进入第二产程的最后阶段，孕妈妈想用力将胎儿从产道送出，但是此时医生要求不要用力，以免发生阴道撕裂，等待宝宝自己挤出来，孕妈妈此时就可以进行哈气运动。

操作方法

先深吸一口气，接着短而有力地哈气，如浅吐1、2、3、4，接着大大地吐出所有的气，就像在吹一样很费劲的东西。练习时每次需达90秒。

动作分解

1. 开始一个宫缩时，使用加速或减速的喘息呼吸法。
2. 想用力时，继续短而有力地哈气，直到这种想法消失后，再恢复使用加速或减速的喘息呼吸法，慢慢地吸，慢慢地呼。

练习

每一次练习以90秒1次宫缩计算，在90秒里，3次感觉强烈的顶峰宫缩中有1次想用力将胎宝宝娩出。

用力推

应用时间

此时宫颈全开了,医生也要求产妇在即将看到胎儿头部时,用力将胎儿娩出。孕妈妈此时要长长吸一口气,然后憋气,马上用力。

操作方法

下巴前缩,略抬头,用力使肺部的空气压向下腹部,完全放松骨盆肌肉。换气时,保持原有姿势,马上把气呼出,同时马上吸满一口气,继续憋气和用力,直到宝宝娩出。每次练习时,至少要持续60秒用力。

动作分解

1. 开始时,做一两次廓清式呼吸。

2. 在待产室的姿势:双手握住膝窝处,肘部保持向外,将两膝抬起分开两腿,将骨盆底肌肉、腿、脚完全放松;在产房的姿势:手握住床边的把手,脚放在托架上。

3. 长长吸一口气,然后憋气,马上用力。

4. 由一旁的准爸爸协助,下巴前缩,略抬头。

5. 用力使肺部的空气压向下腹部。

6. 完全放松骨盆底的肌肉,才不会有阻力阻碍宝宝产出。

7. 用力时,尽可能憋气。

8. 需要另一次换气时,保持原有姿势,马上把气呼出,同时马上吸满另一口气,继续憋气和用力,直到收缩完全结束。

9. 当收缩结束时,平躺,做两次廓清式呼吸,完全放松,继续深呼吸,以弥补用力时造成的缺氧。

练习

每次练习,至少有60秒用力,用力足够时,骨盆底会有肿胀感。

协和专家指导　安心孕产

如何备孕才能想怀就有？怀孕了怎么吃宝宝更健康？孕妈妈怎么运动可以改善孕期不适、轻松顺产？产后如何扭转体质，重塑好身材？

 协和专家马大夫　 科学备孕、怀孕、产后恢复

协和专家教你完美备孕　　协和专家教你孕期宜忌全知道

协和专家教你轻松孕妇操　　协和专家教你产后恢复身材棒

马良坤　2015~2016年度中国十大妇产医生
主　编　荣获新浪育儿"妈妈信赖的养育类图书作者"奖

协和 专家教你
孕期宜忌全知道

马良坤 主编
北京协和医院妇产科主任医师、教授

电子工业出版社
Publishing House of Electronics Industry
北京·BEIJING

未经许可，不得以任何方式复制或抄袭本书之部分或全部内容。
版权所有，侵权必究。

图书在版编目（CIP）数据

协和专家教你孕期宜忌全知道 / 马良坤主编．— 北京：电子工业出版社，2017.4
（悦然·亲亲小脚丫系列）
ISBN 978-7-121-30968-7

Ⅰ．①协… Ⅱ．①马… Ⅲ．①妊娠期－妇幼保健－基本知识 Ⅳ．① R715.3

中国版本图书馆 CIP 数据核字（2017）第 031679 号

责任编辑：周　林
特约编辑：贾敬芝
印　　刷：北京市大天乐投资管理有限公司
装　　订：北京市大天乐投资管理有限公司
出版发行：电子工业出版社
　　　　　北京市海淀区万寿路 173 信箱　邮编：100036
开　　本：720×1000　1/16　印张：11　字数：229 千字
版　　次：2017 年 4 月第 1 版
印　　次：2017 年 4 月第 1 次印刷
定　　价：39.90 元

凡所购买电子工业出版社图书有缺损问题，请向购买书店调换。若书店售缺，请与本社发行部联系，联系及邮购电话：(010) 88254888，88258888。

质量投诉请发邮件至 zlts@phei.com.cn，盗版侵权举报请发邮件到 dbqq@phei.com.cn。

本书咨询联系方式：zhoulin@phei.com.cn。

前言

妈妈孕期过得好，宝宝更健康

"怀孕"听起来就是一个美好的词语，它让女人有了一个更温柔的身份——妈妈。从得知怀孕的那一刻起，有兴奋、紧张，想拼尽全力给肚子里的宝宝最好的呵护，又有点畏首畏尾，生怕做得太多、又担心做得不够……

怀孕期间怎样合理营养，让胎宝宝健康成长？孕妈妈补叶酸是不是越多越好？孕妈妈可以进行哪些适当的运动？哪些食物是孕妈妈不适合吃的？日常生活中要注意哪些细节？想确切知道"TA"长到多大了，什么时候有心跳，什么时候有胎动，什么时候有表情……在怀孕的过程中，孕妈妈会体会到种种苦乐酸甜，孕期的种种不适夹杂着对胎宝宝的期待与渴望。

不少孕妈妈对一个新生命的孕育与诞生、孕期饮食宜忌、生活细节宜忌等问题的认识都不够清晰。因此，本书力邀北京协和医院妇产科医生马良坤大夫，根据多年临床经验给孕妈妈切实、科学、准确的孕期指导，直击孕期遇到的各种疑问，告诉孕妈妈在孕期每一月应该怎么健康地吃、怎么安全地活动、怎么观察胎宝宝的发育，让本书成为孕妈妈必不可少的孕期生活指南。

看看医生的指导、听听过来人的建议，愿每一位孕妈妈都平平安安度过孕期，生出一个健康聪明的宝宝。

{目录}

C O N T E N T S

绪 论

做个孕前检查更安心	13
算算预产期，安心等待宝宝的到来	16
胎宝宝40周成长轨迹	17

PART 1　孕1月　预防胎宝宝畸形，继续补充叶酸

孕1月　饮食宜忌　24

宜

继续补充叶酸，预防胎宝宝畸形	24
不挑食、不偏食，正常吃饭	26
多吃鱼，促进胎宝宝的脑部发育	26
多喝水，避免泌尿系统感染	26
适量补充维生素B_6，预防孕吐	26

忌

过量服用叶酸	27
贪享酸食无节制	27
想吃什么吃什么	27
不健康食物黑名单	28
刺激性食物	29
吸烟、饮酒	29

孕1月　生活细节宜忌　30

宜

早孕试纸，准确又方便	30
保持外阴的清洁	31
适当做些家务，有助于缓解烦躁情绪	31
做胎教调节孕期生活	31

忌

剧烈运动	31
性生活	31
随意用药	32

孕1月　协和专家会诊室　33

PART 2　孕2月　增强体力，缓解害喜

孕2月　饮食宜忌

宜

清淡为主，避免油腻食物	36
坚持少吃多餐	36
吃些缓解孕吐的食物	36
多吃点新鲜蔬菜、水果，喝点果蔬汁	36
吃些玉米，促进胎宝宝大脑发育	37
多喝水，别"牛饮"	37
适当多吃豆类食品补充磷脂	37
吃点凉拌菜打开胃口	37
多吃"快乐"食物，减轻孕期抑郁	38
可以准备些健康小零食	38

忌

滥用补品	39
常吃油条	39
吃过咸的食物	39
过多吃菠菜	39
吃两个人的饭量	40
吃零食无节制	40
常吃路边摊	40

孕2月　生活细节宜忌

宜

适当运动能缓解孕吐	41
散步——几乎适合所有孕妈妈的安胎运动	41
听舒缓的音乐能促进胎宝宝发育	41
注意防滑，避免摔倒	41
远离噪声，预防子宫收缩导致早产	42
衣服分类整理好	42
孕6周，需要进行生育服务登记了	42

忌

自行用止吐药	43
做仰卧起坐	43
作息不规律	43
情绪暴躁	43

孕2月　协和专家会诊室 44
专题　孕2月职场孕妈妈关怀 45

PART 3　孕3月　度过流产的危险期

孕3月　饮食宜忌

宜

增加优质蛋白质，来点牛奶、鸡蛋和豆腐	48
每天吃点坚果，促进胎宝宝大脑发育	48
多吃有抗辐射功效的食物	48
怀多胞胎一般需要服用膳食补充剂	48
每天吃1个鸡蛋，促进胎宝宝的生长发育	49
肠胃不好吃点发面主食	49
补充维生素D，强化骨骼，保持皮肤健康	49
每月吃2~3次猪肝，补铁补血	49
适量吃苹果缓解孕期反应	50
适量食用水果	50

忌

主食吃得少	51
盲目节食	51
生吃食物	52
过多食用粗粮	52
用水果代替正餐	52
易致流产的食物	53
易引起身体不适的食物	54

孕 3 月　生活细节宜忌

宜

注意流产征兆，减少流产发生	55
警惕疤痕妊娠	55
多晒太阳，补充维生素 D	55
做 NT 检查，进行早期排畸	56
最好将产检医院作为你的生产医院	58
根据位置选择医院	58
考察医院的设施	58
确认医院和医生的可靠性	58
检查血型，排查母婴溶血反应	59

忌

乱用化妆品	60
使用清凉油	60
用香薰	60
长时间蹲坐	60
孕 3 月　协和专家会诊室	61

PART 4　孕 4 月　防止胎宝宝发育不良

孕 4 月　饮食宜忌

宜

保证足够的热量供应	64
吃些含碘的食物，促进甲状腺发挥作用	64
合理补充维生素 C，预防妊娠纹	64
从现在开始少吃盐，避免孕中晚期水肿	65
多吃深色水果，摄取植物化学物	65
孕中期需要增加蛋白质的摄入量	65
少吃甜食，避免肥胖和妊娠糖尿病	65

忌

大吃大喝	66
经常吃油炸食品	66
经常吃火锅	66
生吃田螺、生蚝	66
过量吃榴莲	67
过多喝茶	67
吃皮蛋	67
吃热性调料	67
吃蜂王浆进补	67

孕 4 月　生活细节宜忌　68

宜

做唐筛，计算出"唐氏儿"的危险系数	68
唐筛的"补考"：羊水穿刺	70
经常清洁乳房	71
坚持戴胸罩，保持乳房美观	71
自己开车要留心行路安全	71
穿出孕味，穿出健康	71

忌

忽视腹泻	72
忽视牙齿问题	72
孕 4 月　协和专家会诊室	73

PART 5　孕5月　补钙，促进胎宝宝骨骼发育

孕5月　饮食宜忌　76

宜
- 孕中期，每天钙需求量为1000毫克　76
- 钙和维生素D一定要同补　76
- 孕中期补钙可以通过食物+钙片的方式　76
- 妊娠糖尿病患者要选低脂、脱脂奶　77
- 多补充能促进胎宝宝视力发育的营养素　77
- 多吃富含β-胡萝卜素的食物　77
- 经常喝点粥　78
- 注意荤素搭配　78
- 适当摄取植物油，满足人体必需的脂肪酸　78

忌
- 补钙过量　79
- 补铁同时喝牛奶或服钙剂　79
- 饭后马上吃钙片　79
- 用豆浆代替牛奶　79
- 过量进食　80
- 只吃精米精面　80
- 经常食用黄油　80
- 食用含铅高的食物　80
- 吃饭太快　80
- 吃久存的土豆　80

孕5月　生活细节宜忌　81

宜
- 孕20周后应密切监测血压变化　81
- 定期查看宫高和腹围　81
- 注意上下楼梯的安全　82
- 选择防滑鞋　82
- 最好买调整型哺乳内衣，生完孩子也能穿　82
- 乳头内陷要及时矫正，以免影响哺乳　83
- 疲劳困乏及时调节　83
- 身体状态允许的情况下，适当增加运动强度和运动时间　83
- 舒展背部运动，改善孕中期腰背疼痛　84

忌
- 长时间站立、行走或静坐　85
- 不注意睡姿　85
- 戴隐形眼镜　86
- 装修家居　86
- 接触X线　86
- 用暖宝宝取暖　86
- 房间任意摆放花草　86

孕5月　协和专家会诊室　87

PART 6　孕6月　预防缺铁性贫血

孕6月　饮食宜忌　90

宜
- 补铁，预防缺铁性贫血　90
- 补铁首选动物性食物　90
- 植物性食物可作为补铁的次要选择　91
- 同时补充维生素C，以促进铁吸收　91
- 适当饮用孕妇奶粉，弥补营养不足　91
- 喝些酸奶，促进肠道健康　91
- 适当吃些鱼头　92
- 经常更换烹饪用油的品种　92
- 按照油的烟点选择烹饪方式　92
- 多吃防止妊娠斑的食物　92
- 多吃促进乳房发育的食物　93
- 补充牛磺酸，促进胎宝宝的视网膜发育　93

忌

轻视加餐	94
用无糖饮料当水喝	94
经常吃快餐	94
长期高脂肪饮食	94

孕6月　生活细节宜忌

宜

孕20~24周做B超大排畸	95
了解B超大排畸并不是万能的	95
做B超的时候要把胎宝宝叫醒	96
睡会儿午觉，精神好	96
尽量不要更换洁面产品	96
游泳，锻炼全身	96
按摩乳房，促进乳腺管畅通	97

忌

睡觉的时候压着乳房	98
过多刺激乳头	98
用含有磨砂颗粒的洗面奶	98
久站或久坐	98
穿紧口袜	98
孕6月　协和专家会诊室	99
专题　孕6月职场孕妈妈关怀	101

PART 7　孕7月　数胎动、做糖耐，降低生产风险

孕7月　饮食宜忌

宜

五谷豆类，粗细混搭，每天至少吃4种	104
水果每天任选2种，蔬菜至少4种	105
肉类每天至少1种	105
蛋类每天1种	105
每天来点奶及奶制品	105
豆制品来1种	105
每天任选1种坚果，一掌心的量就够	106
适量食用花生，预防产后缺乳	106
宜吃香蕉、牛奶、海鱼等缓解郁闷情绪	106
吃些含钙食物，预防腿抽筋	106

忌

膳食纤维过量	107
过多食用动物性脂肪	107
进食容易产气的食物	107
过多摄入碳水化合物	107
过量食用鱼肝油	107
盲目喝孕妇奶粉	108
忽略补锌	108
过量吃荔枝	108
阿胶补血不分孕期	108

孕7月　生活细节宜忌

宜

通过胎动判断胎宝宝的宫内情况	109
孕24~28周，要做妊娠糖尿病筛查	110
糖筛高危要做糖耐量检查	111
括约肌锻炼助顺产	112
做做脸部按摩，让脸色健康红润	112
选择最舒适的站姿	112
俯身弯腰时要轻要慢	112
经常和准爸爸聊聊天	112

忌

把早产征兆当成假性宫缩	113
完全不用抗生素	113
突然吹空调或电扇	113
穿过紧的内裤	114
家中铺地毯	114
忽视指甲变薄	114
总担心自己变丑	114
运动后马上睡觉	114
穿系带的鞋子	114
用发泡地垫	114
孕7月　协和专家会诊室	115

PART 8　孕8月　预防妊娠期高血压

孕8月　饮食宜忌　118

宜
控制体重增长，每周最多增加 0.5 千克　118
孕晚期蛋白质的每日摄入量要增加至85～90克　118
蛋白质要以植物性食物为主要来源　118
多食含铜量高的食物，预防胎膜早破　119
继续补钙和铁　119
注意控制盐分和水分的摄入，预防水肿　119
吃些紫色食物，保护胎宝宝的心脏　119
适当吃些猪血，预防胎宝宝贫血　119
重视痔疮，加速排便　120
增加膳食纤维，预防孕中晚期便秘　120

忌
盲目大量滥补维生素　121
补充膳食纤维又不爱喝水　121
常吃生的凉拌菜　121
吃致敏食物　121
用豆制品替代牛奶　121
喝糯米甜酒　122
过量吃葡萄　122
饭后马上吃水果　122
吃马齿苋　122
用红薯当主食单一食用　122

孕8月　生活细节宜忌　123

宜
预防妊娠高血压　123
排查异常水肿　123
单纯性妊娠水肿无需特殊治疗　123
注意血压，预防并发症——先兆子痫　124
腹部瘙痒，不用太急　124
身体笨拙了，做不到的事儿不要勉强　124
正确应对呼吸急促　124
保持积极乐观的心态　125
及时检查胎位　125
纠正胎位不正的胸膝卧式　125
开始准备哺乳垫和哺乳胸罩　126
要留意皮肤过敏　126
预防和缓解胃灼热　126

忌
长途旅行　127
自己开车　127
拿高处的物品　127
留长指甲　127
迷信胎梦　127
音乐胎教声音过大　128
轻视孕晚期焦虑　128
孕妈妈独自去做产检　128
按摩合谷穴、足三里穴　128

孕8月　协和专家会诊室　129

PART 9　孕9月　控制胎宝宝体重增长过快

孕9月　饮食宜忌　132

宜
- 饮食以量少、丰富、多样为主　132
- 要少食多餐，减轻胃部不适　132
- 果蔬打成汁，饮用时不过滤　132
- 每周吃1~2次菌藻类食物　132
- 补充高锌食物帮助分娩　133
- 补充维生素C降低分娩危险　133
- 适当吃些富含维生素B_1的食物　133

忌
- 多吃果脯　134
- 无辣不欢　134
- 一次喝太多水　134
- 擅自服用铁剂　134
- 大补人参　134

孕9月　生活细节宜忌　135

宜
- 警惕胎膜早破　135
- 了解临产征兆，不再手忙脚乱　135
- 学会缓解分娩疼痛的方法　136
- 开始安排产假，保持好心情　138
- 孕妈妈体力大减，要注意休息　138
- 提前知道母乳喂养　138

忌
- 忽视孕晚期心悸　139
- 不注意胎便污染　139
- 过性生活　139
- 孕晚期久站　139
- 完全无运动　139
- 去拥挤的公共场所　139

孕9月　协和专家会诊室　140

PART 10　孕10月　随时准备分娩

孕10月　饮食宜忌　144

宜
- 临产前要少食多餐　144
- 产前宜补充锌　144
- 重点补充维生素B_1，保证充足热量　144
- 准备好两个产程的饮食　145
- 可以适量补充巧克力　145
- 每天1根香蕉，防便秘、稳定情绪　145
- 喝些蜂蜜水，可缩短产程　145

忌
- 吃难以消化的食物　146
- 剖宫产术前吃东西　146
- 剖宫产术前喝水　146
- 剖宫产术前进补　146
- 剖宫产术前吃胀气的食物　146

孕10月　生活细节宜忌　147

宜
- 准备好待产包　147
- 认真确定去医院的路线　148
- 了解分娩信息，忘掉恐惧　148
- 布置房间，拆洗被褥和衣服　148
- 购买婴儿专用洗护用品　148
- 雨刷式锻炼骨盆，减少分娩痛　149

忌
- 过性生活　150
- 去拥挤的公共场所　150
- 进行坐浴　150
- 分娩前未排净大小便　150

孕10月　协和专家会诊室　151

PART 11 特殊孕妈妈宜忌
——也能像正常孕妈妈一样生活

糖尿病孕妈妈
饮食宜忌 153
宜
平稳控糖"五低两高一适量" 153
灵活加餐，不让血糖大起大落 153
多选用低GI食物 153

忌
闻糖变色，不吃主食 154
经常吃纯糖食物及其制品 154
吃水果无节制 154
不渴不喝水 154

生活细节宜忌 155
宜
妊娠期糖尿病自我检测 155
运动后做好血糖监测 155
常活动四肢，预防和延缓糖尿病动脉血管病变 155

忌
粗粮细做 156
烹饪时间过长 156
吃得太快 156
运动后马上进食 156
爱用煎炸方式烹饪 156

高血压孕妈妈
饮食宜忌 157
宜
每天盐摄入量控制在6克以下 157
每天摄入3500毫克钾，钠钾平衡稳定血压 157

忌
毫无节制进食 158
饮食太油腻 158
增加肾脏的负担 158
晚餐吃太撑 158
夜宵吃得多 158

生活细节宜忌 159
宜
连续几次测量血压居高不下，需要引起重视 159
做好水肿检查，预防妊娠高血压 159
养足精神，平稳血压 159
没事儿拍一拍，轻松降血压 159

忌
生活环境过度清静 160
忽视孕期打呼噜 160
晚饭吃得太晚 160
吃饭时不专心 160

高血脂孕妈妈
饮食宜忌 161
宜
吃对肉，降低脂肪的摄入 161
烹饪有技巧，减少肉类脂肪 161
海鱼是降血脂的好"帮手" 162
多摄入膳食纤维 162
饭前喝汤可控制血脂 162

忌
食用高油脂食物 162
隐性脂肪 163
喝汤速度快 163

生活细节宜忌 164
宜
产前检查做仔细 164
做舒缓、适宜运动有助于远离高血脂 164
加速体内废物排除 164
每天洗个温水澡 164
甩甩手、踮踮脚，调脂降压 165

忌
排斥药物疗法 165
情绪过于激动 165
睡眠枕头过高、过软 165

乙肝孕妈妈
饮食宜忌 166
宜
重症乙肝，控制蛋白质 166
绿色、红色食物搭配，养好肝 166
适量增加膳食纤维食物 166
吃水果要适量、有选择 166

忌
过多摄入脂肪 167
碳水化合物摄入量过多 167
盐摄入超量 167
贪吃煎炸、甜食 167

生活细节宜忌 168
宜
孕前要做乙肝病毒抗原抗体检测 168
孕前9个月，注射乙肝疫苗 168
检验结果提示活动性乙肝要告知儿科医生 168

忌
母乳喂养 169
无良好的睡眠习惯 169
不坚持定期复查 169
体力、脑力劳累过度 169
经常抑郁、发怒 169

多胎孕妈妈
饮食宜忌 170
宜
按照"三餐两加餐"的饮食规律进食 170
可补充孕妇奶粉 170
适量增加能对抗水肿的食物 170
适当服用补充剂 171

忌
营养增加不足 171
抗拒营养补充剂 171

生活细节宜忌 172
宜
多胞胎妈妈一定要定期进行产前检查 172
双胞胎妈妈及早住院早待产 172
事先咨询医生是否实施剖宫产 172
适当使用除纹霜预防妊娠纹 173
使用托腹带 173
要保证充分的休息与睡眠 173

忌
盲目运动 173

附 录
产前记住一些用力要领 174
练练缩紧阴道的分腿助产运动 176

绪论

做个孕前检查更安心

备孕女性孕前检查时间应在月经干净后的 3~7 天内，检查前需要空腹，且不要同房，最好选择穿戴宽松、便于穿脱的衣物。

备孕妈妈孕前常规检查

检查项目	检查内容	检查目的	检查方法	检查时间
身高体重	测出具体数值，评判体重是否达标	如果体重超标，最好先减肥调整体重，将其控制在正常范围内	用秤、标尺来测量	备孕前 3 个月
血压	血压的正常数值：高压＜140 毫米汞柱（mmHg）；低压＜90 毫米汞柱（mmHg）	若孕前及早发现血压异常，及早治疗，有助于安全度过孕期	用血压计测量	备孕前 3 个月
血常规血型	白细胞、红细胞、血红蛋白、血小板、ABO 血型、Rh 血型等	是否患有贫血、感染等，也可预测是否会发生血型不合等	采指血、静脉血检查	备孕前 3 个月
尿常规	尿糖、红细胞、白细胞、尿蛋白等	有助于肾脏疾病的早期诊断，如有肾脏疾病需要治愈后再怀孕	尿液检查	备孕前 3 个月
生殖系统	通过白带常规筛查滴虫感染、真菌感染、淋病等性传播疾病，有无子宫肌瘤、卵巢囊肿、宫颈上皮内病变等	是否有妇科疾病，如患有性传播疾病、卵巢囊肿、子宫肌瘤、宫颈上皮内膜病变，要做好孕前咨询、必要的治疗和生育指导	通过阴道分泌物、宫颈涂片及 B 超检查	备孕前 3 个月
肝肾功能	包含肝肾功能、乙肝病毒、血糖、血脂等项目	肝肾疾病患者怀孕后可能会出现病情加重、早产等情况	静脉抽血	备孕前 3 个月
口腔检查	是否有龋齿、未发育完全的智齿及其他口腔疾病	怀孕期间，原有的口腔问题容易恶化，严重的还会影响胎宝宝的健康。因此，口腔问题要在孕前解决掉	口腔检查	备孕前 3 个月
甲状腺功能	促甲状腺激素（TSH）、游离甲状腺素（FT4）、甲状腺过氧化酶抗体（TPOAb）、尿碘水平	孕期可使甲状腺疾病加重，也会增加甲状腺疾病发生风险。而未控制的甲状腺疾病会影响后代神经和智力发育	静脉抽血	备孕前 3 个月

备孕妈妈孕前特殊项目检查

检查项目	检查目的
乙肝病毒抗原、抗体检测	乙肝病毒可以通过胎盘引起宫内感染或者通过产道引起感染,可能导致胎宝宝出生后成为乙肝病毒携带者,做此项检测可让备孕妈妈提早知道自己是否携带乙肝病毒
糖尿病检测	备孕妈妈怀孕后会加重胰岛的负担,可能会出现严重并发症,因此备孕妈妈要做空腹血糖检测,有糖尿病高危因素者应进行葡萄糖耐量试验
遗传疾病检测	备孕夫妻生育过遗传病患儿或一方有遗传病家族史
传染病检测	艾滋病、梅毒等病具有传染性,会严重影响胎宝宝的健康,做此项检测可让备孕妈妈及早发现自己是否患有传染病
TORCH全套检查	检查备孕妈妈是否感染弓形虫、风疹病毒、巨细胞病毒、单纯疱疹病毒等,备孕妈妈一旦感染这些病毒或寄生虫,怀孕后可能会引发流产、死胎、胎儿畸形、新生儿先天智力低下和神经性耳聋等
染色体检查	可进行染色体检查,必要时进行基因检测

备育爸爸特殊项目检查

检查项目	检查目的
血常规　血型	检查有无贫血、血小板少等血液病，ABO、Rh 血型等
血糖	检查是否患有糖尿病
血脂	检查是否患有高脂血症
肝功能	检查肝功能是否受损，是否有急（慢）性肝炎、肝癌等肝脏疾病的初期症状
肾功能	检查肾脏是否受损，是否有急（慢）性肾炎、尿毒症等疾病
内分泌激素	必要时检查
精液检查	如有不育问题，了解精子是否有活力或者是否少精、弱精。如果少精、弱精，则要进行治疗，加强营养，并戒除不良生活习惯，如抽烟、酗酒、穿过紧的内裤等
男性泌尿生殖系统检查	检查是否有隐睾、睾丸外伤、睾丸疼痛肿胀、鞘膜积液、斜疝、尿道流脓等情况，这些对下一代的健康影响极大
传染病检查	如果未进行体格检查或婚检，那么肝炎、梅毒、艾滋病等传染病检查也是很有必要的
全身体格检查	全身检查有无系统性疾病

马大夫告诉你

1. 检查前一天一定要洗澡，保证身体干净、卫生。
2. 检查前一天晚上 10 点后至当天早晨保持空腹，做好抽血准备。
3. 远离烟、酒及油腻、糖分高的食物，怀孕前都尽量不要碰。
4. 为了精液检查的准确性，检查前 3~5 天不能有性生活，但也不能间隔时间太久。

正常精液的指标

精液量：每次 2~6 毫升。不足 1.5 毫升为精液量过少症，而超过 8 毫升则为精液量过多症。

精液 pH 值：7.2~8.0。

精子形态：正常形态精子不少于 15%。

精液中精子数量：2000 万 / 毫升以上。

精子活力：70% 以上精子是活的。

算算预产期，安心等待宝宝的到来

确定怀孕了，孕妈妈最想知道的就是宝宝何时出生。根据预产期预算法则，从最后一次月经的首日开始往后推算，怀孕期为 40 周，每 4 周计为 1 个月，共 10 个月。

> 预产期月份＝末次月经月份－3（相当于第 2 年的月份）或＋9（相当于本年的月份）

例如：末次月经日期是 2015 年 5 月，预产期就应该是 2016 年 2 月。

> 预产期日期＝末次月经日期＋7（如果得数超过 30，减去 30 以后得出的数字就是预产期的日期，月份则延后 1 个月）

例如：末次月经日期是 2015 年 5 月 15 日，所以预产期就应该是 2016 年 2 月 22 日。

预产期不是精确的分娩日期，只是个大概的时间。据统计，只有 13% 左右的女性在预产期当天分娩，所以不要把预产期这一天看得过重。在孕 37~42 周之间出生都是正常的，80%~90% 的孕妈妈都在这个时间段内分娩。

虽然并不是说预产期这个日子肯定生，但计算好预产期可以知晓宝宝安全出生的时间范围，进入孕 37 周应随时做好分娩准备，但不要过于焦虑，如果到了 41 周还没有分娩征兆，可以住院观察或听从医生安排。

孕妈妈经验分享

没记住末次月经日期，怎么推算预产期？

一般情况下孕周和预产期都是按末次月经算的，末次月经没记住的时候，可以根据孕早期的 B 超结果推算孕周。我做产检的时候就遇到了好几个没记住末次月经的孕妈妈，但是她们根据 B 超结果也都大致推算出了孕周和预产期。

胎宝宝 40 周成长轨迹

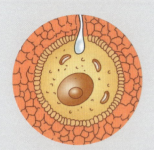

第1周
其实是末次月经期

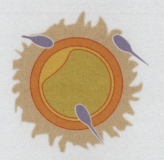

第2周
精卵结合期

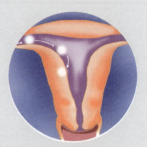

第3周
受精卵完成着床

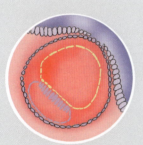

第4周
细胞开始分裂

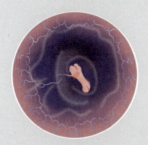

第5周
可见胎囊
（只在怀孕早期可见到）

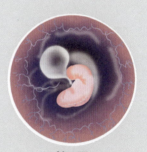

第6周
有胎芽和胎心跳

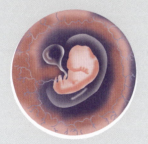

第7周
具有人的雏形

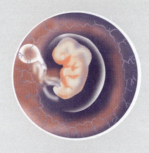

第8周
手脚开始萌发出来

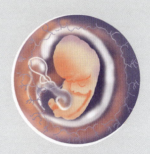

第9周
头大于体干，胎盘发育

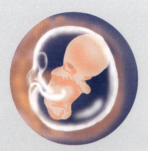

第10周
各器官形成

第11周
各器官继续发育，胎盘清晰可见

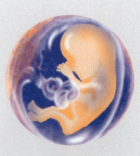

第12周
外生殖器清晰可辨，四肢可活动

第13周
长出眼睛，但眼睑紧紧闭合

第14周
能皱眉、做鬼脸、吸吮自己的手指

第15周
在羊水中练习呼吸

第16周
长出毛发，有呼吸运动

第17周
出现胎动

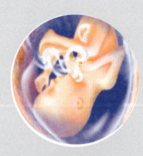

第18周
能听到声音了

第19周
出现皮脂

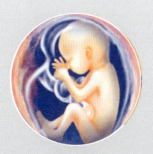
第20周
出现排尿，吞咽功能

第21周
脑部出现海马沟

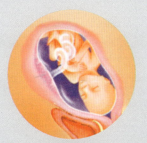
第22周
恒牙牙胚
逐渐发育

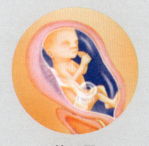
第23周
骨骼、肌肉长成，视网膜
形成，具备了微弱的视觉

第24周
各脏器已发育，长出眉毛

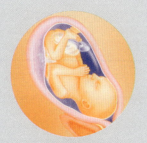
第25周
开始长肉了

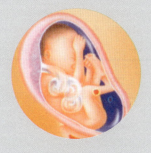
第26周
对外面的声音越来越敏感

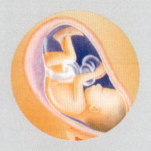
第27周
能清楚听见声音，会打嗝了

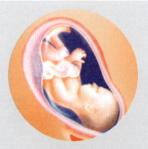
第28周
开始形成睡眠周期

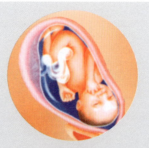
第29周
大脑迅速发育

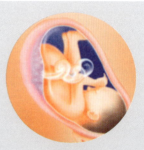
第30周
眼睛可自由开闭，胃、肠、肾等内脏器官发育完善

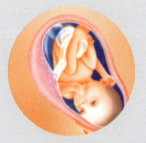
第31周
会跟着光线移动头了

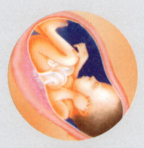
第32周
长出脚指甲，此时出生能存活了

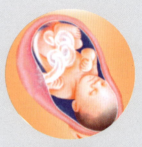
第33周
骨骼变硬了，皮肤红润了

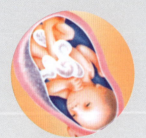
第34周
建立白天睁眼、晚上闭眼的习惯

第35周
肾脏已经能排泄废物了

第36周
覆盖全身的绒毛和胎脂开始脱落

第37周
本周末，宝宝就是足月儿了

第38周
宝宝变得安静了

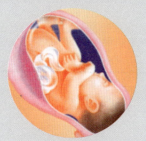

第39周
皮肤变得光滑了

第40周
做好出生准备

PART 1

孕1月
预防胎宝宝畸形，继续补充叶酸

PART 1　孕 1 月
预防胎宝宝畸形，继续补充叶酸

胎宝宝有话说　我从一颗冲锋陷阵的小精子，打败了三亿多个对手，冲破重重阻力与卵子结合，然后完整地诞生了，虽然现在还只是个小胚芽，但是我会很快长大，请妈妈给我充分的营养和保护吧！

马大夫温馨提醒　孕妈妈在备孕期就应该补叶酸，孕期也要继续补，补叶酸要持续整个孕期。

胎宝宝：还是一颗受精卵

一个强壮的精子来到孕妈妈体内，遇到了卵子，结合成为受精卵时已经是第 2 周。从这以后还需要 5~7 天，不断分裂的受精卵才逐步在子宫内着床，这样算来，受精卵在第 3 周完成着床。

孕妈妈：微微感觉到小生命的萌发

大多数孕妈妈在这个月可能还没什么感觉。有的孕妈妈会有乳房硬硬的感觉，乳晕颜色会变深，乳房变得很敏感，触碰时有可能引起疼痛。孕妈妈的卵巢继续分泌雌激素，能促进乳腺发育。

马大夫告诉你

怀孕和感冒不要傻傻分不清

怀孕初期，一些征兆有些像感冒，如体温升高、头痛、精神疲乏、脸色发黄等，这时候，还会感觉特别怕冷，这很容易让没有经验的孕妈妈当成是感冒来治疗。如果打针、吃药，对胎宝宝的伤害会很大。

因此，备孕的女性要时刻提醒自己有可能怀孕，需要用药的时候要想到这个问题，以免错误用药。

孕1月 饮食宜忌

宜

继续补充叶酸，预防胎宝宝畸形

叶酸能有效预防神经管畸形

叶酸是一种水溶性B族维生素，最初是从菠菜叶中发现的，所以称为"叶酸"。叶酸是胎宝宝大脑发育的关键营养素，孕期适当补充可预防胎儿神经管畸形。如果母体叶酸缺乏，会造成胎儿神经管闭合不正常，造成无脑儿、智力低下、脊柱裂等出生缺陷。

对胎儿
造成发育迟缓、无脑儿、开放性脊柱裂、脊柱裂等

缺乏叶酸

对孕妈
易出现胎盘早剥、巨幼细胞性贫血、妊娠高血压等症状

孕前补了，孕期也要继续补

任何一位孕妈妈都要补叶酸，孕妈妈在备孕期就应该补叶酸，孕期也要继续补，而且要持续整个孕期。

虽然孕早期是胎儿神经系统发育的关键期，但叶酸的补充并不能仅限于孕早期，因为在孕中期、孕晚期，胎儿DNA的合成，胎盘、母体组织和红细胞的增加，都将使叶酸的需要量大大增加，此时缺乏叶酸容易导致孕妈妈有巨幼红细胞性贫血、先兆子痫、胎盘早剥等情况的发生。

孕期每日需摄入叶酸600微克

孕妈妈对叶酸的需求量比正常人高，每日需要约600微克才能满足胎宝宝生长需求和自身需要。由于我国育龄女性体内叶酸含量普遍偏低，因此孕期更要重视叶酸的补充。

天然叶酸只能从食物中摄取

人体不能自己合成叶酸,天然叶酸只能从食物中摄取,因此应该牢记这些叶酸含量高的食物,让它们经常出现在你的餐桌上。

食物补不足,叶酸片来补

含叶酸的食物很多,但由于叶酸具有不稳定性,遇光、遇热容易损失,所以人体真正能从食物中获得的叶酸并不多。比如,蔬菜储存2~3天后叶酸可损失一半,在烹调过程中叶酸也会有所损失。也就是说,除去烹调加工的损失,叶酸的实际吸收利用率大概只有50%,如果仅靠食物补,很难达到身体所需的量。

因此,在以食补为主的基础上,适当补充叶酸制剂是很有必要的。叶酸片主要用于纠正饮食中叶酸摄入不足的情况,但是不能脱离食物而单依靠制剂,任何一种营养素的补充都要以食物为基础。一般正常饮食的情况下,每天服用400微克的叶酸片或者复合维生素片如爱乐维等,即可满足一日的叶酸需求。

不挑食、不偏食,正常吃饭

有的孕妈妈刚一得知怀孕的消息后,家里就开始迫不及待地给补充营养。孕期饮食非常重要,摄入的营养不仅为孕妈妈自身提供所需的养分,还为宝宝的发育提供营养。毫无疑问,孕妈妈需要比平时消耗更多的热量,需要更多的营养。但是怀孕第一个月,完全可以延续之前的饮食习惯。现在生活条件好,食物种类丰富,孕妈妈只要平时饮食不挑食、不偏食,营养就能够满足早期胎儿发育了。

孕妈妈经验分享

不必拼命吃,否则肉都长自己身上了

如果刚怀孕就大补特补,生怕孩子输在起跑线上,那么胎宝宝不需要的营养就会全部长在自己身上,反而容易造成肥胖。

我怀孕的时候虽然没有出现这个情况,但我有个同事就有这种情况,她当时怀孕第一个月就长了3千克,整个孕期下来体重超标不说,生完也没恢复,直到现在还很胖。

多吃鱼,促进胎宝宝的脑部发育

孕妈妈多吃鱼,特别是深海鱼,能促进胎宝宝的脑部发育。因此,孕妈妈在日常膳食中应适当增加鱼类食物的摄入。青鱼、沙丁鱼、鲐鱼等海鱼含有大量的微量元素、磷脂、氨基酸、不饱和脂肪酸等。

多喝水,避免泌尿系统感染

怀孕后,孕妈妈阴道分泌物会增多,给细菌滋生创造了条件,由于女性尿道口和阴道距离较近的生理结构,尿道容易被感染。多喝水,多排尿,可帮助冲洗尿道,保持泌尿系统洁净。同时,多喝水有助于保持体内环境平衡,防止水、电解质紊乱。

适量补充维生素 B_6,预防孕吐

孕吐是孕妈妈常见的早孕反应,会让孕妈妈变得没有食欲,精神不济。研究表明,维生素 B_6 能缓解孕早期出现的恶心、呕吐现象,帮助放松心情,而且有利于胎儿大脑和神经系统的发育。瘦肉、禽类、鱼类、谷类、豆类、坚果中富含维生素 B_6。

吃坚果对脑部营养很有益处,特别适合孕妇和儿童食用。

PART 1 孕1月
预防胎宝宝畸形，继续补充叶酸

过量服用叶酸

过量服用叶酸的三方面危害

叶酸在孕育过程中的作用非常显著，但是过多服用叶酸会带来很多害处。主要有：①会掩盖维生素 B_{12} 缺乏的早期表现，导致神经系统受损害。②可能影响锌的吸收，导致锌缺乏，进而使胎宝宝发育迟缓，低体重儿出生率增加。③会干扰抗惊厥药物的作用，诱发惊厥。

> **马大夫告诉你**
>
> 叶酸理想的补充方法是通过检测血清叶酸水平、叶酸代谢障碍基因，有针对性地进行补充。

乱用叶酸片

叶酸增补剂每片中仅含 0.4 毫克叶酸，是国家批准的唯一预防药品，即我们通常所说的"斯利安"。而市场上有一种治疗贫血用的"叶酸片"，每片含叶酸 5 毫克，相当于"斯利安"片的 12.5 倍。女性在备孕及孕早期切忌服用大剂量的叶酸片，应听从医生的指导，切忌自己乱买药、滥服药。

贪享酸食无节制

有些孕妈妈因为早孕反应比较强烈，所以想吃酸味食物来调节。需特别注意的是，这时不宜吃加工的酸味食物，如酸菜、泡菜等，因为这些腌泡的酸性食物营养及卫生难以保证。可改食无害的天然酸性食物，如番茄、樱桃、杨梅、石榴、橘子、草莓、葡萄等。

想吃什么吃什么

虽然孕期提倡正常饮食，不偏食、不挑食，但是不健康的副食、零食和易导致流产的食物，孕妈妈们要抵挡住诱惑，尽量远离。

不健康食物黑名单

方便面
含有较多的人工色素和防腐剂,而且除了热量,基本毫无营养可言,孕期不宜食用。

加工肉类副食
火腿肠等加工肉类食品属于高盐、高脂食物,不仅没有营养,还容易造成肥胖。

碳酸饮料
含糖量高,大量饮用会导致身体摄入的糖分超标,易引起妊娠期糖尿病。碳酸饮料中还含有咖啡因和二氧化碳,容易造成宫缩、腹胀、钙质流失等,孕妈妈不宜多喝。

水果罐头
一般含有添加剂,属于高糖食品,孕妈妈不宜吃。

果脯、蜜饯类
属于高糖、高热量食物,孕妈妈不宜多吃,以免损伤牙齿,造成肥胖。

奶油制品
奶油属于高热量食物,而且奶油制品尤其是蛋糕中多含有色素,不利于胎宝宝的神经发育,不宜多吃。

腌制酱菜等
含盐量高,而且含有亚硝酸盐,多吃易致胎儿畸形。

刺激性食物

一般来说，葱、姜、蒜、辣椒、芥末、咖喱粉等调味品，能促进食欲，提升食物的味道。但是，这些刺激性的食物一般具有较重的辛辣味道，过量食用容易给胎宝宝带来不良的刺激。

另外，在怀孕期间，孕妈妈大多会呈现血热阳盛的状态，这些辛辣食物性质都属辛温，容易导致孕妈妈出现口干舌燥、口疮等不适。

吸烟、饮酒

烟草中的尼古丁能抑制卵子的输送和受精卵的着床，或使受精卵的着床部位发生异常。另外，吸烟会降低机体的免疫功能。

酒精能通过胎盘进入胎儿体内，直接对胎儿产生毒害作用，不仅使胎儿发育缓慢，而且可造成某些器官的畸形与缺陷，如小头、小眼、下巴短，甚至发生心脏和四肢的畸形。

马大夫告诉你

不小心喝酒了怎么办？

有的宝宝可能是意外之喜，孕早期怀孕的症状并不明显，有的孕妈妈在不知道自己怀孕的情况下喝了酒，想要宝宝又担心喝酒对宝宝的健康有影响，那该怎么办呢？

首先，要镇定。因为只有最好的卵子和最强大的精子，才能通过层层阻力结合成为受精卵，所以每一个受精卵都是最强壮的"孩子"。孕妈妈如果不知情而喝了酒，自身也会分解掉一部分酒精，如果此时宝宝"不胜酒力"可能会自己悄悄流掉，这也是一个优胜劣汰的过程。如果宝宝安然无事，那说明他已经通过考验，可以先放心。

然后，到医院检查。将自己喝酒的时间、频率、酒量等详细情况告知医生，可以让医生进行针对性的检查，同时孕期检查的每项内容都不能缺少，以便全面监控宝宝的发育情况。

孕1月 生活细节宜忌

早孕试纸，准确又方便

一向规律的"大姨妈"突然迟到了，想要确认是否怀孕，急性子的人可使用早孕试纸验证，根据说明正确使用试纸，测试准确率则可能接近100%。

早孕试纸其实就是利用尿液中所含的HCG（人绒毛膜促性腺激素）进行检查，HCG是怀孕女性体内分泌的一种激素，这种激素存在于尿液及血液中。一般的验孕棒或早孕试纸就是利用装置内的单株及多株HCG抗体与尿液中的抗原结合呈现一定的反应，从而判定怀孕与否。因此要知道早孕试纸多久能验出怀孕，就必须先了解怀孕之后，多久才会产生HCG。

同房 → 同房后精卵结合所需时间：1~3天 → 受精卵穿过输卵管进入子宫所需时间：3~4天 → 受精卵着床所需的时间：2~3天 → 着床之后，受精卵通过胎盘和子宫相连了，胎盘就会产生HCG

受精后大概7天尿液中才会有HCG，但这时候浓度很低，不易测出，至少再等2~3天，大概受精后10天，HCG浓度高一点才能测出来。如果排卵时间和着床时间都推迟了，那么可能需要14天左右才能测出怀孕。

马大夫告诉你

使用早孕试纸别被"诈和"

市面上有各种各样的早孕试纸和验孕棒，验孕的原理都是一样的，购买的时候一定要买正规厂家的正规产品，以免检测结果不准确。

另外，在测试的时候注意一些细节可以让测试结果更准确，比如尿液标本应现采现试，别用久置的尿液，用晨尿测试，测试前夜尽量少喝水，不要使用即将到保质期的试纸，以免影响检测结果。

保持外阴的清洁

女性特殊的生理构造决定了清洁生殖器官的重要性。孕妈妈应每天用温度适宜的温水，从前向后清洗外阴，并用消毒过的干净毛巾擦干。内衣、内裤也要经常更换。

适当做些家务，有助于缓解烦躁情绪

孕妈妈在这个月可以适度做一些家务活或运动，有助于缓解烦躁情绪，使心情舒畅，还可以起到锻炼的作用。但是，做家务活时要注意避免登高爬低，也不可长时间蹲着，还要避免长时间接触冷水，或使用刺激性强的洗涤剂。

做胎教调节孕期生活

胎教包含的内容很多，如抚摸、对话、读诗、唱歌、画画等，这些不同的胎教方式都能在不同的方面刺激胎宝宝的发育。孕妈妈注重胎教，除了有利于胎宝宝的发育以外，也能帮助孕妈妈调节孕期生活，使孕期更有意义。

剧烈运动

孕期运动有助于分娩，但是一些剧烈运动要避免，比如大力跳跃、震动性很大的运动，如跳绳、踢毽子、骑自行车等；快速移动或突然改变方向的运动，如快跑、网球、羽毛球等；所有竞技运动，如骑马、跆拳道；压迫腹部的运动，如仰卧起坐、屈腿上抬等。

性生活

准爸爸一定要节制自己的性欲，如果发现妻子怀孕，应在孕12周内避免性生活，以减少流产的风险——此时胚胎正处于发育阶段，特别是胎盘和母体宫壁的连接不紧密，此时如果进行性生活，容易造成流产。即使性生活十分小心，由于孕妈妈盆腔充血，子宫收缩，也可能造成流产。

随意用药

怀孕期间,孕妈妈抵抗力下降,容易患病,还可能并发一些疾病,这就会涉及到孕期用药进行治疗或预防的问题。所以,为了母婴健康,孕期安全、合理用药非常重要。

对于孕妈妈用药,要根据对胚胎或胎宝宝的危险性来判定。1979年美国药物和食品管理局根据动物实验和临床实践经验,将孕期药物分为A、B、C、D、X五大类。

分类	对胎宝宝的危害	用药
A类(安全)	动物实验和临床实践未见对胎儿有伤害,是一种最安全的药物	维生素B、维生素C、维生素E、叶酸等
B类(相对安全)	动物实验显示对胎儿有伤害,但临床实践未证实	青霉素家族、头孢菌素类药物、甲硝唑、林可霉素、红霉素、布洛芬、吲哚美辛、毛花苷C等
C类(相对危险)	动物实验证实对胎儿有致畸或杀胚胎的作用,但临床实践未证实	氧氟沙星、阿昔洛韦、齐多夫定、巴比妥、戊巴比妥、肾上腺素、麻黄碱、多巴胺、甲基多巴、甘露醇等
D类(危险)	临床实践证明对胎宝宝有危害	四环素族、氨基糖苷类、抗肿瘤药物、中枢神经系统镇痛药等
X类(危险)	动物实验和临床都证实对胎宝宝有危害,是孕期禁用的药物	沙利度胺、性激素己烯雌酚、大剂量维生素A、大量乙醇等

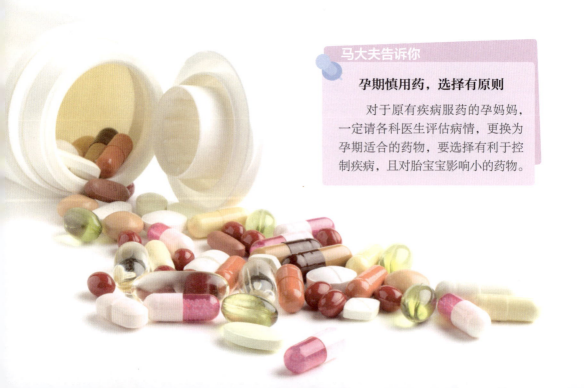

马大夫告诉你

孕期慎用药,选择有原则

对于原有疾病服药的孕妈妈,一定请各科医生评估病情,更换为孕期适合的药物,要选择有利于控制疾病,且对胎宝宝影响小的药物。

孕1月 协和专家会诊室

明明确定怀孕了，可是在月经期又见红是怎么回事儿？

马大夫答：有些已经怀孕的女性，到了正常月经的那天见红了，这时候不要紧张。如果发现流血很快止住了，血量又不多，这是正常的。事实上，大约20%的女性怀孕后会在孕早期有少量出血，其中绝大多数胎儿都是正常的。如果出血多，伴随腹痛症状，就需要尽快去医院就诊。

怀孕后出现少量出血怎么办？

马大夫答：受精卵在着床的时候会导致少量出血，呈褐色，这是正常现象，不用担心，只要多注意休息就行了。但是如果出血颜色鲜红，甚至在少量出血的同时还伴有腹痛，这种情况就不正常了，可能是宫外孕、先兆流产、葡萄胎等异常妊娠，需要尽快就医诊断。

在不知道怀孕的情况下吃了避孕药，会对胎儿有影响吗？

马大夫答："全或无"定律，解释为"不是生存，就是死亡"。定律是这么说的，若用药是在胎龄一周内，对胎宝宝的影响或者是因药物导致胚胎死亡，或者是胚胎不受影响，能继续正常发育。也就是说，在这一时期用药，只要胚胎不死亡，就能正常发育。但是，如果对用药的时间记忆比较模糊了，最好去医院检查，向医生咨询用药可能的潜在问题。

孕前没有补充叶酸，会影响胎儿发育吗？需要加大补充剂量吗？

马大夫答：之所以强调要孕前就开始补充叶酸，是为使孕妈妈体内的叶酸维持在一定的水平，以保证胚胎早期就有一个较好的叶酸营养状态。如果孕前没有注意补充叶酸，首先要判断自己之前的饮食是不是摄入了足够的新鲜蔬果，以及富含蛋白质和钙、铁、锌的食物；第二，要坚持产检，尤其是一些必要的排畸检查一定不能错过，只要产检时胎儿健康就没问题；第三，不要因为之前没有补充叶酸，孕期就过量补充，叶酸补过量会导致锌缺乏，使胎儿发育迟缓。

PART 2

孕2月 增强体力，缓解害喜

PART 2 孕2月
增强体力,缓解害喜

胎宝宝有话说

我有了一项新技能——游泳,我可以在羊水中自由自在地活动了,开始也许是无意识的,不过用不了几天我就有意识了。看,我多么能干啊!

马大夫温馨提醒

大部分的孕妈妈会在怀孕6周左右出现食欲缺乏、轻度恶心、呕吐、头晕、疲倦等早孕症状,尤其是呕吐。孕吐,民间也称害喜,是正常的妊娠反应,不用担心。一般持续到14周左右即可减轻或消失,也有在18周才慢慢减退的,甚至有的人整个怀孕期间都伴有呕吐现象。

胎宝宝:已经着床了

孕2月的胎宝宝已经长到葡萄粒大小,但还只能叫做"胚芽",身长约2.5厘米,体重约4克,相当于1个小樱桃的重量。眼睛开始形成,但眼睑还没有形成;手脚开始萌发出来,就像两个可爱的小短桨;心脏开始出现有规律的每分钟达120次的跳动了。

孕妈妈:腹部不适不要慌,区分原因最重要

孕妈妈的腹部现在看上去仍是"一马平川",但子宫变化却很明显,不但比怀孕前有所增大,而且变得很柔软。事实上,此时孕妈妈的子宫已接近一个拳头大了,长5厘米左右。当子宫变大时,子宫韧带被拉扯,孕妈妈的腹部可能会有痉挛,有时会感到瞬间的剧痛,这些都是正常反应,不要紧张;如果对这种疼痛放心不下,就要马上去医院,不要因为这件事而产生焦虑。

马大夫告诉你

是否孕吐不能作为判断胎儿发育的标准

有的孕妈妈吃啥吐啥,可有的孕妈妈孕吐反应极小,甚至有的人整个孕期都不会吐,不孕吐的孕妈妈会疑虑:是不是胎儿发育不好呢?孕吐反应是因人而异的,跟个人体质有关,有孕吐正常,无孕吐也不用担心,更不要通过有无孕吐反应去判断胎儿的发育好坏。

孕2月 饮食宜忌

清淡为主，避免油腻食物

油腻食物最容易引起孕妈妈的恶心或呕吐，而且需要较长的时间才能消化，因此要避免吃油腻的食物。蔬菜、菌菇等食物在烹调过程中也要注意少油少盐，越清淡越能激发孕妈妈的食欲。

坚持少吃多餐

没食欲的时候不要强迫自己吃，有食欲的时候就适当进食，一天可以多吃几顿。还可以随时准备点自己喜欢的零食，既能补充营养，还能避免空腹引起的恶心感。

吃些缓解孕吐的食物

如果你没有特别的偏好，那么不妨选择下面这些食物，既能缓解孕吐，又富有营养。比如燕麦面包、麦片、杂粮粥、杂豆粥、牛奶、酸奶、水煮蛋、蒸蛋羹、带汤水饺、各种新鲜的蔬菜和水果等。

多吃点新鲜蔬菜、水果，喝点果蔬汁

新鲜的蔬菜和水果富含维生素，可以增强母体的抵抗力，促进胎儿生长发育，还能缓解孕吐，孕妈妈要适当多吃。此外，也可以将蔬菜和水果搭配起来打成果蔬汁饮用，比如苹果汁、橙汁、芹菜汁等。

孕妈妈经验分享

孕吐也是一种幸福体验

我怀孕的时候孕吐也挺严重的，但我心态一直都很好，我觉得没什么可苦恼的，反而我觉得这是一种挺幸福的体验，是宝宝在向我传达信息，告诉我他正在一点点长大。我应对恶心呕吐的办法就是不去厨房，不闻油烟味，只要是我见到就恶心的食物下次就坚决不让它再出现。

吃些玉米，促进胎宝宝大脑发育

玉米营养全面，所含的蛋白质能促进胎宝宝的大脑发育，所含的玉米黄质能够保护眼睛健康，对孕妈妈和胎宝宝的视力有益。玉米还富含膳食纤维，可消除便秘，有利于孕妈妈的肠道健康。

多喝水，别"牛饮"

孕妈妈要多补充水分，以满足胎儿的羊水对水分的需求，并且孕妈妈和胎宝宝的新陈代谢也需要大量水分参与完成。但也不要一口气猛喝，把胃撑满反而会引起不适感。如果吐得很频繁，可以尝试含有葡萄糖、盐、钾的运动饮料，能够帮助补充孕吐流失的电解质。

适当多吃豆类食品补充磷脂

豆类中含有丰富的健脑物质卵磷脂，并且富含蛋白质，孕妈妈经常食用可促进宝宝的大脑发育。

豆腐、豆腐干等都是很好的豆制品，可以炒、做汤、炖等。此外，孕妈妈也可以多喝豆浆，在打豆浆的时候，可以在黄豆中添加干果、蔬菜、水果等一同打制，口感多变。

吃点凉拌菜打开胃口

一般凉拌菜味道清爽，有着蔬菜的清香，如凉拌黄瓜、海藻沙拉、大拌菜等，能对孕吐起到一定的缓解作用，帮助孕妈妈打开胃口。

马大夫告诉你

做凉拌菜看似简单，其实有很多小讲究

1. 注意清洁卫生。生拌蔬菜、水果时，一定要用清水将其彻底洗干净，以免残留的农药导致中毒；熟拌时，也一定要将原材料清洗干净，然后将其放入沸水中焯烫或煮熟。

2. 合理使用调味料。凉菜常用的调味料有盐、酱油、醋、植物油、香油、芝麻酱、甜面酱、番茄酱、芥末、葱、姜、蒜、辣椒、白糖等。在使用调味料时要注意：酱油分为老抽和生抽两种，老抽颜色深，适合红烧或制作卤味时使用，凉拌时一般使用生抽；醋不宜放入过早，否则会使鲜绿的菜变成黄色，因此可以在要上桌时才加入；姜最好切成细末；芝麻酱本身较干，可先用冷开水调稀。

多吃"快乐"食物，减轻孕期抑郁

怀孕后，有些孕妈妈会有烦躁、疲惫等轻度抑郁的情绪，必须及时调整，建议孕妈妈多吃"快乐"的食物，减轻孕期抑郁。

鲜藕
有养血、除烦等功效。取鲜藕片以小火煨烂，加蜂蜜食用，有缓解抑郁的功效。

香蕉
所含的酪氨酸能保持孕妈妈精力充沛、注意力集中。此外，含有的色氨酸能形成一种"满足激素"，可以让孕妈妈感到幸福，减轻抑郁的症状。

樱桃
富含花青素，能够制造快乐。心情不好时吃20颗樱桃，有助于抵抗情绪低落。

海鱼
所含有的ω-3脂肪酸与常用的抗忧郁药如碳酸锂有类似作用。

可以准备些健康小零食

孕妈妈可以把喜欢的小零食放在随手可得的地方。适合孕妈妈食用的小零食有核桃、花生、杏仁、榛子等，这些食物中含有蛋白质、磷脂、不饱和脂肪酸、矿物质等，有利于胎儿的大脑发育。另外，如果早孕反应比较严重，那么平时不敢问津的巧克力、果脯、饼干、糖果等可适当吃一些。

滥用补品

以现在的生活水平，按照合理的饮食，基本上都能保证充足的营养，没有必要再另外通过补品大补身体。有些滋补品中含有较多的激素，如人参、蜂王浆等，孕妈妈滥用这些补品会影响正常饮食营养的摄取和吸收，引起内分泌系统紊乱，干扰宝宝的生长发育。

常吃油条

油条中含有一定的明矾，明矾是一种含铝无机物，进食超量对人的大脑极为不利。孕妈妈过量食用油条后，所摄入的铝通过胎盘侵入胎宝宝的大脑，影响大脑发育，增加痴呆儿的发生率。

吃过咸的食物

过咸的食物一般含盐都比较多，因为盐中含有大量的钠。在孕期，如果体内的钠含量过高，血液中的钠和水会由于渗透压的改变，渗入到组织间隙中形成水肿。因此，多吃盐会加重水肿并且使血压升高，建议每日的摄盐量少于6克。同时，也要注意老抽、鸡精、豆瓣酱等调味品以及腌制食物中隐形盐的摄入。

过多吃菠菜

菠菜是蔬菜中叶酸含量最丰富的，这样来看是补充叶酸的很好来源。但是，菠菜中也含有较多的草酸，草酸会影响身体对钙、锌等矿物质的吸收，不利于孕妈妈营养的补充。

所以，菠菜可以作为补充叶酸的食物，但是不能盲目地吃大量菠菜，同时在烹饪菠菜之前需要用沸水焯一下，溶解掉一部分草酸，同时要注意烹饪时间，不宜时间过长，避免营养流失。

马大夫告诉你

人们在食用菠菜时，往往把根也去掉，其实菠菜根含有膳食纤维、维生素和矿物质，可以食用。

菠菜中含有大量的叶黄素成分，对眼睛健康有益处，经常用眼的人以及电脑族可以适当多吃。

吃两个人的饭量

虽然孕妈妈为两个人吃饭，但是不等于吃两个人的饭量。胎宝宝主要通过胎盘从母体吸收养分，因此孕妈妈的营养直接关系胎宝宝的发育情况，注重饮食营养意义重大，可以说是一人吃两人补，但这里的为两个人吃饭不等于吃两个人的饭量，孕期饮食要重质、重营养均衡，而不是一味加量。

孕早期宜增重 1~1.5 千克

孕 1~3 月，胎宝宝还没有完全成形，各器官发育尚未成熟，此时大部分孕妈妈的体重增长较慢，增重 1~1.5 千克。

孕中期胃口好，宜每周增重 0.5 千克左右

孕中期开始，胎宝宝迅速发育，孕妈妈的腹部也将明显凸起，这时孕妈妈的胃口变得好起来，体重增长以每周增加 0.5 千克为宜。饮食上注意要均衡，不偏食、不挑食，同时适度运动，在控制体重的同时也能为分娩做准备。

孕晚期体重上升快，每周增重要控制在 0.5 千克以内

孕晚期胎宝宝的发育较快，孕妈妈的体重上升也较快，大部分的体重都是在孕晚期长上来的，因此孕妈妈此时一定不要掉以轻心，不能听之任之，最好将体重控制在每周增长不超过 0.5 千克，及时调整饮食，适当运动。

吃零食无节制

超市里的零食可谓是琳琅满目，很多人都喜欢购置一包零食当储备，孕期虽然并不禁止孕妈妈吃零食，但是不能无节制地吃。一些零食中含脂肪、糖、盐分多，热量高，如薯片、炸面包圈、各种糖果等，过多食用容易造成孕期肥胖、三高等，应少吃或者不吃。还有一些零食含有较多的人工色素等添加剂，孕妈妈经常食用，会影响胎宝宝的生长发育。

常吃路边摊

路边摊是很多人上下班最喜欢光顾的地方，灌饼、麻辣烫、铁板烧、烤串……解馋又解决了早晚餐，但是孕妈妈最好改掉这样的饮食习惯。路边小吃卫生条件比较差，而且为了追求快速，有的食物可能达不到全熟的标准，如果是不熟的肉类，很容易感染弓形虫，严重威胁胎儿的健康发育。同时，路边小吃的口味都比较重，无形中增加了很多盐的摄入。

孕2月 生活细节宜忌

适当运动能缓解孕吐

很多孕妈妈因为吃了就吐,加上呕吐折腾而体力欠佳,总是躺在床上不想起来。这样只会加重早孕反应,要经常起来走一走、做做轻缓的运动,如户外散步、做孕妇保健操等。既能分散对于孕吐这件事的注意力,还能帮助改善恶心、倦怠等症状,有助于减轻早孕反应。

散步——几乎适合所有孕妈妈的安胎运动

散步是一项温和而安全的运动,在天气适宜时,孕妈妈可以到空气清新的地方散散步,能缓解水肿、松弛神经、消除疲劳、稳定情绪,特别是孕晚期时,散步还可以帮助胎儿尽快入盆,为分娩做准备。

孕妈妈在散步时一定要避开车多、人多和台阶、坡度陡的地方,散步的频率要不急不缓,时间和距离以不劳累为宜,同时宜穿宽松、舒适的衣服,最好穿软底运动鞋。夏天或冬天应注意防暑、防寒,雾天、雨天、雪天时不宜散步,以免发生意外。

听舒缓的音乐能促进胎宝宝发育

音乐是胎宝宝最好的精神食粮。音乐胎教就是通过对胎宝宝不断地传输优良的声波,促使其脑神经元的轴突、树突及突触的发育,为优化后天的智力及发展音乐天赋奠定基础。音乐有时比语言更能直接地触及人的心灵并起到安抚的效果。

注意防滑,避免摔倒

孕妈妈在日常生活中要注意细节,家里的浴室、厨房水池等容易有积水的地方要铺上防滑垫,避免踩水滑到。平时打扫房间拖地后,最好先静置一会儿再走动,减少因地滑摔倒的风险。

远离噪声，预防子宫收缩导致早产

科学研究认为，如果母亲说话的声音在身体之外被测定为72分贝，子宫内部就将达到77.2分贝。很吵的噪音和突然发出的响声都会给胎宝宝带来压力。根据观察，在这种情况下胎宝宝的呼吸会不规律，可能还会做出吞咽羊水的动作。胎宝宝最熟悉的声音就是母亲心脏跳动和器官运作的声音，所以应该尽可能让周围的声音保持在与其相近的程度。

因此，孕妈妈远离噪音，周围环境音量以跟正常说话的音量差不多为好，大约是60分贝。

衣服分类整理好

平常买的衣服有各种面料的，此时抽时间归类整理下。暂时先不要穿人造纤维面料的衣服，这种面料容易引起肌肤过敏；容易掉色的衣服也暂时不要穿，避免固色剂通过皮肤进入血液循环，对胎宝宝造成不良反应；纯棉和真丝面料的衣服很适合孕妈妈穿，这些面料的衣服透气性、吸湿性、保温性都比较强。

孕6周，需要进行生育服务登记了

根据新修订的《中华人民共和国人口与计划生育法》规定，自2016年1月1日起，一对夫妇都可以生育两个孩子，取消二孩生育审批制度，实行生育服务登记制。办理生育服务登记的夫妻仅需拿上双方身份证、结婚证、户口本，到所在村、社区填表格，可由村、社区计生人员代为办理，也可自己拿表格到街道直接领取"生育登记服务卡"。即时登记，即时发放，大大简化办事程序，缩短办事时间。

自行用止吐药

孕妈妈在有孕吐等不适状况时,也是最容易流产的时刻。此时如果胎宝宝再受到大量X光线对腹部的照射、药物的刺激或病原体的感染,更容易导致胎儿流产、畸形。孕妈妈如服用抗组胺等抑制孕吐的镇吐药,很可能导致胎儿畸形。

所以,不要盲目用药。此时,孕妈妈应放松身心,吃些清淡和有助缓解孕吐的食物。身体虚弱时,要住院治疗,可接受点滴注射,如葡萄糖、盐水、氨基酸液等,能迅速减轻症状。

做仰卧起坐

在怀孕初期,孕妈妈进行运动要根据自己的身体情况量力而行。运动方式以缓慢为主,尽可能使身体处于温和舒服的状态,不要做仰卧起坐等需要腰腹部用力的运动,避免牵动子宫造成流产。

作息不规律

不规律的生活会让孕妈妈身体抵抗力下降,增加流产的风险。所以,之前作息不规律甚至有熬夜习惯的孕妈妈,在孕期一定要改掉,养成规律的作息时间。可以根据身体情况,制定孕期作息表,坚持充实而有规律的生活,对自身和胎宝宝的健康大有裨益。

情绪暴躁

人的情绪变化与内分泌有关,不稳定的情绪也会反作用来影响激素分泌,影响胎儿的生长发育。孕妈妈身心健康有利于改善胎盘供血量,促进胎宝宝的健康发育。

而且,如果孕妈妈在怀孕期间能够保持快乐的心情,宝宝出生后一般性情平和,情绪稳定,不经常哭闹。

一般来讲,拥有良好情绪的孕妈妈生出的宝宝,智商、情商指数都比较高,所以孕妈妈们每天都要保持好心情。

孕2月 协和专家会诊室

孕期感冒了怎么办？

马大夫答： 普通感冒病程一般一周左右可自愈，可以多喝水、多休息，尽量不吃药。若出现体温升高（不超过38℃），以物理降温为主，如洗温水澡（注意别着凉）、用温毛巾擦拭等。当体温超过38℃时，可遵医嘱吃退烧药，服药后仍高烧不退要及时就医。

孕期要吃燕窝、海参等营养品吗？

马大夫答： 有的孕妈妈家庭条件好，恨不得每天一只海参、一碗燕窝，目前没有明确研究证明吃这些食物对孕妈妈和胎宝宝有很大的益处。并且海参、燕窝中的营养如蛋白质、碳水化合物以及一些矿物质完全可以从普通食物中摄取，而燕窝、海参等如果孕前没吃过，孕期也不宜轻易尝试，以免引起过敏反应。

恶心呕吐会不会耽误胎宝宝生长？

马大夫答： 孕早期，胎宝宝所需的营养很少，孕妈妈并不需要额外多吃多少东西，轻度到中度的恶心以及偶尔呕吐，不会影响宝宝的健康。但是如果吃啥吐啥就要加以注意了。

孕期长胖点，生完孩子奶水就多吗？

马大夫答： 孕期的营养是可以为产后泌乳做准备的，但是并不是孕期体重增长越多产后奶水就越多。产后的奶水受开奶时间、哺乳姿势和方法、饮食、心情以及个人体质的影响，并不取决于孕期长胖的程度。孕期要合理饮食，保持合理的体重增长，这样才能使乳汁中的营养均衡全面。

孕2月职场孕妈妈关怀

职业女性面临的艰难选择就是工作与孩子。如果是普通工作，可根据个人身体状况来决定怀孕后是否继续工作，但如果从事的工作本身就会给自己带来危险，为了自己和宝宝的健康，必须要有所取舍。

化工生产工作

经常会接触化学毒物，或经常接触铅、镉、甲基汞等重金属，会增加流产和死胎的危险性。

经常接触辐射的工作

经常接触辐射的工作要远离。辐射虽然看不见摸不着，但对孕妈妈和胎宝宝的危害却很大，如医疗或工业生产放射室、电离辐射研究及电视机生产等。

医务工作

在传染病流行时，医务人员容易因密切接触患者而被感染。一些传染性病毒，如风疹病毒、流感病毒、麻疹病毒等对胎宝宝的发育影响较为严重。

其他

高温作业、振动作业、噪声环境中工作、长期站立工作等，应在怀孕期间尽量避开。

PART 3

孕3月
度过流产的
危险期

胎宝宝有话说

我的身长还不足妈妈的手掌大小，但却越来越淘气了，时而伸伸胳膊踢踢腿，时而扭扭腰，时而动动手指和脚趾，俨然一个小小运动员。

马大夫温馨提醒

孕早期是流产高发期，当孕妈妈有流产征兆的时候，要及时到医院检查并寻找原因，进行相应处理。

胎宝宝：终于成形了

满3个月的胎宝宝，大小约9厘米，体重约14克，相当于两个小圣女果的重量。此时无论是脏腑器官还是四肢和五官，轮廓都比之前更清晰，已经呈现出明显的人形了。

孕妈妈：触摸子宫时能感觉到宝宝的存在

到这个月末，子宫会长到拳头大小，在下腹部、耻骨联合上缘处可以触摸到子宫底部，此时按压子宫会感觉到宝宝的存在。胎盘覆盖在子宫内层特定部位，开始制造让胎宝宝舒服和正常发育所需的激素。孕11周前后，在腹部会出现妊娠纹，腹部正中会出现一条深色的竖线。

马大夫告诉你

对流产的正确态度

流产是每个孕妈妈都不愿发生的，当有流产征兆的时候，要及时到医院检查并寻找原因。

大多数难免性流产是因为染色体有问题，这说明胚胎的发育并不正常，这样的胚胎如果强行留下来，也可能是畸形或不健康的。

而经超声诊断胚胎发育健康，见到胎芽胎心的情况下，排除了阴道炎症、宫颈息肉导致的出血问题之后，可以经过休息和保胎治疗等方法治疗先兆流产。

孕3月 饮食宜忌

增加优质蛋白质,来点牛奶、鸡蛋和豆腐

更容易被身体利用的优质蛋白质,是胎宝宝大脑发育必不可少的营养素,比如瘦肉、蛋类、牛奶和豆制品等,不仅可以为人体提供优质蛋白质、磷脂、钙、锌等成分,还不会导致脂肪摄入过多。

每天吃点坚果,促进胎宝宝大脑发育

不饱和脂肪酸是大脑和脑神经的重要营养成分,核桃、葵花子、南瓜子、松子、开心果、腰果等坚果中富含不饱和脂肪酸,孕妈妈可以适量食用。推荐每周50~70克(平均每天10克左右),进食过多容易导致肥胖。

> **孕妈妈经验分享**
>
> 说到核桃,很多孕妈妈都是硬着头皮吃,其实可以不必这么为难,如果直接吃吃不下去,那就用来煮粥、煲汤、打豆浆,不仅能增加口感,还能摄入更全面的营养,一举两得。我怀孕的时候就特别爱喝豆浆,花生豆浆、核桃豆浆、绿豆核桃豆浆等,变着样喝,我觉得对皮肤特别好。

多吃有抗辐射功效的食物

孕妈妈的生活中总少不了与电脑、电视、手机等打交道,这些电子产品会发出辐射,对胎宝宝的健康不利。孕妈妈在注意远离这些电磁辐射的同时,也要多吃一些有抗辐射功效的食物,比如绿豆、海带、卷心菜、萝卜、橘子、猕猴桃等新鲜的蔬菜、水果。

怀多胞胎一般需要服用膳食补充剂

加强营养能给多胞胎宝宝提供充足的能量,膳食补充剂对于宝宝的健康发育也十分重要,因此双胞胎或多胞胎妈妈最好咨询专业的营养医师,调整饮食及适当添加膳食补充剂。

每天吃1个鸡蛋，促进胎宝宝的生长发育

鸡蛋的营养成分特别适合胎宝宝生长发育的需要。鸡蛋中的蛋白质含有各种必需氨基酸，是常见食物中蛋白质较优的食物。一个中等大小的鸡蛋与200毫升牛奶的营养价值相当，不仅有益于胎宝宝的大脑发育，而且能提高孕妈妈产后的母乳质量。建议每天吃1个鸡蛋，一周吃5~6个。

> **马大夫告诉你**
>
> **不要吃生鸡蛋，不弃蛋黄**
>
> 生鸡蛋的蛋白质成胶状，人体不易消化吸收；生蛋清中含有抗生物素蛋白会影响生物素的吸收，含有的抗胰蛋白酶物质会抑制胰蛋白酶的活力，妨碍蛋白质的消化，因此应该吃熟鸡蛋。蛋黄是鸡蛋营养最集中的部分，不要因为其含有胆固醇就丢弃不吃。

肠胃不好吃点发面主食

有些孕妈妈属于脾胃比较虚弱的，全麦食物吃了不容易消化，甚至会导致胃胀气等。如果是这种情况，建议可以吃点发面的主食，因为酵母中含有丰富的B族维生素，有助于缓解孕吐。

补充维生素D，强化骨骼，保持皮肤健康

对于胎儿的骨骼、牙齿、神经和肌肉的发育来说，维生素D是不可缺少的。它还能促进维生素A的吸收，间接促进胎儿的皮肤健康。维生素D每天摄取量宜为5微克，相当于大约14克鸡肝中的含量。

猪肝、鸡肝、鸡蛋、鹌鹑蛋、鲱鱼、沙丁鱼、金枪鱼、鱼肝油等都是补充维生素D的良好来源。

每月吃2~3次猪肝，补铁补血

猪肝是血红素铁的良好来源，吸收利用率高，补血效果好。根据《中国居民膳食指南》的建议，每月食用动物内脏2~3次，每次25克左右。

因为猪肝是代谢器官，所以在烹饪时要特别注意"去毒"。烹饪前最好用清水浸泡，再反复清洗去除血水，而且烹饪时不要追求"嫩"，一定要做熟。

适量吃苹果缓解孕期反应

因为孕早期的妊娠反应比较强烈,备受孕吐的折磨,心情也会变得糟糕,而苹果能生津止渴、健脾益胃,改善孕妈妈胃口,缓解孕吐。据美国人研究发现,苹果可以促进乙酰胆碱的产生,该物质有助于增强胎宝宝的记忆力。

《中国居民膳食指南》建议每人每天摄入200~350克水果,孕妈妈吃苹果的量要算在这个总量范围内,意思是说,如果当天已经吃了一个约300克的苹果,那今天最多可以再吃50克的水果。因为水果中通常含糖较高,如果不控制摄入,有引起妊娠期糖尿病的风险。

适量食用水果

很多孕妈妈以为孕期大量吃水果可以让胎宝宝皮肤好,其实水果不能过量食用,因为水果中糖分含量较多,进食过多容易引起肥胖。一般来说,每天最好吃2种不同的水果,总量不超过350克,建议最好当加餐吃。

如果在此基础上多吃了水果,就要相应减少主食的摄入量,以维持每日摄入的总热量不变,避免引起肥胖。

水果称重参考

成人一只手可握住的苹果=260克

成人单手捧葡萄(约7~8个)=100克

成人单手捧哈密瓜块=80克

满满一碗水果块=200克

主食吃得少

主食是碳水化合物的主要来源,有的孕妈妈可能在孕前为了减肥有不吃主食的习惯,或者认为每天吃的菜、肉、蛋类很丰富,主食吃不吃都可以。不吃主食或者主食吃得很少都不利于孕妈妈和胎宝宝健康。

孕妈妈缺乏碳水化合物就会出现全身无力、血糖含量降低、头晕、心悸、脑功能障碍等症状,严重者会导致低血糖昏迷。孕妈妈体内的血糖含量低会影响胎宝宝的正常代谢,妨碍其生长发育。因此,孕妈妈必须重视碳水化合物食物的摄入,碳水化合物所供能量对维持妊娠期以及神经系统的正常功能、增强耐力及节省蛋白质消耗是非常重要的。

盲目节食

一些年轻的孕妈妈怕发胖,影响体形,或怕胎宝宝太胖,导致生育困难,常常节制饮食,尽量少吃。殊不知,这种只想保持形体美而不顾自身及胎宝宝健康的做法是十分有害的。

一般来说,使用体重指数即 BMI 来评估孕妈妈的营养状况比较准确,BMI 值还可预估孕期体重增长情况。

谷类食物富含丰富的碳水化合物,是作为主食的最佳选择。

体重指数(BMI)= 体重(千克)÷ 身高的平方(米^2)

怀孕前 BMI 指数	体型	孕期体重应增加多少	体重管理要求
< 18.5	偏瘦	12~15 千克	适当增加营养,防止营养不良
18.5~24	标准	12 千克	正常饮食,适度运动
> 24	偏胖	7~10 千克	严格控制体重,防止体重增加过多

生吃食物

生的蔬菜中可能含有像沙门菌和大肠杆菌这样的有害菌,生鱼、生虾仁等可能含有寄生虫——绦虫、扁形虫和蛔虫。这些对于胎宝宝来说都是非常危险的,因此孕期不宜生吃肉类,可以生吃的蔬菜要清洗干净。

过多食用粗粮

粗粮富含膳食纤维,有助于促进胃肠蠕动、缓解孕期便秘,但是考虑到孕妈妈的消化能力比较弱,不宜过多食用。《中国居民膳食指南》中建议,每人每天可吃粗粮50克,孕妈妈最好控制在50克以下。

孕妈妈最好不要在晚上吃粗粮,晚上的肠胃消化能力下降,吃粗粮会加重肠胃消化负担。孕妈妈吃完粗粮后,如感到不舒服,可多喝些水,帮助消化。粗粮中含有大量膳食纤维,这些膳食纤维进入肠道,如果没有充分的水分配合,肠道的蠕动会受到影响,进而影响消化,引起不适。

用水果代替正餐

孕早期的妊娠反应容易让孕妈妈没有胃口,不爱吃正餐,感觉吃水果比较合胃口。虽然水果能帮助孕妈妈打开胃口,又含有丰富的维生素、矿物质等,但蛋白质、脂肪、碳水化合物这三大基础营养素的含量,远远不能满足孕期营养需求,长期用水果代替正餐,会影响胎宝宝的生长发育。

马大夫告诉你

蔬菜可以适当多吃,水果却不能

相比于蔬菜,水果中的糖分更高,进食过多有引发肥胖、糖尿病、高脂血症的风险,而蔬菜热量更低,膳食纤维的比例比较高,可以适当增加蔬菜的食用量。

蔬菜不能代替水果

水果可以补充蔬菜的摄入不足,水果中的有机酸、碳水化合物比新鲜蔬菜多,而且水果可以直接食用,摄入方便,营养成分不受烹调方式的影响,水果有自己的营养优势,因此蔬菜也不能代替水果。记得每天吃不同种类、颜色的水果,建议摄入量每天200~350克。

易致流产的食物

甲鱼

性味咸寒,有着较强的通血络、散瘀血的作用,有诱发流产的可能。

桂圆、荔枝

孕妈妈大多阴虚内热、大便燥结、口苦口干、心悸燥热,而桂圆、荔枝性温味甘,极易助火,动胎动血,不利保胎。

马齿苋

性寒凉而滑利,对子宫有明显的兴奋作用,使子宫收缩增多、强度增大,易造成流产。

薏米

薏米是一味药食兼用的植物种仁,其性滑利,对子宫肌有兴奋作用,可促使子宫收缩,有诱发流产的可能。

易引起身体不适的食物

青木瓜
体寒孕妈妈吃木瓜容易腹泻，过敏体质的孕妈妈更不能吃木瓜。

榴莲
会导致孕妈妈血糖升高，增加患妊娠糖尿病的危险，还会引发胎热，损害胎儿健康，孕妈妈多吃榴莲还会加重便秘。

酸菜、咸菜
含有亚硝酸盐，多吃易致胎儿畸形。

螃蟹
性寒凉，有活血祛淤的功效，尤其蟹爪，是螃蟹最寒凉的部位，某些体质的孕妈妈要慎食或不食。

孕3月 生活细节宜忌

注意流产征兆,减少流产发生

妊娠不足28周,胎宝宝的体重不足1千克而中断妊娠的,就称为流产,分为早期流产和晚期流产两种。早期流产发生在孕12周之前,比较多见,占到了全部流产的80%以上。晚期流产发生在孕12周之后,它的发生率在全部妊娠中占10%~15%。

流产的征兆	
阴道出血	阴道出血可分为少量出血和大量出血,持续性出血和不规律出血。尤其是阴道出血还伴随着腹痛时,需要特别注意
疼痛	骨盆、腹部或者下背部可能会有持续的疼痛感,当阴道出血的症状出现后,可能几小时或者几天后开始感到疼痛
阴道血块	阴道排出血块或者浅灰色的组织

警惕疤痕妊娠

剖宫产手术后子宫会留下疤痕,当胎儿恰好着床在子宫疤痕处的时候,就是疤痕妊娠。疤痕妊娠可能会导致孕早期发生腹腔内出血,也可能在做人流、清宫手术时突发大出血,孕晚期极有可能发生胎盘粘连等造成严重的产后出血,生产时子宫有可能承受不了强烈的宫缩,而发生子宫破裂。

因此,妇产科医生建议,凡是子宫有疤痕的女性,如果发现停经或自测怀孕后,应该及时到医院进行B超检查,以明确是否有疤痕妊娠的可能。

多晒太阳,补充维生素D

建议孕妇适当多晒晒太阳,太阳光中的紫外线照射到人体皮肤上,能使皮肤中的7-脱氢胆固醇转变为维生素D,相对于普通人来说,孕妇对维生素D的需求量增多,多晒太阳能促进胎儿内脏器官的发育,特别是促进胎儿的心脏、肺、消化器官功能的活动。

同时，要注意在阳光温和的上午或者傍晚散步，要平稳慢行，不要到人太多的地方去，也不要跟人争抢。

做 NT 检查，进行早期排畸

NT 即胎儿颈项透明层，是指胎儿颈后部皮下组织内透明液体的厚度，是产前筛查胎儿染色体异常的有效方法之一，是判断唐氏儿的重要依据。

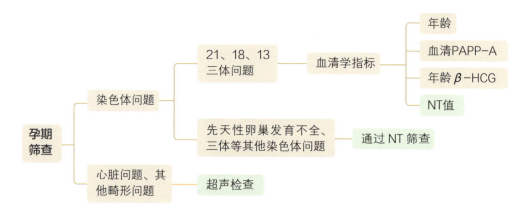

11~14 周，不能错过的 NT 筛查黄金周

NT 筛查最好在 11~14 周做，因为 NT 仅仅在胎儿 11~14 周才会存在，从第 15 周开始，NT 便逐渐被淋巴系统吸收，变成"颈部褶皱"（简称 NF）。而 11 周之前，NT 还没有完全形成。

这项检查不需要什么特别的准备，不用空腹也不用憋尿，只是需要胎宝宝的配合。医生通常会让你出去走动走动，甚至会压压你的肚子，以便让胎宝宝翻身，否则位置不好的话是看不到的。整个检查需 10~20 分钟。

NT 的标准值

一般来说，只要 NT 的数值低于 3 毫米，就表示胎儿正常，无须担心。如果检查结果超过 3 毫米，常提示胎儿异常，需要进行遗传咨询，做绒毛活检等产前诊断来检查胎儿的染色体，做排畸超声以进一步排查畸形，有条件的话可以做胎儿超声心动图检查排除心脏问题。NT 值不存在越小越好的说法，只要在参考范围内都是正常的。

北京协和医院
超声诊断报告

姓　名：＊＊＊　　　性别：女　　　年龄：＊＊

科　室：………　　　　　　　　　HISID：＊＊＊＊＊

病　房：………　　　　　　　　　病历号：

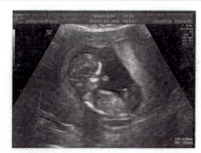

超声所见：

子宫增大

宫腔内可见一成形胎儿，可见胎心搏动，

CRL：6.1cm，NT：0.18cm，〔是越小越好吗？〕

胎盘前壁，羊水4.0cm。

双附件区未见囊实性包块。

超声提示：

宫内早中孕

● NT值并不是越小越好，只要在参考范围内，不要高于或过于接近临界值，都是正常的。

● **结果显示NT值为0.18cm**

　　NT排畸检查是孕早期的排畸检查。NT值是指颈项透明层厚度，用于评估唐氏综合征的风险，是早期唐筛。一般来说，只要NT的数值低于3毫米，都表示胎儿正常，无须担心。而高于3毫米，则要考虑唐氏综合征的可能。后期一定要做好唐氏筛查或者羊水穿刺的检查，以进一步排查畸形。

> **马大夫告诉你**
>
> ### NT 检查没看到鼻骨怎么办
>
> 鼻骨是否发育正常和唐氏综合征的关系非常密切，唐氏儿患者通常有鼻骨缺失的早期 B 超影像，因此，如果 NT 结果显示"鼻骨清晰可见""可见鼻骨"等字样，这绝对是好事。
>
> 但如果显示"鼻骨不满意"呢？正常来说，胎儿的鼻骨在 9 周时就发育完成了，在 11~14 周是完全可以检测到的，如果检测不到，要排除孕周计算不准确以及胎宝宝的姿势问题。
>
> NT 扫描对 B 超操作者有很高的要求，操作者必须运用 B 超仪器将胎儿引导到正确的体位才能看清 NT 和鼻骨。因此，如果胎宝宝不配合，导致 NT 显示"鼻骨不满意"，那么可以听从大夫建议复查，如果复查还看不到就要进行遗传咨询了。

最好将产检医院作为你的生产医院

如果没有特殊情况，产检和分娩最好在同一家医院，中途也不要变换产检医院。中途如更换医院，陌生的环境、新的程序容易增加孕妈妈的心理压力。

根据位置选择医院

怀孕后，孕妈妈要经常到医院进行定期产检，临近分娩时，更需要在出现异常情况后迅速前往医院，因此医院不要离家太远。对于上班族来说，距离工作单位近也是不错的选择。

考察医院的设施

应观察医疗设施的清洁度和安全性、住院病房共有多少床位、是否有儿科门诊等信息，以免等到分娩住院时才感觉医疗服务条件不满意。

确认医院和医生的可靠性

在 10 个月的孕期生活中，妇产科医生要回答孕妈妈咨询的许多问题，孕妈妈和他们的关系是否融洽也十分重要，所以要选择可靠的医院和值得信赖的医生。

> **孕妈妈经验分享**
>
> ### 不必盲目选择大医院
>
> 不一定非要选择在知名度很高的综合性大医院生产。大医院在应急方面是会更好些，但如果身体健康、孕龄不大，就没有必要盲目选择大医院。综合性的大医院可能会接触到其他各种疾病的患者，因此，患上感冒或传染性疾病的可能性也会增加。

检查血型，排查母婴溶血反应

如果备育男性、备孕女性对自己的血型尚未清楚，孕前一定要检查血型，以便排查母婴 ABO 溶血、Rh 溶血的可能性。虽然第一胎的溶血情况较少，但还是需要注意。

胎儿的血型是由父母双方决定的，如果胎儿从父亲遗传来的血型抗原是母亲所没有的，胎儿红细胞进入母体后使母亲产生相应的抗体，这些抗体再通过胎盘进入到胎儿体内，导致抗原与抗体发生免疫反应，就会发生溶血现象。

测溶血很重要

ABO 溶血病的症状轻重差别很大，轻症的孕妈妈仅出现轻度黄疸，容易被视为生理性黄疸而漏诊，有些仅表现为晚期贫血，重症则有可能发生死胎，不过十分少见。如果孕妈妈为 Rh 阴性，要检测准爸爸的血型，如果孕妈妈为 Rh 阳性，小宝宝有溶血的风险，孕妈妈应该测量抗人球蛋白试验和抗 D 抗体滴度，在孕期及产后应用抗 D 免疫球蛋白预防新生儿溶血。

珍贵的"熊猫血"

据有关资料介绍，Rh 阳性血型在中国汉族及其他大多数民族人口中约占 99.7%，个别少数民族中约为 90%；而 Rh 阴性血型比较稀有，在中国全部人口中只占 0.3%~0.4%，所以 Rh 阴性血型又被称为"熊猫血"，其中 AB 型 Rh 阴性血更加罕见，仅占中国总人口的 0.034%。

ABO 溶血病的出现

血型	抗原（凝集原）	抗体（抗凝激素）
A	A	抗 B
B	B	抗 A
O	无	抗 A、抗 B
AB	A、B	无

从上面的表格可以看到，O 型血的孕妈妈体内已经存在抗 A、抗 B 抗体，假如怀的宝宝是 A 或 B 型血，即母子血型不合，那孕妈妈血液内的抗 A、抗 B 抗体就会通过脐带进入宝宝体内，发生抗原抗体反应，从而导致溶血。

乱用化妆品

孕妈妈在选择化妆品时要谨慎,看清楚成分,避免使用含酒精、重金属、激素、化学香精等成分的化妆品,比如美白产品、口红中一般含有铅和汞;指甲油大多以硝化纤维为基料,配以丙酮、乙酯、丁酯、苯二甲酸等化学溶剂、增塑剂及各色燃料制成,味道刺鼻,长期使用对孕妈妈和胎宝宝都有一定毒害作用。建议怀孕后只使用基础的护肤品就可以了,最好选择孕妇专用的,比较安全可靠。

使用清凉油

樟脑是清凉油的主要成分之一,具有一定的毒副作用,樟脑进入人体后,正常人体内的葡萄糖磷酸脱氢酶会很快与之结合,使之变成无毒物质,然后随尿液一起排出体外,所以它的毒副作用不会在正常人身上显现。但孕妇体内的葡萄糖磷酸脱氢酶的含量降低,怀孕 3 个月内若过多地使用清凉油,樟脑就会通过胎盘屏障进入胎膜腔内作用于胎宝宝,影响胎宝宝的发育,严重者可导致胎宝宝死亡。

用香薰

香薰的气味可能会加重妊娠反应,也可能给胎宝宝带来未知的健康隐患,为了保险起见,有使用香薰习惯的孕妈妈,建议暂停使用。

长时间蹲坐

长时间蹲坐会让腹部压力增加,而引起子宫充血,导致流产或者早产。同时,也要避免搬运重物。

孕妈妈经验分享

跟大家分享一个打开一天好心情的小运动。早上起床的时候,坐在床上,两脚脚心相对,上身挺直,双手交握再握住脚尖。然后,双手双臂保持不动,上半身顺时针自然摆动一圈,停下来休息 1～2 秒,再逆时针摆动,摆动 3~5 圈。

我是上班族,早上做完这套小运动,可以舒缓身体,感觉也是在叫宝宝起床,一天的好心情都跟着打开了,带着宝宝开开心心去上班。

孕 3 月
协和专家会诊室

黄体酮保胎有没有不良反应？

马大夫答： 治疗流产、早产所用的黄体酮，如常用的黄体酮注射液、口服黄体酮及阴道黄体酮凝胶均属天然黄体酮，不会对胎宝宝造成伤害。

孕妈妈在孕早期大约 8 周内，由卵巢继续分泌黄体酮来支持妊娠，在怀孕 8 周后，胎盘也产生黄体酮。自身产生黄体酮的功能不足、黄体酮下降，是流产、早产的重要原因之一，所以常用黄体酮来治疗流产、早产。如果有必要，使用黄体酮保胎不必太过担心。

习惯性流产还能留得住宝宝吗？

马大夫答： 发生 3 次或 3 次以上的自然流产就是习惯性流产。对于习惯性流产更重要的是查找病因。针对病因有相应的解决办法，如果有营养失调、内分泌或者自身免疫疾病，要针对性地治疗原发疾病；对于宫颈内口松弛引发的习惯性流产者，应该在上次流产后再次怀孕之前做宫颈环扎手术。同时还要保持良好的心态，适当加强营养，定期复查胎儿发育情况。

照 B 超会伤害胎宝宝吗？

马大夫答： B 超不存在电离辐射和电磁辐射，是一种声波传导，对人体组织没有什么伤害，一般来说，如果不是频繁地、长期地照 B 超就不会伤害胎宝宝。

我怀孕的第三个月就长了 4 千克，这要算在整个孕期体重增长里吗？

马大夫答： 当然要算在整个孕期体重增长中，不能抛开。而且 4 千克都是长在你身上，而不是长在胎儿身上，你要做的是去看营养门诊，开出营养餐单，合理控制饮食和体重，别让后几个月体重飞速猛增。

PART 4

孕4月
防止胎宝宝发育不良

PART 4 孕4月
防止胎宝宝发育不良

胎宝宝有话说：我居然能在妈妈的子宫中打嗝了，这是呼吸的序曲，不过遗憾的是，妈妈可能听不见我的打嗝声，主要是因为气管中充斥的不是空气，而是流动的液体。

马大夫温馨提醒：孕妈妈平稳地步入了孕中期，看到别人的肚子比你大，也不要着急。有的人显怀早，继续好好调理饮食，适量运动，让胎宝宝健康生长。

胎宝宝：能看出性别了

胎宝宝的身长约16厘米，体重约110克，相当于2个鸡蛋的重量，能够分辨出性别，男宝宝的外生殖器已凸出，女宝宝卵巢开始形成。胎宝宝的生长发育速度越来越快，这时候胎宝宝的骨骼发育得更加完善，头上发旋的位置与纹路也开始形成，眼球会动，并开始频繁的活动，有些孕妈妈会感觉到胎动。

孕妈妈：感觉到轻微的胎动

孕妈妈的子宫已经长到小孩的头一样大小，妊娠反应逐渐消失，但是可能会出现白带多、腹部沉重感、尿频等情况，妊娠斑也越发明显。因为胎盘的发育完成，流产的可能性会大大减少，进入了较舒服的孕中期了。

大多数孕妈妈从这月开始，会兴奋地感觉到胎动，有怀孕史的妈妈会感到胎动的时间比以前提前了。这是母子间特有的沟通方式，孕妈妈不要忘了将初感胎动的时间记录下来哦。

马大夫告诉你

早中晚各一次，以小时为单位，每次选取一个固定的时间段，将每个时间段的胎动次数记录下来，然后将3个时间段的胎动次数，乘以4就是12小时的胎动次数。最后将这个数据记录在表格上。如果变化微小，就说明胎宝宝发育是正常的，不必担心。

孕 4 月 饮食宜忌

保证足够的热量供应

为了胎宝宝的成长，孕妈妈需适当增加热量，中国营养学会推荐孕妈妈在孕中期每天宜增加 300 千卡的热量。

300 千卡只需比平时每天多吃这些食物：

1 碗杂粮饭 +1 个鸡蛋 +3 颗板栗 ≈ 300 千卡

吃些含碘的食物，促进甲状腺发挥作用

在怀孕第 14 周左右，胎宝宝的甲状腺开始发育。而甲状腺需要碘才能发挥正常的作用。孕妈妈如果摄入碘不足的话，胎宝宝出生后甲状腺功能低下，会影响中枢神经系统，特别是大脑的发育。

孕妈妈每天宜摄入 200 微克碘。鱼类、贝类和海藻类等海产品是含碘比较丰富的食物，孕妈妈适宜多食。一般孕妈妈只要坚持食用加碘盐，同时每周吃 1~2 次海带、紫菜、虾等海产品就基本能保证足够的碘摄入了。缺碘、碘补过了都不好，一般来说，如果孕妈妈不缺碘，就不用特别补。

合理补充维生素 C，预防妊娠纹

妊娠纹通常是怀孕 4 个月之后逐渐出现的，在孕妈妈的脐下、耻骨部位、大腿内侧、腰两侧以及下腹两侧出现。所以想要预防妊娠纹，孕妈妈一定要把握先机，在孕中期就开始预防。

维生素 C 能增加细胞膜的通透性和皮肤的新陈代谢功能，淡化并减轻妊娠纹，因此孕妈妈可以多吃富含维生素 C 的食物，如猕猴桃、鲜枣、橘子、胡萝卜、青椒等。

从现在开始少吃盐,避免孕中晚期水肿

正常人每天的食盐建议摄入量是 6 克以下,孕妈妈可以在此基础上降低到 5 克以下,而对于孕前就有高血压的孕妈妈来说,更要减少食盐用量。减少吃盐不仅要控制饮食中的烹调用盐,还应留意一些食物中的隐形盐。

多吃深色水果,摄取植物化学物

水果具有低热量、低脂肪、高膳食纤维、高维生素和矿物质的特点,孕妈妈经常吃水果有益于预防孕期慢性疾病。深色水果含有更多的植物化学物,如花青素、番茄红素等,可以减轻孕期妊娠斑,是孕妈妈的聪明选择。常见的深色水果有葡萄、桑葚、草莓、芒果等。

孕中期需要增加蛋白质的摄入量

孕早期蛋白质每日需要量达到 55 克,孕中期达到 70 克,孕晚期是胎宝宝大脑发育最快的时期,蛋白质每日需要量达到 85 克。当然,由于身高体重的差异,每个孕妈妈的蛋白质需求量并不完全相同。

动物性食物中的肉、禽、鱼、蛋、奶及奶制品都是蛋白质的良好来源,能提供人体必需的氨基酸。植物性食物中的豆类、坚果、谷类等是植物性蛋白质的良好来源,将豆类和谷类混合食用,更有助于蛋白质互补。豆类中富含的赖氨酸和色氨酸可以弥补谷类中赖氨酸的不足,而谷类中的蛋氨酸则可以帮助豆类补充缺憾,简单地说就是"豆赖谷蛋"的互补,比如馒头配豆浆,它们的蛋白质营养几乎和牛肉相当。

75 克猪里脊 +200 毫升牛奶 +100 克三文鱼 +100 克豆腐 +300 克五谷杂粮 ≈ 一天蛋白质需求量

少吃甜食,避免肥胖和妊娠糖尿病

这个月大多数孕妈妈的胃口好了,再加上经常感到饿,所以可能会经常买一些零食,如蛋糕、面包、甜饮料等。这些食物不仅含有反式脂肪酸和食品添加剂,而且含糖量很高,吃多了不仅容易造成肥胖,还易升高血糖,增加妊娠糖尿病的发病率。

大吃大喝

有的孕妈妈觉得在孕期可以肆无忌惮地向各类美食进军。其实一味大吃大喝是不可取的，甚至还会适得其反，最好做到适量，并且合理选择。尤其是辛辣食物、寒凉食物、高盐高糖食物，如麻辣香锅、冰镇西瓜、冰镇饮料、奶油蛋糕等要控制食用或者不吃。

经常吃油炸食品

油炸食品经高温处理后，食物中的维生素和其他多种营养素均受到很大程度的破坏，营养价值明显下降，加之脂肪含量较多，食后很难消化吸收，吃多了还容易引起便秘。

另外，食油经反复加热、煮沸、炸制食品后，会产生致癌物质，经常食用，会对人体产生危害，孕妈妈尤其要远离。

经常吃火锅

火锅的原料多是羊肉、牛肉、猪肉等。如果肉的卫生不合格就极易含有弓形虫、中华枝睾吸虫等寄生虫，这些寄生虫肉眼是看不到的。另外，吃火锅时，人们总是把鲜肉片放到煮开的烫料中稍稍一烫即进食，这种短暂的加热并不能杀死寄生虫，而弓形虫一旦进入体内，可通过胎盘传染给胎儿，严重者可发生流产、死胎或影响胎儿脑的发育而发生小头、脑积水或无脑儿等畸形。

因此，孕妈妈最好不要吃火锅，如果一定要吃，也一定要注意卫生，肉类要充分涮熟再吃，并且不要多吃。

生吃田螺、生蚝

孕妈妈不能吃生田螺、生蚝等，由于没经过加温烹饪，生食后，里面的寄生虫和病菌可能会给胎儿造成伤害。

马大夫告诉你

吃营养密度高的食物更营养

所谓的"营养密度"是指单位能量的食物所含某种营养素的浓度。简单理解就是你一口吃到的营养越多，说明这个食物的营养密度越高。新鲜的蔬菜水果、五谷杂粮、鱼虾、瘦肉等，用蒸炖炒等健康烹饪方式做出来，食用后能获得丰富的蛋白质、维生素、矿物质。如果经常食用油炸食物，摄入的是较高的热量、较多的油脂，显然营养密度低。

过量吃榴莲

榴莲营养丰富，但是所含的热量及糖分较高，如果孕妇经常或过多食用，极易导致血糖升高，并且使胎儿体重过重，增加巨大胎儿的概率。不仅如此，榴莲食用过多还会阻塞肠道，引起便秘，对于本来就容易出现便秘的孕妇来说，会加重负担，特别是患有便秘和痔疮的孕妇更不宜食用榴莲。另外，榴莲性温，吃多会上火，出现喉咙疼痛、烦躁失眠等症。

过多喝茶

孕妈妈过多喝茶，可能会引起贫血。因为茶叶中的鞣酸可以和食物中的铁元素合成一种不被吸收的复合物，阻碍补铁补血。另外，茶叶中也含有咖啡因，过多饮用会让人产生兴奋感，刺激胎动增加，不利于宝宝的生长发育。

同时，过多喝茶会让尿量增加，促使血液循环加快，使心跳加速，如果是体质较弱的孕妈妈，会造成心脏和肾脏的负担。

吃皮蛋

制作皮蛋时为促使蛋白质凝固，在腌制过程中要加些氧化铅或铜等重金属，若长期食用，皮蛋中的铅或铜在体内慢性积累而不利健康。孕妈妈在怀孕期间过多吃皮蛋，会引起铅中毒，造成流产、死胎或畸胎。

吃热性调料

怀孕后不宜多吃热性调料，如桂皮、辣椒、小茴香、大茴香、花椒、五香粉等，这些调料容易引起上火，消耗肠道水分，造成便秘。发生便秘后，孕妇用力排便，令腹压增大，压迫子宫内胎儿，易造成胎动不安、羊水早破、自然流产、早产等不良后果。

吃蜂王浆进补

孕早期时，很多孕妈妈由于妊娠反应比较严重，营养吸收也少，因此到了孕4月，就希望通过一些营养品把营养补回来。但是孕妈妈最好还是以食补为主，不要随便选择营养品，尤其是蜂王浆。蜂王浆含有激素类似物，不利于宝宝正常生长。

孕4月 生活细节宜忌

做唐筛，计算出"唐氏儿"的危险系数

唐氏筛查一般是抽取孕妈妈 2~5 毫升的血液，检测血清中甲胎蛋白（AFP）和人绒毛膜促性腺激素（HCG）的浓度，还有游离雌三醇（UE3），结合孕妈妈的预产期、年龄、体重和采血时的孕周，计算出"唐氏儿"的危险系数。

样本信息

样本编号： 29954	采样日期：
体重： 72 kg	采样时孕周： 16周5天
B超日期：	B超孕周： 12周0天
CRL： 53 mm	BPD：

样本测试项目：

标记物	结果	单位	校正MoM
AFP	24.93	U/mL	0.91
HCGb	13.18	ng/mL	1.04
uE3	3.31	nmol/L	0.74

风险计算项目

筛查项目： 21—三体综合征
筛查结果： 低风险
风险值： 1：1500   年龄风险： 1：510
风险截断值： 1：270

筛查项目： 18—三体综合征
筛查结果： 低风险
风险值： 1：40000   年龄风险： 1：4600
风险截断值： 1：350

筛查项目： NTD
筛查结果： 低风险
风险值：
风险截断值： AFP=2.5MoM

PART 4 孕4月 防止胎宝宝发育不良

- **AFP**

  女性怀孕后胚胎干细胞产生的一种特殊蛋白，作用是维护正常妊娠，保护胎宝宝不受母体排斥，起到保胎作用。这种物质在怀孕第6周就出现了，随着胎龄增长，孕妈妈血中的AFP含量越来越多。胎宝宝出生后，妈妈血中的AFP含量会逐渐下降至孕前水平。

- **HCG**

  即人绒毛膜促性腺激素，医生会结合这些数据连同孕妈妈的年龄、体重及孕周等，计算出胎宝宝患唐氏综合征的危险度。

- **21-三体综合征**

  风险截断值为1∶270。此项检查结果为1∶1500，远低于风险截断值，表明患唐氏综合征的概率很低。

- **18-三体综合征**

  风险截断值为1∶350。此项检查结果为1∶40000，远低于风险截断值，表明患唐氏综合征的概率很低。

- **筛查结果**

  "低风险"表明胎儿异常的风险低，"高风险"表明胎儿异常的风险高。即使结果出现了高风险，孕妈妈也不必过于惊慌，因为高风险人群中也不一定都会生出唐氏儿，这还需要进行羊水细胞染色体核型分析确诊。

唐筛的最佳时间

唐筛检查是在孕 15 周到孕 20 周 +6 天（即孕 20 周零 6 天）之间进行，只有在准确的孕周进行检查才能起到筛查的作用。考虑到后续的进一步检查比如无创基因筛查、羊水穿刺等产前诊断，建议在孕 15~16 周进行为好。

高危并不一定就会生出唐氏儿

唐氏筛查是根据母血指标来推测胎儿情况，母血中的生化指标会受到很多因素干扰，这些因素使得唐氏筛查的结果不可能很精确。高危也并不一定就会生出唐氏儿，当然，并非中度风险和低风险的孕妇就一定不会生出唐氏儿。但从筛查数据看，大多数唐氏儿是在唐氏筛查判定为高风险的孕妇中诊断出来的。如果唐筛结果诊断为高危，高风险孕妇还需要做羊水穿刺，以确认胎儿是否是唐氏儿。

唐筛的"补考"：羊水穿刺

羊水穿刺是在 B 超的引导下，将一根细长针通过孕妈妈的肚皮，经过子宫壁，进入胎膜腔，抽取羊水进行分析检验。羊水中会有胎儿掉落的细胞，通过对这些细胞的检验分析，可以确认胎儿的染色体细胞组成是否有问题。羊水穿刺主要是检查唐氏综合征，而一些基因疾病也能通过羊水穿刺得到诊断，如乙型海洋性贫血、血友病等。

> **孕妈妈经验分享**
>
> **还有一种是快速羊穿检查**
>
> 还有一种检查 FISH（也称为快速羊穿检查），所检查的染色体为 13、18、21、X、Y 数目，7 个工作日左右出结果，总计费用 3800 元左右，纯自费。

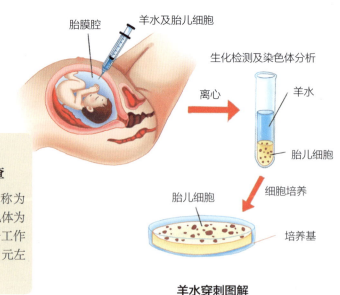

羊水穿刺图解

羊水穿刺的最佳时间是孕 14~23 周

羊水穿刺手术的最佳时间是孕 14~23 周，报告结果约在 2 个月以后才可获得。如果小于 14 周进行羊水穿刺术，此时羊水较少，会增加风险；如果超过 23 周进行穿刺，检验结果出来时胎儿已经过大，此时中止妊娠会有很大的风险。

经常清洁乳房

乳房的清洁对于保持乳腺管通畅，以及增加乳头的韧性、减少哺乳期乳头皲裂等无疑具有很重要的作用。清洁乳房宜用温水擦洗，并将乳晕和乳头的皮肤褶皱处一并擦洗干净。

不可用手硬抠乳头上面的结痂，可在乳头上涂抹植物油，待上面的硬痂或积垢变软溶解后再用温水冲洗干净，拿一条柔软干净的毛巾拭干，之后在乳房和乳头上涂些润肤乳，避免干燥皲裂。

需要注意的是，千万不要用香皂或肥皂、酒精等清洁乳房，这些清洁用品不利于乳房的保健以及随后的母乳喂养。

坚持戴胸罩，保持乳房美观

怀孕之后，孕妈妈的乳房会变得空前丰满、漂亮，这就需要孕妈妈根据不同时期乳房的具体变化情况适时更换合适的胸罩，并且坚持每天穿戴，哺乳期也不例外。要注意选购的胸罩不能太紧也不能太松，最好是能较松地包裹、支撑乳房的半杯型胸衣。

自己开车要留心行路安全

自己开车外出的孕妈妈，要牢记佩系安全带，在开车的过程中应避免紧急制动、紧急转向。最好不开新车，以避免新车中含有对胎宝宝不利的气味。天气炎热时，空调温度不宜过低，应保持在 26℃，也可以关掉空调，开窗吹吹自然风。开车时最好不要一边开车，一边听音乐。

穿出孕味，穿出健康

孕妈妈在妊娠期间注意修饰打扮，可以掩饰形体的变化，还有利于身体健康和精神抖擞，有助于维护孕妈妈的良好心境，对孕妈妈和胎宝宝的健康都有利。孕妈妈可以选择那些穿在身上能体现出胸部线条美、使隆起的腹部显得不太突出的服装样式，服装的立体轮廓最好呈上小下大的 A 字形。衣服的颜色应清爽、明快。

忽视腹泻

孕期腹泻会加快孕妈妈肠蠕动,甚至引起肠痉挛,这些会刺激子宫收缩,甚至导致早产、流产等。所以,孕妈妈绝不能忽视孕期腹泻。

为了将孕期腹泻扼杀在摇篮中,下面给出几点建议:

1. 三餐要定时、定量,且清淡饮食、少油腻,多喝水。
2. 注意谷豆类、蔬果类、蛋奶类、肉类四大类食物的搭配。
3. 冷热食物分开食用,且吃完热食,不要立即吃凉的,如果非要吃,最好间隔1个小时。
4. 生熟分开,在外就餐或点餐,要注意食品安全。
5. 忌吃容易引起腹泻的食物。
6. 孕期腹泻不论是食疗,还是用药,都要遵医嘱。

忽视牙齿问题

一些孕妈妈在患了牙齿疾病后不愿意就医,认为没什么大不了的,不予以重视。其实,这种做法是极其有害的。孕妈妈应该摒弃种种顾虑,主动与牙科医生联系,获得专业的帮助。

不同孕期牙齿疾病治疗

孕期	原因	治疗
孕早期 (孕1~3月)	孕早期是胚胎器官发育与形成的关键期,如服用药物不当或X线照射剂量过高,可导致流产或胎儿畸形	如非紧急情况,医生不建议进行牙科治疗
孕中期 (孕4~6月)	若必须在孕期治疗牙齿疾病,最好选择孕中期	建议只做一些暂时性的治疗,如龋齿填补等
孕晚期 (孕7~10月)	子宫容易受外界刺激而引发早期收缩,再加上治疗时长时间采取卧姿,胎儿会压迫下腔静脉,减少血液回流,引发仰卧位低血压,出现心慌、憋气等症状	不适宜进行长时间的牙科治疗

孕 4 月 协和专家会诊室

很多孕妈妈 3 个月以后就不吐了,我反而吐得更厉害,怎么办?

马大夫答:孕妈妈在怀孕的早期会出现如食欲缺乏、呕吐等早孕反应,这是孕妈妈特有的正常生理反应,通常会在孕 12 周左右自行缓解。但也有的孕妈妈会出现孕吐提前开始、迟迟不消退的情况,如果呕吐不是特别严重,都是正常的。如果呕吐、恶心严重,建议到医院检查,排除是否有其他病理情况。柠檬汁、土豆、苏打饼干等食物对孕吐有改善作用。另外,孕妈妈因呕吐影响进食的话,建议喝点孕妇奶粉。

我怀孕快 4 个月了,B 超检查说胎盘有点靠下,怎么办?

马大夫答:很多孕妈妈胎盘都是靠下的,没关系。但是,孕妈妈要注意别太劳累,活动量不要太大,不要提重的东西,随着胎宝宝慢慢长大,胎盘就会往上的。

能否顺产和遗传有没有关系?

马大夫答:能否顺产与几个因素有关:一是胎儿的大小和体位,二是骨盆产道的大小,三是产力,四是信心;跟遗传有关系的就是骨盆的大小了。所以控制好胎儿大小及孕期体重增长、坚持锻炼、增强信心、学习分娩技巧都很重要。

怀孕以后肤色变深了是怎么回事儿?

马大夫答:很多孕妈妈会发现自己的肤色在孕期变得越来越深,尤其是乳头、乳晕及外生殖器等部位,在怀孕的过程中会变得更加明显。孕妈妈不用担心,这是孕激素作用导致的,胎儿出生以后,这些色素沉着就会逐渐淡化直至消失,但有些并不会完全消失,而是会变浅。

PART 5

孕5月
补钙，促进胎宝宝骨骼发育

PART 5　孕5月
补钙，促进胎宝宝骨骼发育

胎宝宝有话说　我的骨骼发育在这个时期开始加快，四肢和脊柱也已开始进入骨化阶段，妈妈补充足够的钙，保证我骨骼的正常生长哦。

马大夫温馨提醒　到了孕中期，胎宝宝骨骼牙齿发育，钙需求量大增，孕妈妈对钙的需求量也要把宝宝的那份算进来了，必要时可用补充剂来补钙。

胎宝宝：长头发了

孕5月末期，胎宝宝的身长约25厘米，体重约320克，约为1个大鸭梨的重量，长了一层细细的异于胎毛的头发。此时的胎宝宝已经长肉，更具立体感了，皮肤被一层薄薄的胎脂保护着，可以避免长期泡在羊水中受伤害。胎宝宝的耳朵不再是紧贴着耳根，而是变得立体了，可能已有听力。

孕妈妈：肚子很明显了

到20周左右，子宫底已经到达孕妈妈的肚脐处，下腹部明显隆起。因为激素的刺激，会发生黑色素沉积和皮肤的变化，例如肚子中间出现一条黑线，黑线的深浅每个人都不一样，一般皮肤偏黑的孕妈妈黑线会更明显。

马大夫告诉你

日渐增大的子宫将腹部外挤，致使腹部向外膨胀，腰部曲线完全消失，已接近典型的孕妇体型。膨大的腹部破坏了整体的平衡，使人很容易感觉疲劳。此外，还伴有腰痛、失眠、小腿抽筋等不适。这就要求孕妈妈在日常生活中，要注意休息，多出去呼吸些新鲜空气，活动一下筋骨。

孕5月 饮食宜忌

孕中期，每天钙需求量为 1000 毫克

孕妈妈在孕早期的钙需求量与孕前基本相同，为每天 800 毫克。因此，每天喝 250 毫升的鲜奶或酸奶加上正常的饮食，就可以满足孕妈妈每天的钙需求量了。

到了孕中期，胎宝宝快速生长，孕妈妈对钙的需求量有所增加，为每天 1000 毫克。所以，此时每天除了喝 250 毫升鲜奶或酸奶补钙外，还可以适量摄入豆制品、坚果等，必要时可用补充剂来补钙。

孕妈妈从食物中补钙以乳类及乳制品为好，虽然乳类的含钙量不是最高的，但是其吸收率是最好的。另外，水产品中的虾皮、海带含钙量也较高，虾皮比较咸要适量吃。坚果、豆类及豆制品、绿叶蔬菜中含钙也较多，它们都是补钙的良好来源。

钙和维生素 D 一定要同补

维生素 D 是一种脂溶性维生素。维生素 D 可以全面调节钙代谢，增加钙在小肠的吸收，维持血中钙和磷的正常浓度，促使骨和软骨正常钙化。

维生素 D 主要来源于动物性食物，如肉、蛋、奶、深海鱼、鱼肝油等。另外一个维生素 D 主要的来源是晒太阳，上午 9~10 点和下午 4~5 点都是晒太阳补维生素 D 的好时间段。

孕中期补钙可以通过食物 + 钙片的方式

从孕中期开始，胎儿进入了快速发育的时期，必须补充足够的钙质来保证四肢、脊柱、头颅骨和牙齿等部位的骨化。中国营养学会推荐孕妈妈在孕中期每天摄入 1000 毫克的钙。孕妈妈如果在孕中期不能保证每天摄入 500 毫升牛奶（或含有等量钙质的奶制品），就需要补充一定量的钙剂。但现在市场上一些钙剂中含有对孕妈妈身体有害的元素，如镉、铋、铅等，长期服用可能导致重金属中毒，因此建议孕妈妈买质量有保障的钙剂。

妊娠糖尿病患者要选低脂、脱脂奶

妊娠糖尿病患者每天可适量饮用牛奶。普通的牛奶含有一定的糖分,妊娠糖尿病患者不宜食用过多。推荐孕妈妈喝低脂、脱脂奶,以利于控制体重,调节糖代谢。

多补充能促进胎宝宝视力发育的营养素

维生素A与感受光线明暗强度的视紫红素的形成有着密切关系,对胎宝宝的视力发育起着至关重要的作用。在胎宝宝的成长过程中,维生素A还有许多其他的重要作用,比如促进器官发育、提高抵抗力等。中国营养学会推荐正常女性和孕早期每天宜摄入维生素A 700微克,孕中期和孕晚期每天摄入量为770微克,所以这个月要适量增加维生素A摄入量。

动物性食物如动物肝脏、肉类等不但维生素A含量丰富,而且其中的维生素A能直接被人体吸收,是维生素A的良好来源。

> **孕妈妈经验分享**
>
> **乳糖不耐受可以通过酸奶补钙**
>
> 我是"乳糖不耐",就是喝完牛奶后会出现腹胀、腹痛、腹泻等症状,没办法通过喝牛奶来补钙,所以可以选择酸奶。
>
> 酸奶是在牛奶中加一定量的乳酸菌发酵后制成的,发酵过程使得原奶中的部分乳糖被分解,蛋白质和脂肪也更有利于胃肠的消化吸收。所以,酸奶是乳糖不耐受人群的良好选择。另外,酸奶最好选择无糖的原味酸奶,以避免血糖升高。

多吃富含β-胡萝卜素的食物

β-胡萝卜素通过胃肠道内的一些特殊酶的作用可以催化生成维生素A,在红色、橙色、深绿色植物中广泛存在,胡萝卜、菠菜、南瓜、芒果等是维生素A的重要来源。

胡萝卜
每100克含有688微克维生素A

猪肝
每100克含有4972微克维生素A

经常喝点粥

由于怀孕的缘故,孕妈妈肠胃功能比较弱,而粥要熬煮较长时间,粥里的营养物质析出充分,所以粥不仅营养丰富,而且容易吸收。莲子红枣粥、玉米粥、绿豆粥、南瓜粥都很适合,煮粥前最好将米用冷水浸泡半小时,让米粒膨胀开。这样做熬起粥来节省时间,而且熬出的粥酥、口感好。

注意荤素搭配

孕中期的饮食越来越重要了,一定要荤素搭配合理,这样营养一般就不会有什么问题。但是如果担心发胖或胎儿过大而限制饮食,则有可能造成营养不足,严重时甚至会患贫血或影响胎儿的生长发育。一般来讲,本月孕妈妈每周体重的增加在350克左右,属正常范围。

建议每天摄取蔬菜400克以上,至少一半是新鲜绿叶蔬菜,适量增加鱼、禽、蛋、瘦肉的摄入。

适当摄取植物油,满足人体必需的脂肪酸

人体必需的脂肪酸主要存在于植物油里面,动物油含量极少。研究还发现,孕妈妈在怀孕期间适当多吃些植物油,宝宝出生后,患湿疹的可能性就会减少,另外头发也会变好。因此孕妈妈要适当多食用玉米油、花生油、橄榄油等。

橄榄油、油茶籽油
单不饱和脂肪酸含量较高。

玉米油、葵花籽油
富含亚油酸。

大豆油
富含两种必需脂肪酸——亚油酸和 α-亚麻酸。

补钙过量

凡事过犹不及,补钙如果过量,也会对孕妈妈和胎宝宝造成危害。研究表明,孕期摄入过量的钙可能会对胎儿产生不利影响。补钙过多可能会导致机体对其他矿物质,如铁、磷、镁等的吸收利用率减少。孕妈妈如果在服食钙片的同时,还在喝孕妇奶粉和牛奶,那就最好计算一下每天摄入的钙的总量,以控制在合理范围内。

补铁同时喝牛奶或服钙剂

孕妈妈在吃富含铁的食品或服用补铁剂时,不要同时服用补钙剂,这是因为钙会影响身体对铁的吸收。在服用补铁剂时不要喝牛奶,否则牛奶中的钙磷会阻止铁的吸收。

饭后马上吃钙片

钙容易与食物中油类结合形成皂钙,会导致便秘;跟食物中的草酸结合形成草酸钙,容易形成结石,所以最好不要饭后马上吃钙片。一般饭后半小时食物消化已基本结束,因此饭后半小时是最佳的补钙时间,可以吃钙片或喝牛奶。

用豆浆代替牛奶

就补钙而言,豆浆远不及牛奶,所以孕妈妈如果是为了补钙,不能用豆浆代替牛奶。豆浆更重要的作用是可以补充人体所需的其他营养物质,如大豆异黄酮、维生素D等,这些物质能够更好地促进钙的吸收。孕妈妈在保证每天摄入的基础奶量不变的前提下,可以每天喝一些豆浆,但绝不是用豆浆替代牛奶来补钙。

马大夫告诉你

补钙,吸收率才是王道

不仅是孕期需要补钙,其实在任何年龄段都要重视摄取充足的钙,因为全身骨骼都需要钙的支撑。补钙,不在于你补了多少,关键要看身体吸收了多少,有的时候虽然吃了很多高钙食物,但是被阻碍了吸收、被浪费,无法实现预期的效果,这个时候我们需要避开那些影响钙吸收的食物。

食物	成分	影响
咸菜、酱菜、腐乳、酸菜等	钠	盐的摄入越多,尿中排出钙的量就越多
可乐、甜饮料、加工肉制品	磷酸	降低钙的吸收利用率
菠菜、苋菜	草酸	影响钙吸收
巧克力	咖啡因	加速钙质的流失

过量进食

大多数孕妈妈胃口会突然变大,饥饿感总是如影随形。不过,不要因为胃口开了,饮食就毫无顾忌了,注意不能过量进食,特别是高糖、高脂肪食物。如果此时不加限制,会使胎儿生长过大,给以后的分娩带来一定困难。

孕中期,热量摄取仅比孕前多了300千卡(约为1碗米饭的热量),其他食物比如鸡蛋、肉类、豆制品等每天比之前多吃50~100克即可。

只吃精米精面

孕妈妈不要只吃精米精面。精米精面之所以"精"是因为它经过了反复加工的精制过程,看起来更白更细更雅观。经过精制的精米、精面,把富含铁、锌、锰、磷等及各种维生素的粮食表皮部分完全去掉了,看起来虽然又白又细,但其所含营养素已远不齐全了。长期食用这种精米精面,必然会导致微量元素及维生素营养缺乏症,会由此引起一系列疾病。粗米粗面虽然看起来粗一些、黑一些,但它们却是富含人体所必需的各种营养素的"完整食品"。

经常食用黄油

黄油含有大量脂肪,过多食用容易造成摄入脂肪过剩,沉积在血管中形成血液垃圾,妨碍血液畅通,进而使得胎宝宝供血不足,导致胎宝宝发育不良。

食用含铅高的食物

如果孕妈妈血铅水平高,会直接影响胎宝宝的发育,容易造成先天性弱智或畸形,所以孕妈妈要避免食用含铅高的食物,如皮蛋、爆米花。有些漂亮的餐具内的花饰也可能含铅,应该注意。

吃饭太快

吃饭时咀嚼不充分,食物进入胃肠道后,与消化液不能充分混合,会影响身体对食物的消化吸收,食物中的营养不能被人体充分利用而排出体外,久而久之会形成营养不良。而一些富含膳食纤维的食物,如果咀嚼不充分,还会增加胃肠道的消化负担。所以,孕妈妈要养成细嚼慢咽的吃饭习惯,让食物的营养充分为身体所用。

吃久存的土豆

土豆本身含有生物碱,存放的时间越久生物碱含量就越高,而且久放的土豆会生芽,就是龙葵碱超标的表现,吃得多可能会影响胎宝宝的正常发育,导致畸形。即使削去芽,也不能证明将毒素去掉了。

孕 5 月 生活细节宜忌

孕 20 周后应密切监测血压变化

正常情况下，本月孕妇的血压较为平稳，孕 20 周是监测血压的关键时期，孕妈妈在孕 20 周以前出现高血压，多是原发性高血压；如果 20 周以前血压正常，20 周以后出现高血压，并伴有蛋白尿及水肿，称为妊娠高血压综合征。

健康年轻女性的平均血压范围是 110/70~120/80mmHg。如果你的血压在一周之内至少有 2 次高于 140/90mmHg，而你平常的血压都很正常，那么医生会多次测量血压以判断你是否患有妊娠高血压。

孕妈妈经验分享

测量一次血压偏高，不能说明什么

一起做产检的小姑娘，到医院就紧张，心跳加速，测量的血压比较高，但是每次自己量的话，血压是很正常的。其实，去医院没必要这么紧张，放松心态，很多检查都会很顺利的。医生也说了，测量一次血压偏高，不能说明什么，可能是紧张，也可能是在医院楼上楼下跑得匆忙了点，歇 10~15 分钟再进行测量，数值就会准确。

定期查看宫高和腹围

孕妈妈的宫高、腹围与胎儿的大小关系非常密切。孕早期、孕中期时，每月的增长都有一定的标准，通常每周宫高增长 1 厘米。到孕晚期，通过测量宫高和腹围，来判断胎儿的体重。所以，每次做产前检查时都要测量宫高和腹围，来估计胎儿的宫内发育情况，同时需要根据宫高妊娠图曲线判断是否发育迟缓或是巨大儿。

宫高

通过测量宫底高度，如发现与妊娠周数不符，过大或过小都要寻找原因，如做 B 超等检查，确定有无双胎、畸形、死胎、羊水过多或过少等问题。

腹围

测量腹围可以了解宫腔内胎儿生长发育的情况及子宫大小是否符合妊娠周数。测量时，取平卧位，以肚脐为准，水平绕腹一周，测得的数值就是腹围。

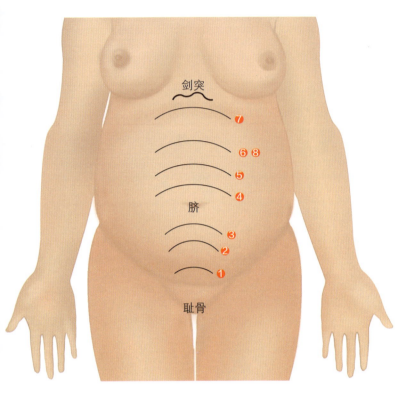

注意上下楼梯的安全

孕妈妈在爬楼梯时，先脚尖着地，然后脚后跟落地，腰部挺直，确保每一步都踩稳，最好扶着楼梯扶手慢慢爬梯而上。下楼时不要过于弯腰或挺胸凸肚，看准脚下台阶再迈步。

选择防滑鞋

孕妈妈在买鞋的时候，要选择鞋底较厚，摩擦性好的鞋，可以在走路的时候帮助减震；摩擦性好，防滑效果好，不容易滑倒。同时，要考虑鞋子的舒适度，脚尖位置要宽大能让脚趾舒服伸展，脚跟部位牢靠。

最好买调整型哺乳内衣，生完孩子也能穿

整个孕期乳房会不断胀大，每当你感到胸罩小了，就要再次更换一个合适的，以减少重力对于乳房韧带的牵拉，整个孕期可能需更换 2~3 次胸罩尺码。所以买内衣的时候最好买调整型的，并且是方便哺乳的，这样生完孩子也能穿，方便喂奶。

乳头内陷要及时矫正，以免影响哺乳

如果孕妈妈有乳头内陷，可用温水擦洗后用手指牵拉；严重乳头内陷者，可以借助乳头吸引器或矫正内衣来矫正。使用吸引器的时候要注意，一旦发生下腹疼痛应立即停止，有流产史的孕妈妈尽量避免使用吸引器。

还可以通过"提拉乳头"的按摩方法，进行纠正。

 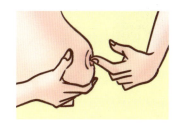 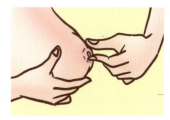

1. 用一只手托着乳房，用另一只手以拇指、食指和中指牵拉乳头下方的乳晕，改善伸展性。

2. 抓住乳头，往里压到感到疼痛为止。

3. 用手指拉住乳头，然后轻轻转动，反复2~3次。

疲劳困乏及时调节

孕妈妈一个人身担两副担子，非常容易疲劳。所以孕妈妈要学会及时休息，缓解疲劳。即使工作中的孕妈妈没有感到疲劳，也要1小时休息一次，哪怕是5分钟也好。

如果条件允许，最好能到室外或阳台上去呼吸新鲜的空气，活动一下身体。孕妈妈可以闭目养神片刻，然后用手指尖按摩前额、两侧太阳穴和后脖颈，每处拍16下，有健脑的作用。孕妈妈可以选择一些优美抒情的音乐或胎教磁带来欣赏，能够调节孕妈妈的情绪。

身体状态允许的情况下，适当增加运动强度和运动时间

孕妈妈应掌握自己身体的情况，在身体状态允许的情况下，适当增加强度和时间，给身体一个适应的过程。但运动最可贵的是坚持不懈，让身体一直处于舒适状态，更有利于坚持，也有利于身心健康。

如果在孕早期进行锻炼时，身体的不适感较重或体能赶不上，在步入孕中期后就不要随意增加运动强度，否则会加重身体的疲劳感。

舒展背部运动，改善孕中期腰背疼痛

随着腹部的增大，很多孕妈妈都有背部和肩部疼痛的情况。孕妈妈可以通过简单的运动，如舒展运动、游泳等来缓解背部和肩部的疼痛。

2. 保持背部挺直，脖子稍稍上抬，双眼凝视前方，保持3个呼吸时间，然后慢慢恢复站姿。

1. 取站姿，双腿分开略比肩宽，吸气，双臂上举过头顶。呼气，上半身向前弯曲。

长时间站立、行走或静坐

不要长时间站立、行走或静坐。坐着时,不要靠在向后倾斜的沙发背或椅背上,最好坐直身体(坐直身体可以减少主动脉受到的压力)。长时间站立和行走,会影响下腔静脉和腹主动脉的血液供应量。

不注意睡姿

到了妊娠5个月以后,子宫会迅速增大,此时的睡姿容易对孕妈妈和胎宝宝产生影响,主要是增大的子宫对腹主动脉、下腔静脉、输尿管的压迫,所以孕妈妈从这时起就要注意睡姿了。

建议采用左侧卧睡姿。当孕妈妈采取左侧卧位时,右旋的子宫得到缓解,减少了增大的子宫对腹主动脉及下腔动脉和输尿管的压迫,同时增加了子宫胎盘血流的灌注量和肾血流量,使回心血量和各器官的血液供应量增加,有利于减少妊娠高血压的发生,减轻水钠潴留和水肿。

马大夫告诉你

不必苛求整夜都保持左侧卧位

虽然左侧卧位有种种好处,但是不要求孕妈妈整夜都保持左侧卧位,因为如果整夜保持一种睡姿也会觉得累,孕妈妈只要做到以下几点就足够了:

1. 躺下休息时,尽量采取左侧卧位。
2. 半夜醒来时发现自己没有采取左侧卧位,就改为左侧卧位,如果感觉不舒服,就采取让自己舒服的体位。胎宝宝有自我保护能力,如果它感觉不舒服时,就会让你醒来或者在睡梦中采取舒服的体位。
3. 孕妈妈要相信身体的自我保护能力,如果仰卧位压迫了动脉,回心血量减少导致血供不足,即使在睡眠中也会自我改变体位。切记,感到舒服的睡眠姿势就是最好的姿势。

戴隐形眼镜

怀孕期间，孕妈妈眼角膜的含水量通常比常人高，所以，这时如果戴隐形眼镜的话，容易因为缺氧而导致角膜水肿，从而引发角膜发炎、溃疡，甚至导致失明。同时，孕妈妈的角膜曲度也会随着怀孕周期及个人体质而改变，使近视的度数增加或减少。如果勉强戴隐形眼镜的话，容易因为不适而造成眼球新生血管明显损伤，甚至有可能导致角膜上皮剥落。此外，如果隐形眼镜不干净，就很容易滋生细菌，造成角膜炎、结膜炎等。

装修家居

装修材料不可避免地会挥发出苯、甲醛等气体，对孕妈妈和胎宝宝都会造成不良影响。苯化合物已经被确定为是强烈的致癌物质，会导致胎宝宝患有先天性缺陷。即使是低量剂的甲醛，长期接触也会引起慢性呼吸道疾病、月经不调、妊娠综合征，会造成新生儿体质下降。所以，孕期不要给家里装修。

接触 X 线

X 线能穿透人体，使组织细胞发生物理或化学变化，造成不同程度的损伤。而胎宝宝对各种放射线敏感性很高，严重时会造成胎儿畸形、致死、严重智力低等，孕妈妈一定不要拍腹部的 X 光片。

用暖宝宝取暖

暖宝宝是非常便捷的取暖产品，隔着一层衣服往身体某一部位一贴，就能暖呼呼一整天。但是孕妈妈不适合用暖宝宝，因为其温度较高，最高能达到 68 度，胎宝宝对温度敏感，不适合这么高的温度，会增加流产、畸形的风险。

房间任意摆放花草

花草能让人赏心悦目，但也会让孕妈妈产生不适，家里摆放的花草要有选择，不能任意摆放。

茉莉、丁香、水仙 ➡	花香浓郁，容易引起恶心、呕吐、头疼
万年青、五彩球、洋绣球、迎春花 ➡	可能导致皮肤过敏
夜来香、丁香 ➡	会吸氧呼出二氧化碳，降低居住环境空气质量

孕5月 协和专家会诊室

4个月以后可以有性生活吗？

马大夫答： 孕中期是可以有性生活的，但建议不要过频，以一周一次为宜。此外，我们建议性生活采用男方在后，女方在前，从后面进入，相当于搂抱式，这样一方面不会进入太深，另一方面对孕妈妈腹部的压迫也会小点。孕晚期的性生活更要节制，临产前1个月要禁止性生活。

宫高与预测的孕龄不符合怎么办？

马大夫答： 在做产前检查时，医生就会给你一个宫高的具体数值，并判断是异常情况还是个体差异。如果你的宫高与这个数据不符合，就要观察自身的变化，只要宫高随着孕周增长而逐渐增高，胎儿大小合适，就没有问题。医生若没有建议你做进一步的检查，就不用担心。

照四维彩超会对胎宝宝产生不良影响吗？

马大夫答： 四维彩超是在三维彩超图像的基础上加上时间维度参数，可以实时观察胎儿动态的活动图像。做四维彩超时B超探头在身体上同一个部位停留的时间很短，不会对胎儿造成不良影响。

能根据胎动判断男孩女孩吗？

马大夫答： 没有任何科学证据说明胎动可以判断男女，每个宝宝的性格都是不一样的，还是把这个谜底留到分娩那一刻揭开吧。

PART 6

孕6月 预防缺铁性贫血

PART 6 孕6月
预防缺铁性贫血

胎宝宝有话说

我的听觉功能已经相当完善了,我能听到妈妈的说话声、爸爸朗读诗歌的声音,甚至能听到妈妈肠胃的咕噜声。

马大夫温馨提醒

孕中期的孕妈妈对铁的需求量增加,如果铁的摄入量不足,孕妈妈可能会发生缺铁性贫血,这对孕妈妈和胎宝宝都会造成不利影响。从现在开始补铁,预防缺铁性贫血。

胎宝宝:外观更接近出生的样子

胎宝宝的身长约30厘米,体重600~750克,约为4个苹果的重量。几乎所有的器官系统都完成了构造,只需做一些细微的调整就行了。

孕妈妈:肚子越来越像个球

孕妈妈身体越来越笨,子宫也日益增大压迫到肺,孕妈妈在上楼时会感觉到吃力,呼吸相对困难。

马大夫告诉你

出现明显缺铁症状时,可服用铁剂

对某些孕妈妈来说,孕期仅从饮食中摄取的铁质,有时还不能满足身体的需要。对于一些出现明显缺铁性贫血的孕妇来说,可在医生的指导下选择摄入胃肠容易接受和吸收的铁剂。有的孕妈妈认为只要不贫血就不用吃补铁食物,其实铁元素能保证给胎儿正常供氧,还能促进胎儿的正常发育、防止早产,特别是孕中期,不管是否贫血,都要注意补铁。

孕6月 饮食宜忌

补铁,预防缺铁性贫血

铁能够参与血红蛋白的形成,从而促进造血。如果铁的摄入量不足,孕妈妈可能会发生缺铁性贫血,这对孕妈妈和胎宝宝都会造成不利影响。

对孕妈妈影响
心跳加快、疲乏无力、食欲减退、情绪低落、贫血性心脏病、加重妊娠高血压综合征的发病率、机体抗病能力下降、宫缩不良、产后出血、失血性休克等

贫血

对胎宝宝影响
早产、干扰胎宝宝的正常发育和器官的形成、胎宝宝体重低及生长迟缓等,出生后宝宝容易贫血,从而会降低宝宝的智商和学习能力

孕中期以后,孕妈妈的铁需求量会增加。在孕 4~7 月,孕妈妈平均每日铁的摄入量应为 24 毫克;孕 8~10 月,每天应增加到 29 毫克。

补铁首选动物性食物

铁元素分两种,血红素铁和非血红素铁。前者多存在于动物性食物中,后者多存在于蔬果和全麦食品中,血红素铁更容易被人体吸收。因此,补铁应该首选动物性食物,比如牛肉、动物肝脏、动物血、鱼类等。

植物性食物可作为补铁的次要选择

植物性食物中铁的吸收率比动物性食物低,同时植物中的植酸、草酸等也会影响铁的吸收,因此补铁效果不是很理想。但是一些含铁量比较高的植物性食物,可以作为补铁的次要选择,如黄豆、小米、红枣、桑葚、豌豆苗、芝麻、木耳等。

同时补充维生素C,以促进铁吸收

铁有三价铁和二价铁,而人体肠道对于二价铁(还原态的铁)比较容易吸收,维生素C具有强还原性,能把三价铁还原成二价铁,从而促进机体对铁的吸收,维生素C也是治疗贫血的重要辅助药物。所以,补铁的同时吃些富含维生素C的食物,可促进补铁补血的功效。维生素C多存在于蔬果中,如橙子、猕猴桃、樱桃、柠檬、西蓝花、南瓜等均含有丰富的维生素C,孕妈妈可以在食用补铁食物时搭配吃这些富含维生素C的蔬果或喝一些这些蔬果打制的蔬果汁,都是增进铁质吸收的好方法。

尽可能吃新鲜的蔬菜、水果,因为蔬果贮存越久,维生素C损失越多,如果要保存,尽可能贮存在冰箱里,并且保存时间不要太长。

适当饮用孕妇奶粉,弥补营养不足

孕妇奶粉是在牛奶的基础上添加孕期所需要的营养成分,包括叶酸、铁质、钙质、DHA等营养素,有些孕妇奶粉特别添加了活性BL双歧杆菌,可保护肠黏膜,维持肠道内菌群的繁殖,不容易便秘,营养吸收更好。从营养成分来讲,孕妇奶粉优于鲜奶。从孕中期开始,可适当补充孕妇奶粉,弥补营养不足。但一定要选择大品牌、质量有保证的。

喝些酸奶,促进肠道健康

孕妈妈饮用酸奶可以促进肠道健康,对于上班久坐的孕妈妈来说更加有益,可以防止因为缺少运动而导致的消化不良和脂肪堆积。经过乳酸菌发酵后,酸奶中的肽、氨基酸等颗粒变得微小,游离酪氨酸的含量大大提高,吸收起来也更容易。

适当吃些鱼头

鱼头是鱼身上营养非常丰富的地方,鱼头中含有的与人大脑功能有关的营养物质极为丰富,如卵磷脂、DHA,它们是人脑中枢神经递质乙酰胆碱的重要来源。多摄取卵磷脂、DHA,可增强孕妈妈的记忆、思维与分析能力,还能促进胎儿大脑的形成和发育。

经常更换烹饪用油的品种

我们每天吃的油建议经常更换品种,即一种油吃完就换另外一种油,以保证脂肪酸结构的平衡。另外,植物油性质不稳定,容易氧化变质,所以植物油应该密封保存,尽量不要买太大桶的油,以减少保存时间,保证植物油的质量。

大豆油和菜籽油富含亚油酸、α-亚麻酸,而它们可以合成 EPA(脑白金)、DHA(脑黄金),常吃可以促进胎宝宝的大脑发育。烹饪用油每天最好不超过 25 克,另外,油加热时,刚起薄烟的温度称为烟点,油加热至烟点品质即开始劣化,所以不要反复使用油炸食物。

按照油的烟点选择烹饪方式

豆油

精制豆油烟点一般在 210℃以上,烟点较高,适合炒菜。

花生油

花生油烟点一般在 230℃,适合炒菜,而且香味醇厚,稍放一点就格外诱人。

玉米油

精炼过的玉米油烟点约 232℃,很适合炒菜,稍加热后也可以用于凉拌菜。

菜籽油

适合炒菜,不建议用于煎炸。

多吃防止妊娠斑的食物

在孕期,很多孕妈妈会出现妊娠斑,要防止妊娠斑的出现,除了注意休息和睡眠等以外,还要多喝水、多吃蔬菜和水果,尤其是番茄,含有抗氧化剂番茄红素成分,有很好的抗氧化功效。西蓝花、黄瓜、草莓等富含维生素 C 的蔬菜和水还可以增强皮肤弹性。

多吃促进乳房发育的食物

孕妈妈保护好孕期的乳房,不仅可以让乳房兼顾健康和美丽,还能促进乳汁的分泌,为宝宝出生后提供充足的"口粮"。

黄豆
所含的异黄酮类物质,能有效调节孕妈妈体内雌激素的分泌,有助于保持乳房的美感,延缓乳房衰老。

芋头
含有黏蛋白,对人体的痈肿毒痛有抑制消解作用,对缓解乳房疼痛有很好的效果。

山药
含有黏蛋白可以帮助乳房第二次发育,让孕妈妈的双乳不松不下垂。

番茄
含有番茄红素、维生素C、胡萝卜素、烟酸等,让乳腺保持畅通,守护乳房健康。

补充牛磺酸,促进胎宝宝的视网膜发育

牛磺酸是一种氨基酸,能提高视觉功能,促进视网膜的发育,同时促进大脑生长发育。研究表明,眼睛的角膜有自我修复能力,而牛磺酸能加强这种修复能力,保护眼睛健康。但视网膜中缺少牛磺酸时,就会导致视网膜功能紊乱,不利于胎宝宝视力的发育。建议孕妈妈每天补充20毫克牛磺酸,富含牛磺酸的食物有牛肉、青花鱼、墨鱼、虾等。

轻视加餐

孕期6个月的时候,胎宝宝对营养的需求是孕早期的五六倍,孕妈妈也因此更容易饿,所以除了吃好正餐外,也要重视加餐的质量,少食多餐是此阶段的健康饮食。

用无糖饮料当水喝

很多所谓的无糖饮料,其实是用人造甜味剂(如阿斯巴甜)代替了糖,很多人以为这种饮料会比含糖饮料更健康。然而最新研究表明,如果孕妈妈平均每天喝一罐含人造甜味剂的饮料,早产的几率会增加38%;每天喝4罐以上,早产的几率最高可增加78%。

经常吃快餐

很多西式快餐中含脂肪、糖类较高,而膳食纤维、维生素等相对少,非常不利于身体健康。比如炸薯条属于油炸食品,更不利于健康。另外,吃了快餐食品会暂时降低饥饿感,影响其他食品的进食,从而影响营养素的摄入。

长期高脂肪饮食

长期高脂肪饮食会让体内脂肪堆积,血脂相应升高,影响糖代谢,一旦糖代谢紊乱,会产生大量的脂肪酸,使酮体生成超出自身利用的能力,导致酮体在血液内堆积,以致血中酮体增加超过正常值,尿酮体阳性,引发酮血症,出现严重脱水、唇红、头昏、恶心、呕吐等症状。

马大夫告诉你

"三餐两加餐"为宝宝补充足够的营养

随着胎宝宝的成长,对营养的需求也会增加,孕妈妈要照顾胎宝宝变大的"胃口",为他的成长提供充足的营养,就要养成良好的饮食习惯,坚持"三餐两加餐"的进食原则。三餐,就是早、中、晚餐,定时吃;两加餐,是指两餐之间安排加餐。

1. 早午餐之间,上午10点加一餐,既能补充营养,又能缓解疲劳。

推荐:全麦面包1片+一杯温牛奶/酸奶/鲜榨果汁
坚果7~10克+适量水果(取每天200克中的一部分)

2. 午晚餐之间,下午3点加一餐,补充体力。

推荐:水果、全麦面包、坚果、肉干之类的零食。

另外,如果晚餐到睡前这段时间饿了,也不要硬挺着饥饿,可以适当吃点食物饱腹、暖胃,帮助睡个好觉。

推荐搭配:1/2杯牛奶或1个鸡蛋或一小碗小米粥。

孕6月 生活细节宜忌

孕20~24周做B超大排畸

B超大排畸是通过B超了解胎宝宝组织器官的发育情况，主要排除先天性心脏病、兔唇、多趾、脊柱裂、无脑儿等重大畸形。

一般在孕20~24周做，因为这个时候，胎儿在子宫内的活动空间比较大，图像显影也比较清楚。做早了，结构发育不完全，看不清；做晚了，胎宝宝都长大了，有些结构发育就错过了最佳观察期。

了解B超大排畸并不是万能的

做B超只能筛查重大的结构缺陷，可有的时候孕妈妈在做B超的时候因为胎宝宝的肢体被遮挡，无法完全看清楚，再加上胎位、羊水、机器设备等因素的影响，这些被遮挡部位的畸形也可能发现不了，而且就算排除了这些因素，也还有一些畸形是B超检测不出来的，例如新生儿的耳聋、白内障、外耳畸形等就无法检测出来。

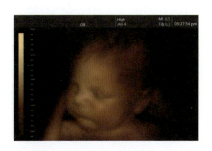

三维彩超是宝宝的第一张照片，孕妈妈可以根据需求来做。

> **马大夫告诉你**
>
> **大排畸选二维、三维还是四维**
>
> 二维彩超、三维彩超、四维彩超的检查结果都是一样的，大排畸检查不一定要用四维彩超，因为三维彩超和二维彩超同样能检查出来。四维彩超就是能看到宝宝的立体图像，有的准爸妈会把四维图像珍藏起来当做宝宝的第一张照片。一般公立医院采用的是二维或三维，私立医院采用四维的比较多，主要看准爸妈们自己的选择了。

做 B 超的时候要把胎宝宝叫醒

B 超大排畸是对胎宝宝头部、脸部、躯干、骨骼等方面进行全面的检查，所以需要胎宝宝最好是活动的状态，这样能便于检查，但有时候胎宝宝并不配合，要么趴着不动，要么就不停地吃着大拇指，看不到嘴唇……很多孕妈妈因为胎宝宝的不配合，需要反复做 B 超。一般胎宝宝睡着的时候孕妈妈最好动一动，轻拍肚子叫醒宝宝，或者做一些安全的小运动，实在不行也可以吃点东西将胎宝宝弄醒。

睡会儿午觉，精神好

怀孕后，孕妈妈的睡眠时间比孕前会多一些，睡个午觉，可以养足精神，有利于缓解孕妈妈的疲劳，还能促进胎宝宝的健康发育。但提醒孕妈妈，孕期睡午觉时间不要太长，控制在 1~2 小时为宜，且睡觉姿势要舒服。

尽量不要更换洁面产品

如果你一直使用性质温和且具有天然成分的洁面产品，就不用更换。因为怀孕后皮肤容易敏感，一时会很难适应新产品。

游泳，锻炼全身

妊娠的第 5 个月，胎宝宝的状况已经比较稳定了，此时孕妈妈可以主动参加适度运动。这样不但能控制体重，还能提高妈妈的抵抗力，改善妊娠中的不适，加强骨盆和腰部的肌肉力量，使宝宝在分娩时容易娩出。游泳是比较好的运动方式，能锻炼全身。

孕妈妈在游泳时，胎宝宝也像进入了游泳的状态，在子宫中漂起来，会跟着变换到比较舒服的姿势，宝宝随之会平静下来。此外，在水中活动的孕妈妈会感到身体轻盈，从而减轻了脚腕和膝盖等部位的肌肉和关节的负担，就连腿部水肿和腰部疼痛也能得到缓解呢。而且，游泳能放松孕妈妈的子宫，锻炼肌肉并强化其心肺功能，这都有助于顺产。

按摩乳房,促进乳腺管畅通

从孕中期开始,孕妈妈的乳腺组织迅速增长,这时做做乳房按摩操,可以缓解胸大肌筋膜和乳房基底膜的黏着状态,使乳房内部组织疏松,促进局部血液循环,有利于乳腺小叶和乳腺导管的生长发育,增加产后的泌乳功能,还可以有效防止产后排乳不畅。

1 挺直腰背,用右手大把握住左侧乳房。

2 将左手手背贴在乳房外侧面,轻轻平推再松开,重复动作3次。

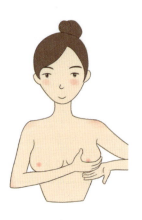

3 将左手掌心向上,用小拇指轻拖乳房底侧,让乳房有弹跳感,重复动作3次。

4 张开左手掌从下面托住乳房,往上推动再松开,重复动作3次。

5 然后,换右侧乳房重复步骤1-4。

睡觉的时候压着乳房

此时孕妈妈的乳房继续增大，乳腺也很发达了。睡觉时要采取适宜的睡姿，不要压着乳房，最好采取左侧卧位。如果睡觉时不小心压到乳房，醒来发现乳房上有黏黏的液体，也不要担心，这很可能是初乳。如果感觉疼痛，可能是乳腺管堵塞，需要及时去医院就诊。

过多刺激乳头

此时乳房会变得很敏感，如果过多地刺激乳房、乳头，容易引起子宫收缩。尤其长时间、反复多次、粗暴地刺激乳头，在怀孕早期或晚期可能会造成流产或早产。因此，孕期性生活时，不要过多刺激乳房。如果乳头凹陷，可以每天向外牵拉几次，但是如果感觉腹部不适，甚至出现腹痛时，就不要再牵拉了。

用含有磨砂颗粒的洗面奶

有的孕妈妈喜欢用含有磨砂颗粒的洁面产品，在强烈的摩擦过程中能感受彻底清洁的快感，殊不知磨砂颗粒会通过机械作用过度刺激表皮，破坏肌肤表面的角质层细胞，所以孕妈妈要减少使用含磨砂颗粒的洁面产品。

久站或久坐

孕妈妈不能长时间站立或坐着，也不能总是躺着。在孕中晚期，要减轻工作量，并且避免长时间一个姿势站立或仰卧。坐时两腿避免交叠，以免阻碍血液的回流。

穿紧口袜

孕妈妈不宜穿紧口袜。医用弹性袜是孕妈妈的理想选择，这种弹性袜以适当压力让静脉失去异常扩张的空间。坚持穿这种袜子，因静脉曲张引起的不适症状，包括疼痛、抽筋、水肿及淤积性皮炎等，都将伴随着静脉逆流的消除与静脉回流的改善而逐渐消除。

孕6月 协和专家会诊室

整个孕期都没有初乳，产后会没奶吗？

马大夫答： 不会的。孕期有少量初乳溢出，那只是部分孕妇会有的现象，不是所有孕妇都有的，只要产后有就可以了。孕妈妈不要为了分泌初乳，在孕期过多刺激乳房，以免引起宫缩。

怀孕6个月了，可肚子还不显怀，需要调理吗？

马大夫答： 每个孕妈妈的情况都是不一样的，有的是前期看着不明显，到了7个多月才慢慢显怀的，只要定期孕检，孕妈妈和胎宝宝都健康就行。

孕期需要补充孕妇奶粉吗？

马大夫答： 孕妇奶粉强化了孕妈妈所需的各种维生素和矿物质，比如钙、维生素D等，可以为孕妈妈和胎宝宝补充较全面的营养，孕妈妈可以适当选用。但是饮食是获取营养的最好途径，孕妈妈仍然要以均衡饮食为根本，适当补充孕妇奶粉。

脐带血的保存有必要吗？

马大夫答： 脐带血是指胎儿娩出、脐带结扎并离断后残留在胎盘和脐带中的血液，通常是废弃不用的。近来研究发现，脐带血是造血干细胞的重要来源。这些干细胞可以代替骨髓干细胞进行移植，治疗很多不治之症，而且疗效好，不良反应小，医疗费用低。因此，脐带血是值得保存的。

冬季皮肤好干，洗澡后皮肤痒痒的、掉白屑，孕期该怎么保护皮肤？

马大夫答： 选择没有刺激性的护肤品，如橄榄油、婴儿油等都不错。每次洗完澡，可以涂抹全身，并且可以在腹部、脸部涂抹防妊娠纹的护肤霜，能让孕期的皮肤也红润有光泽。

孕6月 协和专家会诊室

经常放屁，感觉好尴尬，怎么办呢？

马大夫答： 不用担心，大多数孕妈妈都会有这种情况，怀孕中后期由于子宫扩张，压迫到肠子，使得肠子不容易蠕动，一般消化不良就会总放屁的。建议少吃多餐，多吃新鲜蔬菜、水果类食物，适当运动。

总是爱出汗是怎么回事？

马大夫答： 怀孕后的女性基础代谢率会增高约20%，因此孕妇在孕中期以后，很少会感觉到冷，甚至比男性更耐寒、更容易出汗。不过，如果天气转冷了，孕妈妈要适当保暖，不要穿得过于单薄，以不出汗为宜，以免感冒。

怀孕6个月能游泳吗？

马大夫答： 可以的。妊娠的第5个月以后，胎宝宝的状况已经比较稳定了，此时孕妈妈可以主动参加适度运动。这样不但能控制体重，还能提高孕妈妈的抵抗力，改善妊娠不适，加强骨盆和腰部的肌肉力量，使宝宝在分娩时容易娩出。游泳是比较好的运动方式，能锻炼全身。

宝宝白天的胎动不多，而到了晚上却很频繁？这是为什么？

马大夫答： 每个胎宝宝都是不同的，习惯也不同，只要有规律就成。白天感觉不到胎动，可能是因为忙着做其他事情，而到了晚上对胎动的感觉更明显一些。这是正常的，没问题。

孕6月职场孕妈妈关怀

及时缓解抑郁情绪

职场孕妈妈在繁忙的工作之余,要学会适时自我放松,尽量多休息,以免精神过度紧张,对自身和胎宝宝都不利。可以尝试变换一下发型或衣服等,让自己的心情好起来;在着急、生气时,要自我告诫,胎宝宝在注视着自己呢;向亲朋适当表达自己的情绪和感受,宣泄不良的情绪;适当上上网,浏览一下育儿、早教的频道,逛逛论坛,和其他的孕妈妈交流交流心得;甚至向有过孕育经验的同事或朋友请教,以便让自己在角色转换时不那么焦虑。

选择舒适得体的孕妇职业装

进入孕中期以后,职业孕妈妈由于工作需要,有时要去拜见客户或其他的合作伙伴,但又不想让别人看到自己大腹便便的模样,怎么办呢?可以穿一些品牌的孕妇职业装,既符合职业身份,又不妨碍工作,还很方便舒适,也不会显得身材臃肿。比如,天气不太冷的话,一套能够隐匿身材而又合体舒服的连身裙,就是一个很不错的选择。孕妈妈千万不能穿一些压迫腹部的紧身衣服,这样容易让身体感觉疲劳,还会影响胎宝宝的发育。

职场孕妈妈出差应选在孕中期

职场孕妈妈如果因为工作,需要外出旅行,可以选择在孕中期,即孕4~6月,自然本月也包括在内了,但必须事先做好准备工作。因为孕中期是较安全且理想的旅行时机,怀孕前3个月,孕妈妈由于早孕反应以及出于对胎儿安危的考虑,不宜外出旅行;而在怀孕后3个月又可能会因为身体不舒服或接近临产期,也不宜旅行(我国航空公司规定孕妇怀孕35周后不得搭乘飞机,怀孕32周以上搭乘飞机须有医疗证明)。

PART 7

孕 7 月
数胎动、做糖耐，
降低生产风险

胎宝宝有话说

随着体重的不断增加,我皱巴巴的皮肤也开始变得舒展开来,越来越接近新生儿,我头发的颜色和质地也能够看得见了,尽管它们可能会在我出生后发生变化。

马大夫温馨提醒

从孕28周开始数胎动就成为孕妈妈的一大任务,这是孕妈妈自我监护的一种最好方法,可以根据胎动来监测胎宝宝的情况。

胎宝宝:肺和大脑越来越成熟

胎宝宝的身长约35厘米,体重1000~1200克,约为1个柚子的重量。脑组织开始出现皱缩样,大脑皮层已很发达,肺部也开始迅速发育,肺泡已经开始成熟,呼吸状况越来越好。胎宝宝的四肢已经相当灵活,可在羊水里自如地"游泳",胎位不能完全固定,还可能出现胎位不正。

孕妈妈:可能遭遇静脉曲张

孕妈妈腹部变得更大,子宫也增大了许多,如足球般大小,宫底高度恰好在脐上1~2指,可能会压迫到下腔静脉的回流,所以,孕妈妈容易出现静脉曲张,从而引发下肢水肿,预防的最好办法是避免长时间站立或行走,休息时要把脚垫高,以利于下肢静脉血回流。

马大夫告诉你

进入围产期,预防早产

妊娠第28周,就进入了围产期。所谓的"围产期",是指怀孕28周到产后1周这一分娩前、中、后的重要时期。这段时期对妈妈和宝宝来说是容易出现危险的时期,少部分孕妈妈可能出现某些并发症,对自身及胎儿的安全构成威胁。如果能够做好围产期的保健工作,可降低孕妈妈及胎儿的发病率和死亡率,帮助孕妈妈及胎儿平安度过这一时期。

孕 7 月 饮食宜忌

五谷豆类，粗细混搭，每天至少吃 4 种

孕妈妈每天宜摄入多样的食物种类，可确保膳食结构的合理性和营养的均衡性，避免饮食单一对母体和胎儿的不利影响。

1 种面食

玉米面、小麦面、荞麦面、燕麦面、豆面等面食类，任选其中 1 种，如：荞麦面条、玉米面窝头等。

1 种豆类

孕妈妈可选择红豆、黑豆、青豆、绿豆等其中 1 种，如：红豆粥、绿豆糕等。

2 种米食

孕妈妈可在米类中选择其中 2 种食用：小米、黑米、大米、高粱米、糯米等，如：小米粥、黑米粥。也可以粗细粮搭配吃，如：燕麦和大米做成的米饭、小米与大米熬的粥等。

1 种面食 +1 种豆类 +2 种米食

水果每天任选 2 种，蔬菜至少 4 种

水果中含有丰富的维生素、膳食纤维等营养物质，孕妈妈每天宜摄入低糖类新鲜水果 100~200 克。有些水果带有天然酸味，且含有较多的维生素 C、果胶，比如橙子、橘子、柚子等，非常适合口味喜酸的孕妈妈。

蔬菜中含有丰富的膳食纤维、矿物质和维生素，孕妈妈每天宜摄入蔬菜 300~500 克。其中，绿色蔬菜、黄色蔬菜、红色蔬菜、黑色蔬菜等有色蔬菜营养更加丰富，宜多食用。

肉类每天至少 1 种

肉类是蛋白质、维生素及各种矿物质的良好来源，孕妈妈每天宜摄入 50~75 克的肉类。孕妈妈也可经常吃一些新鲜的海产品，如鱼肉、虾皮。

蛋类每天 1 种

蛋类是天然的含优质蛋白质的食品，且含有丰富的 B 族维生素、叶酸及脂溶性维生素，孕妈妈每天可选任何一种蛋类食用，如鸡蛋、鸭蛋、鹌鹑蛋、鹅蛋等。制作蛋类时，最好不要油煎，做成蛋羹或直接煮着吃最好。

每天来点奶及奶制品

牛奶、羊奶等奶类，具有营养成分齐全、易消化吸收的特点，它含有丰富的蛋白质、维生素 A、维生素 B_2 及钙、磷、钾等多种矿物质，是孕妈妈膳食中钙的最佳来源。从孕中期开始，孕妈妈每天宜摄入 500 毫升的牛奶。喝奶后腹泻的孕妈妈，可选择饭后喝或改为喝酸奶，也可以食用奶酪等奶制品，能够补充同样的营养。

豆制品来 1 种

豆制品如豆腐、豆浆、豆皮等含有丰富的植物性蛋白质、B 族维生素及矿物质等，孕妈妈每天宜摄入 50~100 克的豆制品。此外，孕妈妈选择豆制品时，宜排除豆泡、炸豆腐等，因为这类豆制品在加工过程中可能添加了过多化学成分，且含有较多脂肪和盐分，对孕妈妈健康不利。

每天任选 1 种坚果，一掌心的量就够

花生、腰果、核桃、葵花子、开心果、杏仁等坚果类食品，孕妈妈每天可选择其中一种食用。坚果类富含多种不饱和脂肪酸、维生素 E 和锌，可促进食欲，帮助排便，对孕期食欲缺乏、便秘都有好处。但是坚果类油性比较大，而孕妇的消化功能相对较弱，过量食用很容易引起消化不良，每天一掌心的量就足够了。

1 掌心瓜子仁 =10 克　　1 手掌心的花生米 =20 克

适量食用花生，预防产后缺乳

花生含有钙、磷、铁等，还含有维生素 A、B 族维生素、维生素 E、维生素 K 以及卵磷脂、精氨酸、胆碱和油酸、脂肪酸、棕榈酸等。孕妈妈常吃花生能够预防产后缺乳，而且花生衣中含有止血成分，还能提高血小板量，改善血小板质，加强毛细血管的收缩功能。

宜吃香蕉、牛奶、海鱼等缓解郁闷情绪

孕妈妈要谨防孕期抑郁症，可以吃些让心情愉快的食物来缓解郁闷情绪。香蕉含有生物碱物质，可以振奋精神和提高信心，而且香蕉是色氨酸和维生素 B_6 的良好来源，这些都可以帮助大脑制造血清素，缓解精神压力。

牛奶有镇静、缓和情绪的作用，尤其对经期女性特别有效，可以帮她们减少紧张、暴躁和焦虑的情绪。而且牛奶中的钙质人体最容易吸取，是孕妈妈平时补钙的主要食品。

海鱼体内含有一种特殊的脂肪酸，与人体大脑中的"开心激素"有关，吃海鱼较多的人，大脑中"开心激素"水平就较高，使人神清气爽，心情开朗。而且海鱼还含有丰富的蛋白质和 DHA。

吃些含钙食物，预防腿抽筋

此时胎宝宝对钙的需求量增大，孕妈妈体内缺钙，不仅影响宝宝健康，自身还会出现腿抽筋、牙齿松动等情况。为了避免这些情况，建议孕妈妈每天至少喝 2 杯牛奶（500 毫升），同时要增加户外运动，多晒太阳，使体内产生更多维生素 D，促进钙的吸收。

膳食纤维过量

膳食纤维的摄入量,每个孕妈妈应当根据自己的具体情况来定,若摄入过多,会加速肠蠕动,缩短食物在体内停留的时间,这样可能造成大量的营养物质来不及被身体吸收就排出体外,不利于孕妈妈和胎儿的营养补充。此外,过多摄入膳食纤维还容易引发腹胀等症。

过多食用动物性脂肪

动物性脂肪含有大量的饱和脂肪酸,多吃容易引起肥胖,还会影响其他营养素,如维生素、矿物质元素的吸收,不利于孕期健康。所以孕妈妈要适当控制动物性脂肪的摄取。

进食容易产气的食物

孕妈妈如果有较严重的胃酸反流情况,则应避免吃甜腻的食品,应以清淡饮食为主,可适当吃些苏打饼干、高纤饼干等中和胃酸。由于子宫增大,胃被挤压,容易反胃,要应避免吃易产气的食物,如汽水、豆类及其制品、油炸食物、太甜、太酸的食物等。

过多摄入碳水化合物

孕妈妈在孕期要保证碳水化合物的摄入,保证每天摄入130克,否则会出现低血糖、头晕、乏力等症,同时也会影响胎宝宝的发育。但是孕妈妈摄入碳水化合物的量也不宜过多,否则会导致体内储存多余的糖分,进而引起血糖升高等症,对孕妈妈和胎儿健康都不利。

过量食用鱼肝油

鱼肝油能补充身体所需的维生素A和维生素D,孕妈妈可以适量吃些鱼肝油,其中所含的维生素D可以帮助人体对钙和磷的吸收,但要注意摄入量。

如果孕妈妈体内积蓄过多的维生素D,会引起胎宝宝主动脉硬化,影响胎宝宝的智力发育,导致肾损伤及骨骼发育异常等。鱼肝油所含的维生素A,能保护视力,可以缓解孕期眼睛干涩,还能促进胎宝宝发育,但是如果服用过量维生素A,容易出现食欲减退、头痛及精神烦躁等症状。所以,孕妈妈服用鱼肝油要适量,最好听医生的建议服用。

盲目喝孕妇奶粉

孕妇奶粉对孕妈妈补充营养、增强体质有帮助,以现在的饮食水平,都能满足孕期营养,不是必需要靠孕妇奶粉补充营养。如果要喝,首先要控制量,如果既喝牛奶、酸奶,又吃其他奶制品还补充孕妇奶粉,会增加肾脏负担,影响肾功能。

> **马大夫告诉你**
>
> 选购孕妇奶粉的时候,一定要选择大厂家生产的品牌孕妈妈配方奶粉,看好保质期,开封后记好开盖日期,因为奶粉开盖后保质期仅三周。

忽略补锌

孕妈妈缺锌容易造成难产,所以孕期最好通过食物补锌,如牡蛎、鱼、瘦肉、蛋、奶、花生、核桃、芝麻、大豆等,都是补锌的可靠来源。

过量吃荔枝

荔枝食用过量容易让孕妈妈出现便秘、口舌生疮等上火症状,而且荔枝含糖量高,容易引起孕期糖尿病,所以孕期尽量不吃或少吃荔枝。

核桃不仅能帮助孕妈妈补锌,还有助于预防妊娠纹。

阿胶补血不分孕期

中医认为,阿胶有滋阴补血、安胎的作用,但是进补时间要讲究。体质偏寒的孕妈妈在孕中期可以适当吃阿胶,能起到补血安胎、增强体质等功效。但是,阿胶又有活血作用,处于不太稳定的孕早期也不建议吃阿胶。同时孕晚期,也不宜吃阿胶,避免引起宫缩。

孕期补阿胶宜忌:
- 忌 孕早期 活血易致流产
- 宜 孕中期 补血安胎
- 忌 孕晚期 易引起宫缩

孕7月 生活细节宜忌

通过胎动判断胎宝宝的宫内情况

孕妈妈现在感觉到的胎宝宝在子宫内的翻转、拳打脚踢等活动就是胎动的体现,胎动是胎宝宝在子宫内健康情况的一个指标。因此,从孕28周开始数胎动就成为孕妈妈的一大任务,这是孕妈妈自我监护的一种最好方法,可以根据胎动来监测胎宝宝的情况。

胎动出现时间

正常妊娠18~20周开始,孕妇会感到明显的胎动。

不同时期胎动的情形

早期胎动间断出现、幅度小、时间短、频率快;随着胎龄的增加,每次胎动时间延长、胎动频率相对减慢。

胎动的周期性

孕中期胎动不是很明显,到了孕晚期,随着胎儿睡眠周期变得规律,胎动的周期性也更为明显,一般晚上(20:00~23:00)胎动最多,上午(8:00~12:00)胎动较均匀,下午(14:00~15:00)胎动最少。

> **马大夫告诉你**
>
> **胎动异常**
>
> 孕妈妈计算出的12小时内的平均胎动数如果小于20,就属于胎动异常。另外,存在以下几种情况时,也属于胎动异常:
>
> 1. 孕妈妈连续计数6小时,其中每小时的胎动次数都小于3。
> 2. 胎动较平时明显增多,后来却明显减少。
> 3. 胎动突然变得剧烈或胎动的幅度突然显著增大,后来又大幅度变小。
> 4. 第二次记录的胎动数与前一次记录的数值相比,减少了一半。
>
> 如果出现以上胎动异常情况,建议及时就医。

通过胎动记录找出自己的胎动规律

不同的孕妈妈计算胎动的方法以及对胎动的感觉存在差异,且每个胎儿胎动也具有差异性,孕妈妈如果想更准确地掌握自己胎宝宝的胎动规律,就需要从孕28周开始,正确记录每天的胎动,细心观察,经过一段时间的记录,孕妈妈可通过记录来找出胎宝宝的胎动规律和特征。

孕 24~28 周，要做妊娠糖尿病筛查

妊娠糖尿病是指怀孕前未患糖尿病，而在怀孕时才出现高血糖的现象，发生率为10%~15%。多数妊娠糖尿病患者没有出现多饮、多尿、多食的"三多"症状，有的可能会有生殖系统念珠菌感染反复发作。

筛查的过程

50 克葡萄糖试验
筛查前空腹12小时（禁食禁水），医院会给你50克口服葡萄糖粉，将葡萄糖粉溶于200毫升温水中，5分钟内喝完，喝第一口水开始计时，服糖后1小时抽血查血糖。

→ 如果1小时血糖值≥7.8毫摩尔/升，需要进一步做75克糖耐量试验（OGTT）确定

75 克糖耐量试验
空腹12小时（禁食禁水），先空腹抽血，然后将75克口服葡萄糖粉溶于300毫升温水中喝，1小时、2小时、3小时后分别抽血测血糖

诊断结果
以下4项数值中有2项或2项以上达到或超过正常值，你就是"糖妈妈"了，仅1项高于正常值，为糖耐量异常：
空腹：5.6毫摩尔/升
1小时血糖：5.1毫摩尔/升
2小时血糖：10.0毫摩尔/升
3小时血糖：8.5毫摩尔/升

如果1小时血糖值＜7.8毫摩尔/升，那么恭喜你通过了检查，没有妊娠糖尿病的可能

做糖筛之前需要做的准备

1. 糖筛的前一天，要清淡饮食，适当控制糖分的摄入，但也不要过分控制，否则反映不出真实情况。
2. 检查的前一天晚上8点以后不要进食、喝水。

让筛查顺利通过的窍门

在做糖尿病筛查前，要先空腹12小时再进行抽血，也就是说孕妈妈在产检的前一天晚上8点以后应禁食。检查当天早晨不能吃东西、喝饮料、喝水，喝葡萄糖粉的时候，孕妈妈要尽量将糖粉全部溶于水中。如果喝的过程中洒了一部分糖水，将影响检测的准确性，建议改天重新检查。

读懂糖尿病筛查单

2008810885	中国医学科学院 北京协和医学院		北京协和醫院		检验报告单	Glu(50g, 1h) 病案号 1879423	
产科门诊							
姓 名		年 龄	39 岁	性 别	女	ID号	40306558
科 别	产科门诊	诊	妊娠状态	样 本	血	样本号	20141217AUA016
英文	中文名称			结果		单位	参考范围
1 Glu[50g,1 葡萄糖[50g,1小时]				9.4		↑ mmol/L	<7.8

● **葡萄糖【50 克，1 小时】（Glu）**

孕妈妈口服 50 克葡萄糖，溶于 200 毫升水中，5 分钟内喝完。从开始服糖计时，1 小时后抽微量血或静脉血测血糖值，血糖值≥ 7.8 毫摩 / 升，为葡萄糖筛查阳性，应进一步进行 75 克葡萄糖耐量试验（OGTT）。

马大夫告诉你

血糖控制不好就要采用胰岛素治疗

如果血糖控制得不好，就需要加用胰岛素了。胰岛素不会通过胎盘，对胎宝宝没有影响。生完宝宝可以停用胰岛素，否则会对胰岛素产生依赖。需要提醒各位孕妈妈的是，注射胰岛素期间，孕妈妈一定要合理饮食，不吃含糖量高的食物。

糖筛高危要做糖耐量检查

如果孕妈妈做完糖筛结果显示高危，并不能说明就患有妊娠期糖尿病，还需进行糖耐量检查以确诊。此外，糖筛结果正常的孕妈妈不必要再做糖耐量试验，但也要注意控制增重速度，做到均衡饮食、规律运动。

括约肌锻炼助顺产

括约肌锻炼可以加强肌肉的韧性，减少分娩时会阴撕裂与侧切，还可以延缓孕妈妈盆腔内器官的老化。

具体方法：

1. 孕妈妈绷紧阴道、肛门部位的肌肉，每次坚持8~10秒，每天做200次。

2. 孕妈妈也可以在小便时试着停一下憋几秒尿，使肌肉收缩，以达到锻炼括约肌的目的。

做做脸部按摩，让脸色健康红润

孕期血管敏感，遇热易扩张，遇冷收缩快，破坏毛细血管导致脸变得红红的，出现细细的红血丝。经常做做脸部按摩，有助于舒缓面部神经，促进脸部血液循环，让脸色健康红润。

选择最舒适的站姿

有些仍然在上班的孕妈妈，可能站立的时间比较多，此时要选择一种让身体最舒适的站姿——收缩臀部时，能感受到腹腔肌肉支撑脊椎的感觉。长时间站立时，经常把重心从脚趾移到脚跟，从一条腿移到另一条腿，帮助促进血液循环，减轻水肿。

俯身弯腰时要轻要慢

进入孕7月，胎宝宝体重给孕妈妈脊椎造成的压力更大，并引起背部疼痛。因此，孕妈妈弯腰时要轻、要慢，尽量避免俯身弯腰。如果要捡地上的东西，俯身时要缓慢地向前，首先屈膝将全身重量分配到膝盖上。

经常和准爸爸聊聊天

孕妈妈要经常和准爸爸聊聊心里话，把自己开心的、焦虑的、担心的心情分享出来，不仅能减少孕妈妈的心理压力，还能增进夫妻感情。此时准爸爸也要给予耐心，细心倾听与开导。

双手指腹按压太阳穴以及耳朵的周围，缓缓向上提拉按摩。

把早产征兆当成假性宫缩

在妊娠36周前,早产的初期宫缩与假性宫缩很难区别开来,从安全方面考虑,孕妈妈不能自行判断是早产征兆还是假性宫缩,出现以下几种情况时需要及早就医检查:

1. 孕妈妈出现频繁且有规律的宫缩,并伴有疼痛,一般在1小时内出现4次及以上的宫缩。如果宫缩频繁且有规律,但孕妈妈没有疼痛感,这时也要去医院检查。

2. 孕妈妈阴道分泌物有变化,如分泌物变黏稠、变稀或有血丝等都需要就医。

3. 孕妈妈腹部下坠感明显,且伴有后腰疼痛的症状。尤其是以前没有腰痛的孕妈妈,这时候感觉非常明显。

完全不用抗生素

如果孕妈妈不慎得了某种感染性疾病,却因为害怕影响胎宝宝的正常发育而拒绝服用抗生素,扛着不治,反而会对胎宝宝更加有害。

其实,只要遵照医嘱,正确选择和使用抗生素,是能够既把孕妈妈的疾病治好,又不影响胎宝宝健康的。

突然吹空调或电扇

如果孕期正好赶上炎热的夏季,借助风扇或空调降温是必要的,但是要注意,不要在大汗淋漓的时候突然吹电扇或空调。因为当全身毛孔疏松汗腺大开的时候,很容易让风邪乘虚而入,轻者伤风感冒,重者可能引起发烧,不利于胎宝宝成长发育。

马大夫告诉你

什么是早产

早产是指怀孕满28周,但未满37足周就把宝宝生下来了。早产的宝宝各器官还发育得不够成熟,独立生存的能力较差,称为早产儿。早产可能对宝宝造成以下危害:

1. 早产儿各器官发育不成熟,功能不全,如宝宝的肺不成熟,肺泡表面缺乏一种脂类物质,不能使肺泡很好地保持膨胀状态,导致宝宝呼吸困难、缺氧。

2. 宝宝的吸吮能力差,吞咽反射弱,胃容量小,而且容易吐奶和呛奶。吃奶少,加上肝脏功能发育不全,容易出现低血糖。

3. 体温调节功能弱,不能很好地随外界的温度变化而保持正常的体温,多见体温低等。

穿过紧的内裤

孕期盆腔血流量增加，会导致静脉内的压力增大，加上增大的子宫对经脉的压迫，造成外阴部发生静脉曲张，表现为外阴部肿胀、局部发红、走路时外阴疼痛。因此，孕妈妈要选择宽松的纯棉内裤，如果也要选择宽松的长裤。

家中铺地毯

地毯装饰看起来很美观，但是存在着很多健康隐患。地毯是螨虫滋长的乐园，螨虫排泄出的小颗粒极易被孕妈妈吸入引发过敏性哮喘。

忽视指甲变薄

如果某天孕妈妈发现自己的指甲变薄而且易断，一定要引起重视，如果伴随疲劳、头晕、心悸、脸色苍白等症状，可能是贫血了，要及时去医院检查。

总担心自己变丑

走形的身体、脸上的妊娠斑、身上的妊娠纹，很多孕妈妈担心这就是今后自己的常态，非常苦恼。此时，孕妈妈一定要注意调节自己的心情，这种焦虑长期发展很容易变成产后抑郁。其实，孕妈妈也不用担心，身体的"丑化"是孕激素引起的，一般进行科学的产后恢复，还是会变成产前那个漂亮的自己，而且多了一份为人母的韵味。

运动后马上睡觉

适量运动有助于孕妈妈身体健康和生产，但运动过后要有充分的放松时间，不要马上睡觉。研究表明，运动后马上睡觉，不仅起不到休息的作用，还影响睡眠质量。因此，孕妈妈运动最好安排在上午或者下午4点左右，这两个时间段人的精力比较充沛，不宜睡前运动。

穿系带的鞋子

随着月份的增大，肚子的负担越来越大，孕妈妈应选择穿脱方便、没有鞋带，站着就能穿好的平底鞋，减少俯身弯腰的麻烦。为了稳妥，穿鞋时最好坐在椅子上，或者买一个长柄的鞋拔子，掌握平衡比较安全。另外，不穿带鞋带的鞋子，也能避免鞋带散开后被搬到。

用发泡地垫

铺上发泡地垫，走起来会比较舒服，但可能是空气污染的源头。抽查显示，发泡地垫很难做到百分百无甲醛，多少都会缓慢地释放出甲醛，可能对普通健康人不构成威胁，但是孕妈妈比较特殊，建议不要使用。

孕7月 协和专家会诊室

孕中期每次产检都要监测胎心，为什么还要自己数胎动？

马大夫答：孕妈妈自己监测胎动，可以对腹中的胎儿多一层安全保护。因为孕期定期到医院检查是暂时性的、间断性的，不是动态的、连续的观察，只能反映检查当时胎儿的情况。如个别胎儿出现突发异常情况，定期检查就无法及时发现，错失抢救机会。

孕期可以使用腹带吗？

马大夫答：孕妈妈可在医生的建议下决定是否需要使用腹带。腹带有松紧之分，过松的腹带无法起到托腹效果，而过紧的腹带对胎儿发育不利。存在以下情况的孕妈妈需要使用腹带：1）腹壁发木、颜色发紫；2）胎儿过大；3）双胞胎或多胞胎；4）悬垂腹，严重压迫耻骨；5）有严重的腰背疼痛；6）用来纠正胎位不正；7）腹壁肌肉松弛的经产妇。这些孕妈妈使用腹带时，也要在医生指导下进行。

总是睡不好觉怎么办？

马大夫答：1）为自己创造一个良好的睡眠环境；2）睡前2小时内不要吃不易消化的食物；3）睡前半小时喝一杯牛奶；4）睡前可以适当听听音乐、散散步，定时上床睡觉；5）每天晚上洗个温水澡或用热水泡脚；6）最好能保持左侧卧的习惯，以促进血液回流，减轻心脏负担，提高睡眠质量；7）放松心情，白天适当进行如散步、做孕妇操等适度活动，也可减轻紧张情绪，提高睡眠质量。

老人都说胎儿是七活八不活，是这样吗？

马大夫答：这种认识是没有科学依据的。现在医学界认为，胎儿在子宫内待的天数越多，存活可能性越大。正常孕妈妈怀孕35周以后，胎儿出生存活率可能性很大。而患有妊娠高血压综合征或者胎儿子宫内发育迟缓等特殊情况，胎儿出生后存活率另当别论。随着现代医学的发展，早产儿的存活率大大提高了，孕妈妈不要轻信这种说法。

PART 8

孕8月
预防妊娠期高血压

胎宝宝有话说

我可以完全睁开眼睛了,我已经能够分辨出光亮和黑暗了,我发现了一个奇妙的东西,那就是光线。爸爸妈妈,我真是太高兴了,我能感受到每天早上太阳缓缓地升起,能够嗅到太阳的味道。

马大夫温馨提醒

血压是整个孕期都需要监测的重点,孕 32~34 周,孕期水肿的发生率很高,因此要格外注意排查水肿,预防妊娠高血压综合征的发生。

胎宝宝:会控制自己的体温了

孕 8 月末期,胎宝宝的身长 41~44 厘米,体重 1600~1800 克。胎宝宝的大脑中枢神经已经成熟到可以控制自己的体温,皮肤的触觉已发育完全,皮肤由暗红变成浅红色。男宝宝的睾丸这时正处于从肾脏附近的腹腔,沿腹沟向阴囊下降的过程中;女宝宝的阴蒂已突现出来,但并未被小阴唇所覆盖。

孕妈妈:正式进入孕晚期

从现在开始,孕妈妈正式进入孕晚期,孕妈妈的肚子越来越大,子宫内的活动空间越来越小了,时而会感到呼吸困难。妊娠水肿可能会加重,阴道分泌物增多,排尿次数也更频繁了;还可能会出现失眠、多梦,进而加重紧张和不安。

马大夫告诉你

出现不规则宫缩

孕妈妈时常会觉得肚子一阵阵发硬、发紧,这是不规则宫缩,不必紧张。不过,孕妈妈不要走太远的路,站立的时间也不要过长。这时的孕妈妈会感觉疲劳,行动不便,食欲也会因胃部不适而有所下降。不过孕妈妈还是要适当活动。

孕8月 饮食宜忌

控制体重增长，每周最多增加 0.5 千克

整个孕期，孕妈妈体重增长 12.5 千克，基本符合正常要求，而孕晚期每周要求最多增加 0.5 千克。如果孕期孕妈妈体重增长超过 15 千克，不仅会增加妊娠高血压等并发症的风险，也会增加孕育巨大儿的风险，同时造成难产等。因而孕妈妈要注意控制体重增长，热量的摄入要适中，避免营养过量、体重过度增加。

孕晚期蛋白质的每日摄入量要增加至 85~90 克

孕晚期是胎宝宝发育最快的时期，每日蛋白质的摄入量要增加到 85~90 克为宜。如果蛋白质摄入严重不足，也是导致妊娠高血压综合征发生的危险因素，所以孕妈妈每天都应摄入充足的蛋白质，并注意摄入优质蛋白质，可通过瘦肉、蛋类、豆类及豆制品等食物补充。

蛋白质要以植物性食物为主要来源

一般动物性蛋白质的必需氨基酸种类齐全，比例合理，易消化、吸收和利用，但是对于孕晚期需要控制体重、避免营养过剩的孕妈妈来说，蛋白质的摄取应以植物性食物为主，但是并不等于完全不能摄入动物性蛋白质，可以适当选择高蛋白、低脂肪的鱼、禽肉、瘦肉等。植物性食物如谷类、豆类、坚果类等都是蛋白质的好来源。

面粉100克 薏米100克 小米100克	+	罗非鱼100克	+	鸡胸肉100克	+	黄豆50克

以上为一日膳食蛋白质的主要来源，共计约88克。不足部分的补充蔬菜、水果、薯类等。

孕妈妈需注意的是，在植物性食物中，米、面粉所含蛋白质缺少赖氨酸，豆类蛋白质则缺少蛋氨酸，它们单独食用无法提供全部的必需氨基酸，但混合食用可实现互补。例如在米面中适当加入豆类，可明显提高蛋白质的营养价值及利用率。

多食含铜量高的食物,预防胎膜早破

与锌一样,铜也是人体不可缺少的一种微量元素。据医学研究发现,胎膜早破产妇的血清铜值均低于正常破膜的产妇,这说明胎膜早破可能与血清铜缺乏有关。因此孕妈妈要补充足量的铜,避免发生胎膜早破,减少新生儿感染的概率。

含铜丰富的食物有,口蘑、海米、榛子、松子、花生、芝麻酱、西瓜、核桃、猪肝、黄豆及豆制品等,孕妈妈可选择食用。

> **孕妈妈经验分享**
>
> **控制食盐摄入的妙招**
>
> 1. 使用葱、姜、蒜、醋等代替盐,提高菜品口感。
> 2. 利用番茄和柠檬这些气味浓郁的蔬菜和水果来调味。
> 3. 煮汤时多放菜,也可以使汤中的盐分减少。
> 4. 尽量少吃快餐和饼干,这些食物中含有较高的钠。

继续补钙和铁

孕晚期,孕妈妈需要继续补充钙和铁。钙能促进胎儿的骨骼和牙齿发育,还可以帮助孕妈妈预防缺钙及妊娠高血压综合征;铁可以预防孕妈妈贫血。奶及奶制品、虾皮、豆类及豆制品、芝麻等食物中含有丰富的钙质。动物肝脏、动物血、瘦肉、蛋黄、海带、紫菜、木耳等食物中铁含量较高。

注意控制盐分和水分的摄入,预防水肿

盐中所含的钠会使水分潴留体内,成为水肿、高血压、蛋白尿等妊娠高血压疾病的诱因。为了预防这些疾病,孕妈妈饮食要清淡,要多吃蔬菜、蘑菇等清淡的食物。而且这时候要减少盐分,也要避免在外就餐。

吃些紫色食物,保护胎宝宝的心脏

紫色蔬菜中含有一种特别物质——花青素。对于孕妈妈来说,花青素是帮助防衰老的好帮手,其良好的抗氧化能力,还能帮助调节自由基。常见紫色蔬菜有蓝莓、紫洋葱、紫玉米、紫秋葵、紫甘蓝等。

适当吃些猪血,预防胎宝宝贫血

猪血味咸性平,具有理血祛瘀、解毒清肠等功效。猪血含有蛋白质、脂肪、碳水化合物、维生素、钾、钙、磷、铁、锌、钴等,特别是含铁丰富,而且以血红素铁的形式存在。铁是造血所必需的重要物质,孕妈妈膳食中要常有猪血,既防治缺铁性贫血,又增强营养,对身体大有裨益。

重视痔疮，加速排便

孕妈妈由于子宫压迫等原因，会使得直肠下段和肛门周围的静脉充血膨大而形成痔疮。另外，孕期肠胃蠕动减慢而容易出现便秘，排便困难、腹内压力增高，也是促发痔疮的重要原因。可以吃这些食物来预防和缓解痔疮。

黑芝麻

富含维生素E和铁，可以促进血液循环，防止因为淤血所造成的痔疮。

无花果

《本草纲目》记载：无花果有辅助调养各种痔疮的功效。无花果富含膳食纤维和蛋白质分解酶，能够刺激肠道，使排便顺畅，避免因便秘加重痔疮。

紫菜

含有丰富的胡萝卜素、维生素、钙、钾、铁，能促进肠胃运动。

槐花

新鲜槐花可以做凉菜、包饺子，具有凉血、止血、消痔的功效，亦可代茶饮。

增加膳食纤维，预防孕中晚期便秘

孕妈妈可在饮食中适量增加富含膳食纤维的食物，能促进肠道蠕动、保护肠道健康、预防便秘。膳食纤维还能帮助孕妈妈控制体重，预防龋齿，预防糖尿病、乳腺病、结肠癌等多种疾病。

蔬果、粗粮、豆类都含有丰富的膳食纤维，常见食物来源有银耳、木耳、紫菜、黄豆、豌豆、荞麦、魔芋、绿豆、红枣、玉米面、燕麦、石榴、猴头菇、桑葚、黑米、芹菜等。建议孕妈妈每天摄入25克左右的膳食纤维，要摄入这25克膳食纤维，孕妈妈每天大约吃60克魔芋、50克豌豆和75克荞麦馒头就够了。

盲目大量滥补维生素

孕妈妈怀孕后适当补充某些维生素有利于胎儿的生长发育,但是千万不可滥补,一定要在医生叮嘱下安全服用,否则会造成严重不良后果。

大量服用维生素A,容易造成宝宝唇裂、腭裂、耳、眼部及泌尿道缺陷;过量服用维生素D则可引起胎儿高钙血症;过量或长期服用维生素B_6,胎儿就容易对它产生依赖,出生后易兴奋、哭闹不安、易受惊、眼球震颤、反复惊厥;过量摄入维生素C则会影响胚胎发育;过量服用维生素E可造成新生儿腹痛、腹泻和乏力。

补充膳食纤维又不爱喝水

孕妈妈在食用含膳食纤维丰富的食物后,一定要多喝水,孕期宜每天至少喝1500毫升的温水,这样才能发挥膳食纤维的功效。因为膳食纤维会吸收肠道内的水分,如果肠内缺水就会导致肠道堵塞,严重时出现其他肠道疾病。特别是有便秘症状的孕妈妈,补充膳食纤维的同时更需多喝水,否则便秘症状有可能加剧。

常吃生的凉拌菜

孕期由于胎儿生长发育的特点,很多孕妈妈的代谢旺盛,体内产生的热量较高,用中医的说法是内热较重。此时喜欢吃生的凉拌菜,但生的蔬菜容易含有细菌病毒,清洗不干净,还会含有农药,所以还是尽量吃熟的蔬菜,少吃生的凉拌菜。

吃致敏食物

怀孕后,胎盘屏障保护功能降低,使过敏原更容易通过,而胎儿免疫系统刚开始发育,因此,孕期保护胎儿避免过敏原,就有可能推迟婴儿出现过敏症状。有过敏体质的孕妈妈会对某些食物过敏,因此对于花生、鱼、虾、蟹、贝壳类容易引起过敏的食物要尝试性接触,以防过敏。

用豆制品替代牛奶

有的孕妈妈不喜欢喝牛奶就用豆类及豆制品来替代,实际上这种做法是不可取的。牛奶是补钙的良好来源,但豆类含钙量有限,如果再加工成豆制品,含钙量相对会减少。

喝糯米甜酒

有的地方有"喝糯米酒,补母体壮胎宝"的说法,是没有科学依据的,不建议孕妈妈尝试。而且,糯米发酵成酒后尽管酒精含量很少,但是也可以通过胎盘进入胎宝宝体内,阻碍胎宝宝大脑细胞分裂,可能会导致智力低下、器官畸形等。

过量吃葡萄

葡萄有利尿、补血、消除疲劳、促进食欲的功效,但同时葡萄含糖量较高,葡萄中的葡萄糖会直接被人体吸收,过量食用容易造成热量急剧增高。吃完葡萄后不宜立刻喝水,否则容易引起腹泻等症状。

饭后马上吃水果

刚吃完饭,食物在胃中还没有消化,此时吃水果会阻碍胃对水果的消化,而产生积滞。如果水果在胃中积滞的时间过长会发酵产生气体,引起腹胀、腹泻或便秘,不利于孕期健康。

吃马齿苋

马齿苋是一种常见的野菜,被称为"长寿菜",但是孕妈妈不宜食用。明代李时珍认为,马齿苋"散血消肿、利肠滑胎",现代临床实验也显示,马齿苋会让子宫平滑肌收缩,对子宫有明显的兴奋作用,易造成流产。

如果无意间吃了少量马齿苋,又没有出现明显宫缩及其他异常状况,不用过于担心,注意观察几天即可。如果是大量食用造成不适,要立即就医。

分娩前,如果宫缩无力胎儿不易娩出,可以用马齿苋煮粥吃,帮助生产。将择洗干净的马齿苋用沸水焯一下,切碎加米煮成粥,放少许盐调味即可。

用红薯当主食单一食用

红薯可以作为主食的替代品,但是不宜单一食用,即只吃红薯。红薯食用不当很容易导致腹胀、胃灼热、泛酸、胃疼,所以最好是大米、馒头等搭配红薯作为主食。如果单一食用红薯,可以搭配蔬菜,这样有助于减少肠胃不适。

孕8月 生活细节宜忌

预防妊娠高血压

妊娠高血压发生率约5%，表现为高血压、蛋白尿、水肿等，称之为妊娠高血压综合征。孕妈妈要注意预防妊娠高血压综合征，一旦患病要积极治疗，以免引发先兆子痫。血压是整个孕期都需要监测的重点，孕32~34周，孕期水肿的发生率很高，因此要格外注意排查水肿，预防妊娠高血压综合征的发生。

排查异常水肿

孕中晚期，孕妈妈会出现腿脚水肿，如果是凹陷性水肿，即用手指按压后被按压处出现一凹陷，但不严重，凹陷复原快，休息6~8小时后，腿脚水肿消失，那么无须就医。但如果腿脚水肿严重，指压时出现明显凹陷，恢复缓慢，休息之后水肿并未消退，就要警惕发生妊娠性高血压的可能，需要全面检查治疗。

单纯性妊娠水肿无需特殊治疗

孕晚期出现的单纯妊娠水肿，一般无须进行特殊治疗，只要孕妈妈注意休息，平常注意饮食，少食盐、多吃一些含高蛋白质的食物，适量吃些西瓜、红豆、茄子、芹菜等利尿消肿的食物，不吃难消化、盐重的食物，避免长时间站立、久坐等，即可好转。

马大夫告诉你

发生严重水肿时的进一步检查

水肿严重的时候，还需要通过如下方法进一步检查：24小时尿蛋白定量、血常规、血沉、血浆白蛋白、血尿素氮、肌酐、肝功能、眼底检查、肾脏B超、心电图、心功能测定。具体需要做哪项检查，医生会根据孕妈妈的身体情况而定。

注意血压,预防并发症——先兆子痫

先兆子痫是以高血压和蛋白尿为主要临床表现的一种严重妊娠高血压并发症。先兆子痫的危险性在于,它会造成孕妈妈出血、血栓栓塞(DIC等)、抽搐、肝功能衰竭、肺水肿、远期的心脑血管疾病甚至死亡,造成胎宝宝早产、出生体重偏低(低体重儿)、生长迟缓、肾脏损伤、胎死宫内。

预防先兆子痫的发生要做到。

1. 注意休息:正常的作息、足够的睡眠、保持心情愉快。

2. 控制血压和体重:平时注意血压和体重的变化。

3. 均衡营养:不要吃太咸、太油腻的食物;多吃新鲜蔬菜和水果。

4. 坚持合理的运动锻炼。

> **马大夫告诉你**
>
> **先兆子痫**
>
> 孕24周后,在常规检查中发现蛋白尿、血压升高、体重异常增加,且脚踝部开始水肿,休息后水肿也没有消退,同时在这些症状的基础上伴有头晕、头痛、眼花、胸闷、恶心甚至呕吐以及随时都有可能出现的抽搐,这就是先兆子痫。

腹部瘙痒,不用太急

孕期腹部瘙痒的原因有很多,如果孕妈妈妊娠纹明显,那说明是皮肤表面张力比较大,部分肌纤维断裂,局部血液运行欠佳,才造成的瘙痒。这时应该涂抹防治妊娠纹的药膏,同时要少站立,减少皮肤的张力,增加血液运行。

身体笨拙了,做不到的事儿不要勉强

孕妈妈到七八个月时,日渐隆起的肚子让孕妈妈行动更加笨拙,做事儿也会变得吃力。这时,孕妈妈千万不要勉强自己,可以向丈夫或家人需求帮助,千万不要因为事事亲力亲为而伤害胎宝宝的健康。

正确应对呼吸急促

随着预产期的临近,孕妈妈的肚子越来越大,增大的子宫对膈肌和肺过于压迫,造成呼吸频率加快。此阶段孕妈妈要放松自己,多出去呼吸一下新鲜空气,有助于缓解这种症状。

保持积极乐观的心态

临近预产期,孕妈妈难免会出现紧张、焦虑的情绪,此时孕妈妈要学会放松,并且要乐观积极、对自己充满信心,内心的坚定和喜悦腹中的宝宝最能体会到,有助于帮助宝宝顺利娩出。

及时检查胎位

决定顺产需考虑4个主要因素:产力、产道、胎儿以及孕妈妈的精神因素。其中,胎位直接关系到孕妈妈的分娩方式。胎儿的最大部分是胎头,正常发育的胎儿,如果胎头位置正常,在产力的推动下,就可顺利通过产道分娩。

孕8月(孕32周)以后,胎儿的增长速度加快,孕妈妈子宫内的活动空间越来越小,这时候胎位相对固定,且胎宝宝自行纠正的机会变小。胎位不正会直接影响正常分娩,所以孕妈妈要及时纠正,对预防难产至关重要。

> **马大夫告诉你**
>
> **纠正胎位不正一定要在医生的指导下进行**
>
> 孕妈妈在纠正胎位不正时,具体该如何做,需要听从产科医生的指导,不能擅自延长动作的时间和次数,在纠正胎位之前、之后注意数胎动,观察宫缩情况。此外,还得注意以下几点:
> 1. 进行胎位纠正一段时间后,定时去医院检查,随时观察胎位的变化情况。
> 2. 在有家人陪伴的情况下进行胎位纠正动作,防止意外发生。
> 3. 胎位不正不会影响胎儿的健康,孕妈妈应保持心情舒畅,以积极的态度应对胎位不正,等待分娩。
> 4. 妊娠34周以后的孕妈妈应慎用胎位纠正的方法,听从医生建议。

纠正胎位不正的胸膝卧式

孕妈妈排空膀胱,松解裤带,保持胸膝卧位的姿势,每日2~3次,每次15~20分钟,连做1周。这种姿势可使胎臀退出骨盆,借助胎宝宝重心改变自然完成头先露的转位,成功率70%以上。做此运动的前提是胎动良好,并且羊水量正常。

两膝着地,胸部轻轻贴在地上。尽量抬高臀部。双手伸直或叠放于脸下。睡前做15分钟左右。

开始准备哺乳垫和哺乳胸罩

到了孕8月,孕妈妈的乳房开始分泌初乳,这是在为母乳喂养做必要的准备。所以现在孕妈妈需要准备哺乳垫和哺乳胸罩了,它们会帮你解决产后哺乳中的很多麻烦。

要留意皮肤过敏

如果是手部皮肤过敏,在做家务时要特别留意,建议使用手套,手套里层最好多一层棉质,因为有些人会对乳胶过敏,平时要尽量少接触水,洗碗时不妨使用洗碗机。

预防和缓解胃灼热

孕晚期,孕妈妈每次吃完饭之后,总觉得胃部有烧灼感,有时烧灼感逐渐加重而成为烧灼痛,晚上症状还会加重,甚至影响睡眠。这种胃灼热通常在妊娠晚期出现,分娩后消失。主要原因是内分泌发生变化,胃酸反流,刺激食管下端的痛觉感受器引起。此外,增大的子宫对胃有较大的压力,胃排空速度减慢,胃液在胃内滞留时间较长,也容易使胃酸返流到食管下端。

胃灼热的症状会让孕妈妈十分不舒服,但是可以通过一些方法预防和缓解胃灼热。

1. 建议孕妈妈在日常饮食中一定要少食多餐,平时随身带些有营养好消化的小零食,饿了就吃一些,不求吃饱,不饿就行。

2. 避免饱食,少食用高脂肪食物和油腻的食物,吃东西的时候要细嚼慢咽,否则会加重胃的负担。临睡前喝一杯热牛奶。

3. 多喝水,补充水分的同时还可以稀释胃液。摄入碱性食物,如馒头干、烤馍、苏打饼干等,可以中和胃酸,缓解症状。

长途旅行

现在已经到了孕晚期，孕妈妈的生理变化很大，对环境的适应能力也有所降低，在不良环境中身体的抵抗力也下降许多，加上长时间的车船颠簸，会使孕妈妈身心疲惫，早产的风险不免加大。所以，为了保证母子平安，不要再出远门了。

如果此时必须要远行，最好有家人陪伴。而且在外出之前，最好咨询一下妇产科医生，认真听取医生的建议，并留下联系方式，以便紧急时刻联系。另外，如果方便的话，可以托人在目的地找一位可靠的妇产医生，或事先打探好当地的妇产医院的详细情况，以备不时之需。需要随身携带好自己的产检记录。

自己开车

孕晚期最好不要再自己开车，开车时身体前倾容易使子宫受到压迫，特别是在七八月以后，腹部压力最容易导致早产。而且受到肚子的限制，手臂不一定能握紧方向盘，如果突然出现紧急状况，不管是心理紧张还是身体的突然紧绷，都可能导致早产。

拿高处的物品

孕晚期肚子变大，沉甸甸的肚子会让孕妈妈背部用不上力，拿高处的物品会变得非常吃力，容易发生危险。

留长指甲

长指甲容易藏污纳垢，如果不慎抓皮皮肤，有引起继发性感染的可能性。如果做乳头按摩，也比较容易损伤乳头。因此，不建议孕妈妈留长指甲，勤修剪，保持指甲干净。

迷信胎梦

很多孕妈妈在一起闲聊都会提到"胎梦"，如梦见水果、花会生女儿；梦见牛、老虎会生儿子，可以作为一种心理安慰，但是不要过于迷信。迷信胎梦不利于孕妈妈情绪稳定，也可能为将来出生的宝宝与"解梦"的不一致而埋下情感隐患。

音乐胎教声音过大

孕妈妈坚持胎教有助于促进妈妈和宝宝的交流,增强情感联系,但需要提醒的是,音乐胎教时要控制音量不宜过大。特别是不要把耳机或者播放器直接贴在肚皮上,否则会对宝宝的听觉系统造成直接的伤害,甚至有导致耳聋的危险。

轻视孕晚期焦虑

担心分娩时有危险、恐惧疼痛、担心宝宝是否健康……随着分娩的临近,孕妈妈很容易产生各种各样的焦虑情绪。情绪是一种复杂的心理现象,孕妈妈的情绪是否稳定,对胎宝宝的身心健康影响很大。此时准爸爸要理解孕妈妈情绪上的波动,耐心倾听孕妈妈诉说,给予她精神上的鼓励和安慰,打消其心中顾虑。

孕妈妈独自去做产检

到了孕晚期,孕妈妈身体负重到了极限,下肢水肿的情况更加严重,而且产检次数会增加,每两周做一次产检,孕 36 周后会一周一次。建议由家人陪着一起产检,减少行动不便带来的风险,同时能及时应对突然出现的临产征兆。

按摩合谷穴、足三里穴

到了孕晚期适当按摩有助于缓解孕妈妈身体负重带来的疲劳感,但是要谨慎,合谷穴、足三里穴是孕妇禁忌穴位,不要进行按摩。

合谷穴:在手背,第一、二掌骨间,当第二掌骨桡侧的中点处。

足三里穴:屈膝,大腿前面,当髂前上棘与髌底外侧端的连线上,髌底上 2 寸。

孕8月
协和专家会诊室

B超显示羊水过少怎么办，会对胎宝宝造成危险吗？

马大夫答： 羊水过少是指羊水量少于300毫升的症状。羊水过少的原因可能是孕妈妈腹泻导致的脱水，还有可能是胎儿泌尿系统畸形，也有可能与其他胎儿畸形、胎盘功能不良等情况有关，这些都可能会造成早产，危害很大。所以重要的是查找原因，如果是因为脱水导致，孕妈妈可以多喝水、进行静脉输液及吸氧，能起到一定的作用。必要时还可以采用胎膜腔内灌注疗法，即在B超引导下用穿刺针经腹部向胎膜腔内注入适量的生理盐水，以改善羊水过少的状况。

怀孕8个月的时候为什么总是感觉腰背四肢痛？

马大夫答： 这是一种正常现象，孕8月的时候，胎儿的身体迅速增长，孕妈妈的肚子明显增大。当孕妈妈站着的时候，向前突出的腹部使得身体重心前移，孕妈妈为了维持身体平衡，身体的上半部分就会后仰，这样长时间后仰造成背部肌肉紧张，从而出现腰背酸痛的症状；而四肢痛一般因为妊娠期筋膜肌腱等的变化，造成腕管部位的软组织变紧并对神经造成压迫，引起疼痛。这些症状不会造成严重后果，无需特殊治疗，分娩后就会自行消失。孕妈妈平常要注意保持端正的站、坐、卧的姿势，增强腰背部肌肉的力量，避免长时间站立、行走；四肢疼痛严重时，可在医生指导下进行适当运动。

孕妈妈尿频怎么办？

马大夫答： 到了孕晚期，由于胎头下降压迫膀胱，导致孕妈妈的尿频情况加重，这也是妊娠期间正常的生理反应。建议孕妈妈要及时排尿，不要憋尿。要合理饮水，每隔2小时喝一次水，每天喝6~8次，每次200毫升左右，但是临睡前一两个小时内不要喝水，也不要吃西瓜、冬瓜等利尿的食物，这样都可以减少起夜的次数。如果同时伴有尿急、尿痛，这可能是泌尿系统感染的征兆，要多喝温开水，并到医院检查。

PART 9

孕9月
控制胎宝宝体重增长过快

胎宝宝有话说

这个月是名副其实的"分娩月",因为我就要横空出世了,妈妈要为此做各种各样的准备工作,来迎接她一生中最难忘的事——我的诞生。

马大夫温馨提醒

整个孕期,孕妈妈体重增长 12.5 千克,基本符合正常要求,而孕晚期每周要求最多增加 0.5 千克。如果孕期孕妈妈体重增长超过 15 千克,不仅会增加妊娠高血压等并发症的风险,也会增加孕育巨大儿的风险,同时造成难产等。因而孕妈妈要注意控制体重增长,热量的摄入要适中,避免营养过量、体重过度增加。

胎宝宝:有表情了

孕 9 月末期,胎宝宝的身长 45~48 厘米,体重 2200~2500 克。胎宝宝的听力已充分发育,还能够表现出喜欢或厌烦的表情。

孕妈妈:尿频、腰背痛等不适再度加重

孕妈妈现在会感到尿意频繁,这是因胎头下降压迫膀胱所致,还会感到骨盆和耻骨联合处酸疼不适,以及手指和脚趾的关节胀痛和腰背痛加重等。这些现象标志着胎宝宝在逐渐下降,全身的关节和韧带逐渐松弛,是在为分娩做身体上的准备。

马大夫告诉你

这个月末,孕妈妈体重的增长已达到最高峰。现在需要每周做一次产前检查。如果胎宝宝较小,医生会建议你增加营养;如果宝宝已经很大,医生可能会让你适当控制饮食,避免给分娩造成困难。

孕9月 饮食宜忌

饮食以量少、丰富、多样为主

孕晚期的饮食应该以量少、丰富、多样为主。饮食的安排应采取少食多餐的方式，多食富含优质蛋白质、矿物质和维生素的食物，但要适当控制进食的数量，特别是高糖、高脂肪食物。如果此时不加限制，过多地吃这类食物，会使胎宝宝生长过大，给分娩带来一定困难。

要少食多餐，减轻胃部不适

孕晚期胎宝宝的体形迅速增大，孕妈妈的胃受到压迫，饭量也随之减少。有时孕妈妈虽然吃饱了，但并未满足营养的摄入需求，所以应该少食多餐，以减轻胃部不适。

孕妈妈要多摄入一些蛋、鱼、肉、奶、蔬菜和水果等，主要是增加蛋白质和钙、铁的摄入量，以满足胎宝宝生长的需要。饮食宜选择体积小、营养价值高的食物，如动物性食物等，减少一些谷类食物的摄入量。要注意热量不宜增加过多，还要适当限制盐和糖的摄入量，做到定期称体重，观察尿量是否正常。

果蔬打成汁，饮用时不过滤

水果和蔬菜可以打汁饮用，但饮用时最好不要过滤，否则会滤掉大部分的膳食纤维。

每周吃1~2次菌藻类食物

海藻、菌类中的膳食纤维含量较高，比如海带、木耳、香菇等，孕妈妈可以每周摄入1~2次。

每100克干香菇中膳食纤维含量达21克。

补充高锌食物帮助分娩

锌能增强子宫有关酶的活性,促进子宫收缩,使胎宝宝顺利娩出。在孕晚期,孕妈妈需要多吃一些富含锌元素的食物,如猪肾、牛瘦肉、海鱼、紫菜、牡蛎、蛤蜊、核桃、花生、栗子等。特别是牡蛎,含锌最高,可以适当多食。

补充维生素 C 降低分娩危险

维生素 C 有助于胎膜功能的稳定,在怀孕前和怀孕期间未能得到足够维生素 C 补充的孕妈妈容易发生胎膜早破。因此,孕妈妈在妊娠期间补充充足的维生素 C,可以降低分娩风险。

在怀孕期间,由于胎宝宝发育占用了不少营养,所以孕妈妈体内的维生素 C 及血浆中的很多营养物质都会下降,应当多吃一些富含维生素 C 的水果和蔬菜,如猕猴桃、橙子和西蓝花等。

适当吃些富含维生素 B_1 的食物

孕 9 月,孕妈妈可适当多吃些富含维生素 B_1 的食物。如果维生素 B_1 不足,易引起孕妈妈呕吐、倦怠、体乏,还可影响分娩时子宫收缩,使产程延长,分娩困难。

维生素 B_1 在海鱼中的含量比较高

谷类中含维生素 B_1 较多

蔬菜中豌豆、蚕豆、毛豆的维生素 B_1 含量较多

动物性食品中,畜肉、动物内脏、蛋类中维生素 B_1 含量较多

多吃果脯

果脯蜜饯中含有大量糖分，常吃或者吃太多不仅容易影响钙、锌等营养素的吸收，还会引发血糖升高。

无辣不欢

辣椒会刺激肠胃、引起便秘、加快血流量等。因此我们认为，孕妈妈虽然不是绝对禁止吃辣椒，但应适量。

一次喝太多水

由于孕妈妈胃部容纳食物的空间不多，所以不要一次性地大量饮水，以免影响进食。而且一次饮用大量的水会不利于排泄，从而加重水肿。同时，还要继续控制盐的摄入量，以减轻水肿的不适。

擅自服用铁剂

对某些孕妈妈来说，孕期单单从饮食中补铁，有时还不能满足身体的需要，出现明显缺铁性贫血的孕妇，应在医生的指导下选择摄入胃肠容易接受和吸收的铁剂。

大补人参

研究发现，人参能明显增加机体红细胞膜的流动性，具有明显的抗缺氧作用，有改善血液循环的作用，还能增强心肌收缩力，促进胎宝宝的正常发育。

孕中晚期，如果水肿比较明显，动则气短，可以服用红参，体质偏热者可以服用西洋参。但是，最好在医生的指导下选择服用，不要过量。在临近产前，最好不要服用人参，以免引起产后出血。其他人参制剂也应当慎服。

马大夫告诉你

《中国居民膳食指南》建议每人每天饮水量要达到 1500~1700 毫升

充足的饮水量可以促进肠道蠕动，润滑粪便，排除肠道内的毒素，防治便秘，有益肠道环境。水分能带走体内多余的尿素、尿酸等细菌，促进排尿，防止尿路感染和尿路结石。如果喝水太少，细菌不能被及时带走，会增加尿路感染的风险。

白开水补水又好又简单。白开水不含任何防腐剂、糖、色素成分，是补水的极佳选择。但要注意不能喝反复煮沸的开水、未彻底烧开的水以及保温壶里超过24小时的水。水温以不凉不烫的为宜，天冷时尤其不能喝过凉的水，以免刺激胃肠。

孕9月 生活细节宜忌

警惕胎膜早破

所谓胎膜早破,是指孕妈妈还没有到临产期,而突然从阴道流出一种无色无味的水样液体,即羊水。简言之,就是胎膜提前破裂,羊水流出。胎膜早破可刺激子宫,容易引发胎儿早产、脐带脱垂,并可能增加胎宝宝感染的风险,导致胎宝宝缺氧。一旦发生胎膜早破,孕妈妈应立即躺下,抬高臀位,并在外阴垫上一片干净的卫生巾,立即赶往医院就诊。

了解临产征兆,不再手忙脚乱

见红、宫缩、破水都是非常有力的临产征兆,这三者没有固定的先后顺序,也并不是所有的孕妈妈都会出现这些临产先兆。总之,了解临产先兆,配合个人的自我感觉,随时咨询医生,是非常安全的选择。

临产征兆一:见红

见红是即将分娩的一大信号,因为胎宝宝即将离开母体时,包裹着胎宝宝的包膜与子宫开始剥落,于是出血,多表现为阴道血色分泌物。并不是见红了就立即分娩,一般见红后很快会出现规律性的宫缩,然后进入产程。但见红后要做好随时住院的准备。

临产征兆二:宫缩

宫缩也就是阵痛,只有宫缩规律的时候才是进入产程的开始,如果肚子一阵阵发硬、发紧,疼痛无规律,这是胎儿向骨盆方向下降所致,属于前期宫缩,可能1小时疼一次,持续几秒转瞬即逝。当宫缩开始有规律,一般初产妇每10~15分钟宫缩一次,经产妇每15~20分钟宫缩一次,并且宫缩程度一阵比一阵强,每次持续时间延长,这就表示很快进入产程了。

临产征兆三:破水

破水就是包裹胎儿的胎膜破裂了,羊水流了出来。破水一般在子宫口打开到胎儿头能出来的程度时出现。有的人在生产的时候才破水,有的人破水成为临产的第一个先兆。一旦破水,保持平躺,无论有无宫缩或见红,必须立即去医院。

学会缓解分娩疼痛的方法

什么是拉梅兹呼吸法

拉梅兹呼吸法,即通过对神经肌肉控制、产前体操及呼吸技巧的训练,有效地让孕妈妈在分娩时转移疼痛,适度放松肌肉,能够充满信心地、镇定地面对分娩过程中的疼痛,从而达到加速产程并让胎宝宝顺利娩出的目的。

第一阶段:胸部呼吸法

应用时机: 当可以感觉到子宫每5~20分钟收缩一次,每次收缩30~60秒的时候。

练习方法: 孕妈妈学习由鼻子深深吸一口气,随着子宫收缩就开始吸气、吐气,反复进行,直到阵痛停止再恢复正常呼吸。

练习时间: 胸部呼吸法是一种不费力且舒服的减痛呼吸方式,每当子宫开始或结束剧烈收缩时即可使用。

第二阶段:"嘶嘶"轻浅呼吸法

应用时机: 宫颈开至3~7厘米,子宫的收缩变得更加频繁,每2~4分钟就会收缩一次,每次持续45~60秒的时候。

练习方法: 用嘴吸入一小口空气并保持轻浅呼吸,让吸入及吐出的气量相等,完全用嘴呼吸,保持呼吸高位在喉咙,就像发出"嘶嘶"的声音。

练习时间: 随着子宫开始收缩,采用胸式深呼吸,当子宫强烈收缩时,采用轻浅呼吸法,收缩开始减缓时恢复胸式深呼吸。练习时由连续20秒慢慢加长,直至一次呼吸练习能达到60秒。

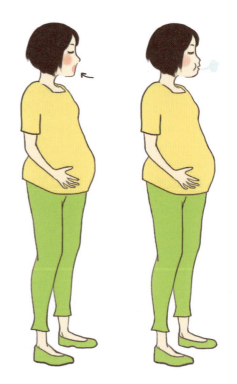

第三阶段：喘息呼吸法

应用时机： 当子宫开至 7~10 厘米时，孕妈妈感觉到子宫每 60~90 秒钟就会收缩一次，这已经到了产程最激烈、最难控制的阶段了。

练习方法： 孕妈妈先将空气排出后，深吸一口气，接着快速做 4~6 次的短呼气，感觉就像在吹气球，比"嘶嘶"轻浅式呼吸还要更浅，也可以根据子宫收缩的程度调控速度。

练习时间： 练习时由一次呼吸练习持续 45 秒慢慢加长至一次呼吸能达 90 秒。

第四阶段：哈气运动

应用时机： 进入第二产程的最后阶段，孕妈妈想用力将宝宝从产道送出，但是此时医生要求不要用力，以免发生阴道撕裂，等待宝宝自己挤出来。

练习方法： 阵痛开始，孕妈妈先深吸一口气，接着短而有力地哈气，如浅吐 1、2、3、4，接着大大地吐出所有的"气"，就像很费劲地吹一样东西。

练习时间： 直到不想用力为止，练习时每次需达 90 秒。

第五阶段：用力推

应用时机： 此时宫颈全开了，助产士也要求产妇在即将看到胎儿头部时，用力将其娩出。

练习方法： 产妇下巴前缩，略抬头，用力使肺部的空气压向下腹部，完全放松骨盆肌肉需要换气时，保持原有姿势，马上把气呼出，同时马上吸满一口气，继续憋气和用力，直到宝宝娩出。当胎头已娩出产道时，产妇可使用短促的呼吸来减缓疼痛。

练习时间： 每次练习时至少要持续 60 秒。

开始安排产假，保持好心情

建议怀孕满38周的在职孕妈妈，可以安排产假在家中休息，一方面调整身体，另一方面可以为临产做一些物质上的准备。

同时，孕妈妈要保持好心情，因为现在，胎儿的大脑已经能将复杂的感情和情绪进行潜在的记忆了，保持良好的精神状态有助于顺产。

孕妈妈体力大减，要注意休息

到了本月，胎宝宝越发大了，孕妈妈挺着大肚子，是一件很费力气的事，所以孕妈妈的体力大不如前，一定要注意休息，不要做消耗体力的活。如果要干活，也要慢慢的，如果感到累了，就休息一会儿。

提前知道母乳喂养

当宝宝饿了或新妈妈感到奶胀时就应该喂奶，至于喂奶的持续时间、间隔时间，这是没有具体限制的。一般来说，每日喂乳达8~12次。当进食的乳量增加后，宝宝的睡眠时间逐渐延长，进食规律也就自然形成了。随着宝宝月龄的增大，母乳的分泌量也增多，两次喂乳的间隔时间会逐渐延长。

妈妈给宝宝喂乳时，两侧乳房要轮流来，先从一侧开始，这侧乳房排空后，再喂另一侧。每次喂乳时应尽量让宝宝吸奶吸到满足，自己放开乳头为止。

母乳喂养可以增进母子之间的感情。

忽视孕晚期心悸

孕晚期过分增大的子宫会增加心脏负担，严重时会造成心悸心慌、气促不能平卧，如果已经患有妊娠晚期心脏病，症状会更加严重，需要及早就医，防止心力衰竭，威胁母子生命。

不注意胎便污染

宝宝在妈妈肚子里也是有便便的，就是从胎宝宝的消化道排出的绿褐色物质，如果检查时发现羊水呈现出绿褐色，那可能是被胎便污染了，对孕妈妈和胎宝宝危害很大。预防胎便污染要在日常生活中避免挤压胎宝宝，给胎宝宝创造一个干净的生活环境。

过性生活

孕晚期孕妈妈肚子明显增大，子宫也增大，对外来刺激非常敏感，性生活容易引起子宫收缩而导致早产或产后大出血，因此孕晚期要节制性生活，以胎宝宝的安全为主。

孕晚期久站

久站很容易出现下肢和外阴部静脉曲张。静脉曲张往往会随着妊娠月份的增加而逐渐加重，越是到了怀孕晚期，静脉曲张会越厉害，而且经产妇会比初产妇更加严重。这主要是因为在怀孕后，子宫和卵巢的血容量增加，以致下肢静脉回流受到影响。增大的子宫压迫盆腔内静脉，阻碍下肢静脉的血液回流，使静脉曲张更为严重。

完全无运动

孕晚期身体负担过重，让孕妈妈变得慵懒许多，如果不是医嘱要去卧床休息，还是需要进行适当运动，来增强孕妈妈腹肌、腰肌、盆底肌的能力，锻炼骨盆关，帮助顺产。

去拥挤的公共场所

公共场所并不是绝对不能去，但最好不要去那种拥挤嘈杂的地方，这些地方存在着许多对胎宝宝不利的因素如流感病毒、噪音，而且人多拥挤也容易碰撞到孕妈妈。建议去环境优雅安静一些的图书馆、咖啡厅、公园等。

孕9月 协和专家会诊室

胎宝宝偏小一周，预产期也会跟着推后吗？

马大夫答： 要知道，预产期并不是那么准确的，宝宝提前2周出生或推后2周出生都是正常的。而且胎宝宝偏小一周也有可能是孕期计算错误的原因，所以不要担心。

第34周时体重增加了2千克，小腿和脚也肿了，对胎儿有影响吗？

马大夫答： 孕前体重正常的孕妈妈，到了孕晚期一周体重不宜超过0.5千克。你一周内体重增加了2千克，如果不是饮食或运动不当，就应该是水肿造成的。

水肿发生的原因有很多，一般由于子宫压迫下腔静脉，使静脉血液回流受阻，这种情况引起的水肿属于正常现象。但如果水肿特别厉害，建议到医院做个检查，排除其他妊娠疾病。排除其他疾病引起的水肿后，建议你减少饭量，低盐饮食，少食多餐，并减少主食，增加蔬菜和水果的摄入量，同时注意休息，以缓解水肿。

羊水过多怎么办？

马大夫答： 在妊娠的任何时期，羊水量如果超过2000毫升，则称为羊水过多。一般轻度的羊水过多不需要进行特殊的治疗，大多数在短时间内可以自行调节。如果羊水量特别多，医生可能会建议重新做一次糖耐量，排除一下妊娠糖尿病漏诊。羊水过多的孕妈妈日常要注意休息、低盐饮食，要注意预防胎盘早剥、产后出血。

坐我旁边的同事感冒了，我该如何防护？

马大夫答： 如果是这样的话，最好平时带个口罩，或者婉转地跟同事说一下，让他注意一点；打开窗户，让房间里多通风，补充新鲜空气；多喝开水，提高自身的抵抗能力。

孕9月 协和专家会诊室

35周了，晚上小腿总抽筋，我经常喝牛奶补钙，为什么还会这样呢？

马大夫答： 缺钙是引起腿抽筋的一个主要原因，除此之外还有一些其他原因会引起腿抽筋。

1. 白天走路太多或站立太久，使小腿肌肉疲劳。
2. 环境温度突然改变，晚上过于冷，也会引起腿抽筋。
3. 孕妈妈在孕期体重逐渐增加，双腿负担加重，腿部肌肉因受到额外的体重压力而长期处于疲劳状态。
4. 下肢静脉曲张，导致下肢局部血液循环不良。如果发生腿抽筋，可以尽量使小腿蹬直、肌肉绷紧或局部按摩小腿肌肉，都可以缓解抽筋疼痛的症状。同时，因为引起孕期腿抽筋的主要原因是缺钙，所以你可以在医生的指导下补充一些钙剂。

最近腹部总是不规律地疼痛，这有什么问题吗？

马大夫答： 随着胎宝宝长大，孕妈妈的子宫也在逐渐增大，增大的子宫会刺激肋骨下缘，引起孕妈妈肋骨钝痛。一般来讲这是生理性疼痛，不需要特殊治疗，采取左侧卧位有利于疼痛缓解。到了孕晚期，孕妈妈会出现下腹阵痛，在夜间休息时发生而天明后消失，即假宫缩。如果孕妈妈感到下腹规则的收缩痛，有可能是早产，应及时到医院就诊，切不可拖延时间。

PART 10

孕10月 随时准备分娩

胎宝宝有话说

我的绝大多数器官都成功地完成了自己的"使命",只有肺还没有最后"定型",这要等到我出生后几小时之内才能建立起正常的呼吸模式。现在,一切准备就绪了,我随时都会出来"报到",爸爸妈妈,你们做好准备了吗?

马大夫温馨提醒

在预产期前1周左右,准爸爸最好能随时陪在孕妈妈身边,以防特殊情况出现。即便准爸爸不能时刻陪伴,孕妈妈也不能独处,应有其他人陪护。此外,准爸爸要提前熟悉去医院的路线,以防紧急情况能尽快赶往医院。同时要把住院需要携带的东西提前准备好。

胎宝宝:长成了漂亮的小人儿

胎宝宝的身长约50厘米,体重2700~3400克,已经完全成形了,由于胎宝宝的头已经进入骨盆,因此到了本周,活动就少多了,变成了安静的宝宝。

孕妈妈:即将分娩

这个月孕妈妈会感到下腹坠胀,这是因为胎宝宝在妈妈肚子里位置下降了,不过呼吸困难和胃部不适的症状开始缓解了,只是随着体重的增加,行动越来越不方便。

马大夫告诉你

孕妈妈在这几周都会很紧张,有些孕妈妈还会感到心情烦躁焦急,这也是正常现象。要尽量放松,注意休息,密切注意自己身体的变化,随时做好临产准备。

孕10月 饮食宜忌

临产前要少食多餐

一般从规律性的宫缩开始,到正式分娩要经历12小时以上,而这期间会消耗大量的体能,孕妈妈需要持续不断地补充热量才能有足够的体力生产。这时可以少食多餐,一天安排4~5餐,可以勤吃,但不要吃得过饱,否则容易引起腹胀、消化不良,影响生产。

产前宜补充锌

孕妈妈在分娩时主要靠子宫收缩,而子宫肌肉细胞内ATP酶的活性取决于产妇的血锌水平。如果缺锌,就会降低子宫的收缩力,增加分娩痛苦和出血量。海鲜含有丰富的锌,尤其是牡蛎含量最高。

重点补充维生素B_1,保证充足热量

在这最后一个月里,孕妈妈应补充各类维生素,尤其是维生素B_1。维生素B_1又称硫胺素,是一种水溶性维生素,它的主要作用就是参与碳水化合物的代谢,从而保证人体热量的正常供应。

谷物中含维生素B_1较多,豌豆、蚕豆、毛豆等维生素B_1的含量较多。此外,猪肉、猪肝、猪心及蛋类等含维生素B_1也较多,这些食物,孕妈妈可适当选择食用。

准备好两个产程的饮食

第一产程：孕妈妈可以尽可能多吃点东西，以碳水化合物为主，能快速提供能量，在胃中停留时间短，不会引起恶心、呕吐等不适。食物要稀软、清淡、易消化，可选择蛋糕、挂面、汤粥等，孕妈妈可以喝点果汁或菜汤等，补充因出汗而流失的水分。

第二产程：由于第二产程须不断用力，孕妈妈要选择高能量、易消化的食物，如牛奶、汤粥、巧克力等。如孕妈妈不能进食，可通过输葡萄糖、维生素来补充能量。

可以适量补充巧克力

孕妈妈在临产前需要多补充些热量，以保证有足够的力量应对分娩。建议孕妈妈吃些巧克力，营养学家认为巧克力能够快速补充热量，被誉为"助产大力士"。巧克力能在很短时间内被人体消化吸收和利用，产生出大量的热能，供人体消耗。同时，巧克力体积虽小，但热量多，而且香甜可口，吃起来也方便。产妇只要在产程中吃一两块巧克力，就能在分娩过程中产生热量。

每天 1 根香蕉，防便秘、稳定情绪

这个月，孕妈妈往往既期待又紧张，既盼望分娩的到来，又害怕分娩，再加上晚上睡眠情况不好，很容易产生抑郁情绪。建议孕妈妈每天吃 1 根香蕉，据研究，香蕉可缓解情绪不安，因它能促进大脑分泌内啡肽。而且香蕉还富含镁，也有助于镇静情绪。另外，香蕉本身可以润肠通便，是预防便秘的好食物。

喝些蜂蜜水，可缩短产程

进入孕 10 月后，孕妈妈可以喝些蜂蜜水，帮助改善自身的体质。具体调理方法为：将蜂蜜用凉白开水或者温开水调匀饮用，蜂蜜的量可依照个人的喜好而略有不同。

此外，蜂蜜水有助于孕妈妈缩短产程、减少疼痛，因此，准爸爸可以在待产时先准备一些温热的蜂蜜水，蜂蜜可以多放一些，在孕妈妈阵痛开始、破水开两指之后让她饮用（未破水开两指也可以，两指即 2~3 厘米），这对于自然生产的孕妈妈来说，是很有效的助产饮品。

吃难以消化的食物

孕10月，孕妈妈的饮食要少而精，不要吃难以消化的食物，防止胃肠道充盈过度或胀气，以便顺利分娩。分娩过程中消耗水分较多，因此，临产前应吃含水分较多的半流质软食，如肉丝面、肉末蒸蛋、粥等。

剖宫产术前吃东西

一般情况下，剖宫产手术前12小时内孕妈妈就不要再进食了。如果进食的话，一方面容易引起产妇肠道充盈及胀气，影响整个手术的进程，还有可能会误伤肠道；另一方面，产妇剖宫产后，失血比自然分娩要多，身体会很虚弱，发生感染的机会就更大，有些产妇还会因此出现肠道胀气等不适感，延长排气时间，对产后身体恢复不利。

剖宫产术前喝水

手术前6小时不宜再喝水，因为手术前需要麻醉，麻醉药物对消化系统有影响，可能会引起孕妈妈恶心、呕吐，禁水可以减少这些反应，避免呕吐物进入气管引发危险。

剖宫产术前进补

很多人认为剖宫产出血较多，在进行剖宫产手术前吃一些西洋参、人参等补品增强体力。其实这非常不科学，参类补品中含有人参皂苷，有强心、兴奋的作用，服用后会使孕妈妈大脑兴奋，影响手术的顺利进行。此外，服用人参后，容易使伤口渗血时间延长，对伤口的恢复也不利。

剖宫产术前吃胀气的食物

剖宫产的孕妈妈尽量少吃产气的食物，如黄豆、豆浆、红薯等，因为这些食物会在肠道内发酵，产生大量气体导致腹胀，不利于手术的进行。可以适当吃些馄饨、肉丝面、鱼等，但也不能多吃。

> **马大夫告诉你**
>
> **剖宫产的时间选择**
>
> 无论是哪种原因导致的剖宫产，最佳的手术时间都为39~40周，终止妊娠，此时胎宝宝发育最成熟，出生后发生问题的可能性最低。而如果孕妈妈患有先兆子痫、胎儿存在胎心异常等紧急情况，需要根据情况决定手术时间。

孕10月 生活细节宜忌

准备好待产包

待产包是孕妈妈为生产住院而准备的各类物品的总称,包括妈妈用品、宝宝用品、入院一些重要物品。准备待产包并非多多益善,而是要合理规划,避免浪费。为此,北京协和医院专家给我们推荐了实用待产包,让我们轻松度过分娩期。

入院时需要携带的物品

①门诊卡(有的医院是需要的,如果有就带上)。
②母婴健康手册。
③围产卡或病历、历次产检报告单(有的医院要求存放在医院统一保管)。
④夫妻身份证复印件。
⑤准备些现金(500元为宜),防止不能刷卡时急用。
⑥银联卡一张,里面至少要有3000元钱,住院需要押金。
⑦纸、笔、带秒表的手表,用来记录宫缩时间、强度。

住院时宝宝需要的物品

①和尚衣1~2件。
②包被1条。
③宝宝湿巾1包。
④喂奶巾3条。
⑤一次性纸尿布(片)2包。

住院时孕妈妈需要的物品

准备时,最好能向在同一家医院分娩的新妈妈打听,列出清单,方便整理。

用品

①产妇专用卫生巾,大、中码各1包。
②抽取式面巾纸2包,抽取式湿纸巾1包。
③毛巾、软毛牙刷、按摩梳子、自己的盆、宝宝的盆。
④带后帮的拖鞋1双。
⑤纱布手帕5~10条。
⑥产妇帽。
⑦杯子、吸奶器、吸管。
⑧一次性马桶垫若干,防止产褥期抵抗力过低引起感染。
⑨护肤品。
⑩收腹带、乳头保护罩,一次性防溢乳垫1~2包。

衣物

①哺乳衣2件、哺乳文胸2件。
②前面开口的棉质衣服2套。
③产褥裤2条。
④棉袜2双。

认真确定去医院的路线

在临产前要将分娩医院的具体位置,详细到哪条街、哪条路等都记在小本子上,这样当遇到突然出现阵痛而身边没有家人陪伴时,可以将记录医院详细地址的小本子直接交给司机。此外,为了保证分娩前紧急情况下的用车,可多记几位司机电话,并安装好手机打车软件,比较保险。

了解分娩信息,忘掉恐惧

恐惧会导致肌肉紧张,进而又引起疼痛,疼痛造成更大的恐惧,恐惧又引起更加强烈的紧张,紧张又造成疼痛加剧,如此循环不已。一般恐惧都来源于未知,如果孕妈妈能多一点了解分娩信息,就不会感到那么害怕了。

尽管每一位妈妈分娩的具体情况都不尽相同,分娩的经验也因人而异,但是大致上还是有一个共同的过程。倘若能提前了解分娩的过程、会有的感觉,以及为什么会有这些感觉,等到自己分娩时就比较有自信,自然不会被轻易吓着了。

布置房间,拆洗被褥和衣服

在孕妈妈产前应将房子打扫干净、布置好,要保证房间的采光和通风情况良好,让母子在清洁、安全、舒适的环境中生活。

孕晚期,孕妈妈行动不便,准爸爸要将家中的衣物、被褥、床单、枕巾、枕头拆洗干净,在太阳底下曝晒消毒。

购买婴儿专用洗护用品

购买婴儿沐浴液、婴儿爽身粉等,为宝宝洗澡做好准备。并检查备好的婴儿用品,是否有婴儿衣物、纸尿裤、婴儿床、奶瓶、奶嘴、帽子等,如没有,需及时采购。

雨刷式锻炼骨盆，减少分娩痛

雨刷式可以使盆骨区域得到锻炼，使这个区域的骨骼和肌肉变得更加灵活，有利于减少分娩时的痛苦。

1. 双手支撑，自然坐在瑜伽垫上，双腿分开略比肩宽开。

2. 吸气挺胸，呼气时两膝盖同时向左侧倒向地面。

3. 吸气，抬起膝盖回到预备式，呼气时两膝盖同时向右侧倒向地面。重复以上动作，做5个来回，感觉两个膝盖就像车窗前的雨刷，左右来回摆动。

过性生活

临产前的 1 个月禁止过性生活。妊娠 9 个月后,胎儿开始向产道方向下降。这时同房,感染的可能性较大,有可能发生羊水外溢。同时,孕晚期子宫比较敏感,受到外界直接刺激,有突发子宫加强收缩而诱发早产的可能。因此,孕晚期最后 1 个月要绝对禁止性生活。

去拥挤的公共场所

在这个时期,公共场所并不是绝对不能去,但最好不要去那种拥挤嘈杂的地方,那里存在着许多对胎宝宝不利的因素,这些正是孕妈妈在孕晚期所应该避免的。

进行坐浴

妊娠后,胎盘产生大量的雌激素和孕激素,致使阴道上皮细胞通透性增强,脱落细胞增多,宫颈腺体分泌功能增强,使阴道分泌物增多,这就改变了阴道的酸碱度,易引起病原菌感染。

到了孕晚期,宫颈短而松,一旦发生生殖道感染,很容易通过松弛的宫颈感染到宫内。生殖道感染增加软产道裂伤的机会,宫内感染可能会引起胎宝宝的感染。如果孕妈妈坐浴,浴后的脏水有可能进入阴道,而阴道的防病能力弱,就容易引起感染。所以孕妈妈这时候不要坐浴。

分娩前未排净大小便

分娩时子宫会进行强有力的收缩,如果肠道内充满粪便或者膀胱留有尿液,会直接影响子宫的收缩程度,进而延长分娩的时间,而且胎头长时间压迫膀胱、肛门括约肌,可能会导致孕妈妈在分娩时把大便、尿液和胎宝宝一起娩出,这样就会增加胎宝宝感染的概率,所以孕妈妈待产时要定时排大小便,使肠道和膀胱处于空虚状态。

不过,万一孕妈妈在分娩时出现排便、排尿的情况也不要惊慌,助产医生、护士有足够的经验来应对这些特殊情况,保证母婴的安全。

孕10月 协和专家会诊室

分娩时来不及进医院怎么办？

马大夫答： 对于生产这件事，尽量不要打无准备之战，但是一旦出现意外，比如急产，来不及去医院，那么要先打电话给120，说明情况，请求派医护人员到家里协助分娩。如果医护人员还没到就已经把孩子生出来了，注意不要自行剪断脐带。因为如果剪脐带的剪刀消毒不彻底，很容易造成细菌感染。

预产期都过了还不生怎么办？

马大夫答： 预产期是指孕40周，临床上在孕38~42周生产都属于正常妊娠范围，达到或超过42周为过期妊娠。过期妊娠易发生胎儿窘迫，羊水减少，分娩困难及产伤，甚至引起胎儿死亡，故应引起重视。如果临近预产期还没有动静，孕妈妈就要加强运动，促使胎儿入盆。如果预产期过了就要到医院就诊，医生会根据情况采用B超检查和药物催生等方法。

阵痛开始后，总有想排便的感觉怎么办？

马大夫答： 当宫口大开、马上要分娩的时候，就会有种想大便的感觉，这是胎宝宝在阴道里刺激直肠而产生的感觉。如果你不能判断情况，那么每次有了便意都要告诉医生，或者在他人陪护下如厕，不要擅自去厕所，以避免危急情况发生。

臀围大的孕妈妈好顺产吗？

马大夫答： 能否顺产取决于骨盆、产道、产妇的精神因素等多方面，臀围大的孕妈妈并不表示骨盆也大，臀围大小并不是顺产的决定因素。

剖宫产更有利于保持身材吗？

马大夫答： 有的孕妈妈以为顺产的时候骨盆完全打开，以后想恢复身材就非常困难，而剖宫产虽然挨了一刀，却不会让身材走样。其实这是不科学的。因为骨盆的张开和扩大是在孕期就发生的，并不是生产那一刻才发生，而且相比而言，顺产的妈妈可以早下床活动，更有利于产后的恢复。

PART 11

特殊孕妈妈宜忌——也能像正常孕妈妈一样生活

糖尿病孕妈妈饮食宜忌

平稳控糖"五低两高一适量"

糖尿病孕妈妈只要合理搭配一日三餐,将每天摄入的热量和各种营养素相对均衡地分配到三餐中,坚持"五低两高一适量"原则——五低,即低糖、低脂、低胆固醇、低盐、低热量;两高,即高维生素、高膳食纤维;一适量,即蛋白质适量,就能保证摄取充足营养,同时又能达到控糖的效果。

值得一提的是,当糖尿病孕妈妈把碳水化合物总量压缩后,一定会产生热量缺口,这时当然不能用维生素、钙和蛋白质来补充,要选择具有延缓血糖升高作用的碳水化合物食物,比如大豆及其制品、粗粮等,而不是采用简单的糖类。建议糖尿病孕妈妈一日三餐中,至少要有一餐以粗粮为主食。

灵活加餐,不让血糖大起大落

适当加餐,有利于胃肠道的消化吸收,可避免三餐后的血糖水平大幅度升高,还能有效预防低血糖的出现,又不会加重胰的负担,但是如何加餐同样需要掌握技巧。

一般来说,孕妈妈加餐时间可选择上午9时~10时、下午3时~4时和晚上睡前1小时。加餐的食物可选择水果(在血糖控制好的情况下可适当进食水果,但要控制用量)、低糖蔬菜(如黄瓜、番茄、生菜等)。

多选用低 GI 食物

低血糖生成指数(0~55)的食物包括豆类(如黄豆、绿豆、扁豆、四季豆)、麦麸谷类、糙米、乳类、坚果等。一般来说,同类的食物,或者同一种食物采用不同烹调方式,血糖生成指数都有比较大的差异。比如说饭类,糯米饭的血糖生成指数要高于大米饭,但糯米粥的血糖生成指数远低于大米粥。另外,同样的原料烹调时间越长,食物的 GI 也越高。建议糖尿病孕妈妈烹饪时多用急火煮,少熬炖。

闻糖变色，不吃主食

很多患有糖尿病的孕妈妈错误地以为不吃主食就能控制血糖，这是不科学的。这是因为，主食即碳水化合物产生的葡萄糖是人体主要的热量来源，虽然蛋白质、脂肪在体内也能转化为葡萄糖，但量很少，并且在转化过程中会消耗很多热量，还会产生有害物质。如果不吃主食，身体会动员脂肪产生热量，其结果是产生酮体，不但损害大脑，还有导致酮症酸中毒的可能。

另外，脑神经的营养必须依靠葡萄糖，主食吃少了容易发生低血糖，出现头晕、冷汗、乏力等症状。主食每天要吃够量，糖尿病患者每天主食的热量比例应与正常人相同，为55%～60%。

经常吃纯糖食物及其制品

患有糖尿病的孕妈妈，对于白糖、冰糖、蜂蜜等，以及含糖糕点、蜜饯、冰淇淋等通常不宜食用，更不要经常食用。因为这些食物中的碳水化合物在肠道中吸收很快，会使血糖迅速升高，进而对病情产生不利影响。

吃水果无节制

一般来说，糖尿病孕妈妈只有在血糖比较平稳的状态下才可吃水果，且食用时间宜在两餐之间，如果餐后2小时血糖能保持在6.7~7.0毫摩尔/升水平时，可适量进食低糖水果。若血糖水平持续较高，或近期波动较大，则应暂不食用水果。

不渴不喝水

糖尿病患者多饮水，不仅是对体内失水的补充，而且还有改善血运、促进循环、增加代谢及消除酮体等作用。此外，饮水可使血浆渗透压下降或恢复正常，起到降血糖的作用。相反，如果限制饮水，就会加重高渗状态，对病情很不利。

需提醒的是，糖尿病患者因口渴中枢长时间受刺激，对体内缺水的敏感性下降，即使体内已经缺水，往往也没有口渴的感觉。所以，糖尿病患者在无口渴感时，也应适当饮水。

生活细节宜忌

妊娠期糖尿病自我检测

孕妈妈如果担心自己患有妊娠期糖尿病,可通过下面的内容进行自我检测是否有高危因素。如果您符合其中的某一条,就要引起注意,需要尽早做好产前其他各项检查及糖筛。

1. 孕妈妈年龄在 35 周岁以上。
2. 孕妈妈有慢性高血压病,反复出现感染。
3. 肥胖,反复自然流产。
4. 妊娠胎儿比孕周要大或者曾分娩过巨大儿。
5. 羊水过多。
6. 曾有过找不到原因的早产、死胎、死产、新生儿畸形史和死亡史。
7. 近亲中有糖尿病患者。
8. 患有多囊卵巢综合征。
9. 前次怀孕患妊娠期糖尿病。

运动后做好血糖监测

运动结束后,要及时测量一下血糖,了解运动对于自身血糖的影响,对于用药的调整和血糖的稳定有很大意义,有条件的患者最好自备一台血糖仪。

运动后除血糖监测外,还要"监测"一下自己的身体状况,如食欲、睡眠等——如果出现不良状况,应该停止运动,接受专业医生的建议和指导。

常活动四肢,预防和延缓糖尿病动脉血管病变

经常活动四肢,能够促进四肢的血液循环,对预防和延缓糖尿病动脉血管病变有很好的疗效。糖尿病孕妈妈可以选择在空闲的时间段锻炼(除了饭后不久),全天任何时间都可以,每次锻炼 10 分钟,每天锻炼五六次。

粗粮细做

因为食物的颗粒大小会对食物血糖生成指数产生影响，食物颗粒越小，越容易被水解吸收，其食物血糖生成指数也越高，故食物不宜制作太精细。

烹饪时间过长

因为温度越高，水分多，糊化就越好，食物血糖生成指数也越高。如煮粥时间越长，食物血糖生成指数越高，对血糖影响越大。

> **孕妈妈经验分享**
>
> 饭要一次盛好，不要一点一点盛饭，否则会在不知不觉间摄入过多的热量。

吃得太快

因为糖尿病患者摄入的食物是经计算而得来的，其有效营养成分更应被充分地消化吸收和利用，因此细嚼慢咽更有助于控制住病情。

运动后马上进食

做完运动后会感觉饿，想尽快吃些东西，以补充运动的消耗。但是要注意，运动后，腹腔内各器官的血液供应明显减少，胃肠道的蠕动减弱，消化腺的分泌功能也随之下降，如果立即吃东西，会增加消化器官的负担，引起消化功能紊乱。因此，最好在运动结束30分钟后，再适当进食。

爱用煎炸方式烹饪

煎是指锅中放少量的食用油加热，再把食物放进去，使其熟透的一种烹饪方法。通过油煎的食物，脂肪含量较高，会使血糖出现波动，且不利于血脂的控制。

炸是一种用滚沸的食用油给食物加热的一种烹调方法。食用油炸食品会摄入过多的脂肪，不利于血糖的控制，还会增大糖尿病并发血脂异常症的概率，且食用油经过高温加热后会变质，反复使用多次会含有大量致癌物质，不利于身体健康。

因此，糖尿病孕妈妈尽量不要用这两种烹饪方式。

高血压孕妈妈

饮食宜忌

每天盐摄入量控制在 6 克以下

高盐饮食是高血压的一大主因，食盐的主要成分是钠，当人体摄入盐过多时，神经中枢会传达口渴的信号，饮水量会增加，而为了将钠保持在正常水平，肾脏会减少排尿，这就使存留在体内的水分增加。这些水分存在于血液中，导致全身血液循环量增加，血管由此受到强大的压力，血压攀升。此外，体内钠离子增加时还会通过提高血管外围阻力的方式使血压上升。

因此，改变高盐饮食势在必行，《中国居民膳食指南》建议正常人每天摄入盐要低于 6 克，但是减盐并不是单纯只减少食盐的摄入，老抽、榨菜、腐乳等含"隐形盐"的食物也包括在内。

每天摄入 3500 毫克钾，钠钾平衡稳定血压

高钠摄入过多是高血压的主要因素，提高钾的摄入能促进钠的排泄，对于防治高血压有重要意义，因此建议每天摄入 3500 毫克钾来维持钠钾平衡。虽然钾有排钠的作用，但并不代表无需控盐，钠摄入过多会增加钾的耗损，致使体内钾的储备减少。因此无论是高血压患者还是健康人群每日吃盐要控制在 6 克以下甚至更少。

补钾好来源（每 100 克可食部含量）

| 紫菜 1796 毫克 | 黄豆 1503 毫克 | 绿豆 787 毫克 | 木耳 757 毫克 |
| 韭菜 247 毫克 | 油菜 210 毫克 | 香蕉 208 毫克 | 苹果 119 毫克 |

毫无节制进食

妊娠期高血压疾病的患者要适当控制每日的进食量,不是能吃就吃地无节制进食,应以孕期正常的体重增加为标准调整进食量。

饮食太油腻

饮食太过油腻,会增加饱和脂肪酸含量,使人体氧化负担过重,造成一氧化氮生物活性降低,这也是造成血压增高的重要原因。

增加肾脏的负担

要限制摄入刺激肾脏实质细胞的食物,如含有酒精的各种饮料、过咸的食物、辛辣的调味品。浓鸡汤、肉汤、鱼汤,也要少食,避免经代谢后产生过多的尿酸,加重肾脏的负担。

日常饮食以清淡为佳,减少盐的摄入量,忌吃咸菜、咸蛋等盐分高的食品。水肿明显者要控制每日盐的摄取量,限制在2～4克之间,太多的盐分容易使孕妈妈体内潴留更多的水分,容易导致水肿,还可能引起妊娠高血压综合征。

晚餐吃太撑

如果晚餐吃得过饱,必然会造成胃肠负担加重,还可能使部分蛋白质不能被机体消化吸收,在肠道细菌的作用下,会产生有毒物质,加之睡眠时肠道蠕动减慢,相对延长了这些物质在肠道的停留时间,有可能引发大肠癌等多种病症。

夜宵吃得多

晚上可以适当加餐,但是不要吃到撑。因为夜间进食太多、太频繁,会导致肝脏合成的胆固醇明显增多,并且刺激肝脏制造更多的低密度脂蛋白,使体内血脂突然升高,也会给健康带来多方面的不利影响。

生活细节宜忌

连续几次测量血压居高不下,需要引起重视

当你的血压读数高于正常水平即 110/70~120/80 毫米汞柱,并且连续几次居高不下时,就会引起医生的关注。如果你的血压开始升高了,那你的尿常规检查结果对于接下来的诊断至关重要。

如果你的尿液中没有出现蛋白质,被诊断为妊娠期高血压的概率很高;如果你的尿液中有蛋白质,你可能处于子痫前期的早期阶段,因此,就需要更频繁地做产前检查了。

> **孕妈妈经验分享**
>
> **放松心态量出最真实的血压**
>
> 有一次,一位孕妈妈和我一起做产检,医生给量血压,测量后她的血压比较高,她告诉我说,她一到医院就紧张,心跳加速,但是每次自己量的话,血压都很正常。后来医生说,做24小时血压监护确认无慢性高血压的状况,同时自己在家监测,记录血压,来就诊时带上记录单,医生就可以判断你的情况了。

做好水肿检查,预防妊娠高血压

造成水肿的一个原因是胎儿发育、子宫增大有可能会压迫到下肢静脉,使血液回流受阻,孕妈妈的下肢会出现水肿;另一个是孕期全身疾病的一种表现,也可能是妊娠高血压引起的,这种水肿即使卧床休息也无法消退,需要孕妈妈足够重视。

养足精神,平稳血压

血压容易受烦躁、紧张、激动等不良情绪影响,因此高血压孕妈妈要保持舒畅的心情,做到心胸宽阔,豁达乐观,以戒动怒,更不要心情抑郁。

没事儿拍一拍,轻松降血压

研究表明用手掌轻拍东西可以使血压降低。高血压孕妈妈可以每天用5分钟轻拍大腿或者沙发,这样就可以使你的血压降低,还可以减少你的忧虑。

生活环境过度清静

保证清静的生活环境对于孕妈妈很有好处，但也并不是说环境越安静越好，没有噪音污染即可，如果人长期处于特别寂静的环境中（小于10分贝），能使人脑神经迟钝，产生孤独感，在心理上引起不良反应，对高血压的孕妈妈也不利。因此，在非常寂静的环境中，应放放轻音乐，创造一个适当清静且快乐的环境，才有利于高血压孕妈妈平稳血压。

忽视孕期打呼噜

孕妈妈怀孕第三个月时，上呼吸道开始变窄并逐渐明显，加上妊娠中晚期横膈上抬，胸壁重量增加，心肺负担加重，肺通气功能减弱，因而易出现打鼾。患妊娠期高血压疾病的女性上呼吸道更窄。所以孕期易打呼噜多数是正常的，不必治疗，生完就好了。但是，如果打呼噜伴随着血压升高和尿蛋白增多，就要警惕患妊娠期高血压疾病了，最好去医院检查。

晚饭吃得太晚

如果晚饭吃得太晚，饭后不久就要上床睡觉，缺乏适量的活动，食物中的热量来不及消耗就会转化成脂肪在体内堆积，身体容易发胖，对高血压、糖尿病患者都无益。晚饭时间最好安排在晚上5:00～7:00。

吃饭时不专心

不要一边做其他的事一边吃饭，比如看电视、听广播或看书，这样精神不集中，容易在不知不觉中超量进食，同时影响消化。

马大夫告诉你

吃饭不专心，肠胃大脑"两败俱伤"

如果一边吃饭一边看电视玩手机，大脑用来记忆的部分会变得兴奋，就需要充足的养分，为了应付这一情况，正在帮助消化的血液就要分出一部分去给大脑供能，进而影响胃肠道的运动和消化功能。最终就是"两败俱伤"——妨碍食物消化，营养吸收利用不全面；大脑供血也不足，影响记忆力。

高血脂孕妈妈饮食宜忌

吃对肉,降低脂肪的摄入

肉是蛋白质、脂肪、铁等营养素的主要来源,饮食中不可或缺。但是吃肉要有所选择,以避免不健康的饱和脂肪摄入过多,导致血液黏稠度增加、血流变慢等,进而增加罹患血脂异常的概率。

为了降低脂肪酸的摄入,应该巧妙选肉。"白肉"如:鱼、鸭、鸡肉等,与"红肉"(猪、牛、羊肉)相比,脂肪含量相对较低,不饱和脂肪酸含量较高,特别是鱼类,含有较多的多不饱和脂肪酸,对于防治血脂异常具有重要作用。因此,"白肉"可作为肉类的首选,而"红肉"中,可选择热量偏低的牛肉。

烹饪有技巧,减少肉类脂肪

血脂异常的孕妈妈可以在烹饪技巧上有所注意,能有效减少脂肪摄入。

选瘦肉
尽量选脂肪少的瘦肉,少选择五花肉之类夹有脂肪的肉。另外,腊肉、香肠、咸肉等最好少吃。

去油脂
烹饪前,去掉禽肉的皮和畜肉的油脂多的部位。

蒸着吃
多用蒸锅或电锅加热,也可以去除一些脂质。

切薄片
将肉切成薄片,可以增加表面积。所以烹饪过程中,油脂更容易去除,进而减少油脂的摄入。

热水焯
对于油脂多的肉类,可以用热水焯烫一下,然后放凉,水面会出现一层白色的固状油,去除后再烹饪。

海鱼是降血脂的好"帮手"

鱼肉中不饱和脂肪酸高达 70%~80%，是降低血脂的好"帮手"。而不饱和脂肪酸以 ω-3 脂肪酸为主，具有降低血液里胆固醇含量的作用，人体一旦缺失，很容易出现血脂异常。这种物质人体自身不能合成，必须通过食物才能获得，而 ω-3 脂肪酸的食物来源较少，像我们平常常吃的豆类、谷类及蔬果等，几乎都不含有这种脂肪酸，因此建议每周吃 2 次海鱼，常吃的海鱼有带鱼、黄鱼、鳕鱼等。

多摄入膳食纤维

膳食纤维能减少胆固醇的吸收，增加粪便体积和肠道蠕动，促进胆固醇从食物中排出，起到降血脂的作用。但大量食用可引起大便量及次数增多，排气及腹胀等不良反应，因此高脂血症患者适当增加摄入即可，每天 25~35 克最为理想。

饭前喝汤可控制血脂

对于血脂偏高的孕妈妈，尤其是有些偏胖的孕妈妈来说，饭前喝汤可有效控制血脂和体重。同时，要想防治血脂异常，应尽量减少食用高脂肪、高热量的食物做汤，如老母鸡等。即使用他们做汤，在炖汤的过程中要将多余的油脂撇出去。而鱼类、去皮的鸡肉、鸭肉、冬瓜、丝瓜、香菇、油菜、魔芋等属于低脂肪食物，可以多用于做汤。

食用高油脂食物

猪油、奶油、黄油、牛油等富含饱和脂肪酸，血脂高的孕妈妈烹调时应以植物油为主。核桃、花生、葵花子等含大量的脂肪，不宜经常食用。此外，油炸食品的脂肪含量高，应尽量少吃或不吃。

隐性脂肪

孕妈妈怀孕期间，要想控制血脂，防止异常，应该在日常生活中尽量避免摄入隐性脂肪。

色拉酱

色拉酱不甜腻，其主要原料是色拉油和蛋黄，其中的70%都是脂肪，很容易过多食用，可以通过食材切大块，将生菜充分水洗，减少调料时色拉酱的吸收。

各种馅心食品

市面上售出的冷冻食品，如月饼和汤圆，里面的馅大多用的是猪油，最好在家里自己做低油的馅料食品吃。

面包和糕点

西式的面包和蛋糕是由黄油和鸡蛋制成的，而中式糕点是由食用油、面、大量糖和猪油制作的，应避免食用。可适量吃点全麦面包或无糖糕点。

饼干

饼干的可口、酥脆是因为其中的油脂。所以，最好食用粗纤维的无糖饼干。

喝汤速度快

慢慢喝汤会使食物消化吸收的时间延长，感觉到饱时，就会吃得恰到好处。而快速喝汤，等你意识到饱了，可能摄入的食物已经超过了所需要的营养，就容易导致肥胖，引起血脂升高。

生活细节宜忌

产前检查做仔细

建议患有高脂血症的女性孕前做详细的产前检查,如肝功能、体重指数评价等,医生会根据检查结果指导患者饮食和运动。经过治疗和调理后,可在医生指导下怀孕。而有高脂血症病史的女性在孕期检查时,应和医生主动沟通,定期检测血脂情况。

做舒缓、适宜运动有助于远离高血脂

运动疗法不仅有益于母子健康,而且可控制高胆固醇血症、高甘油三酯血症及复合性高脂血症。因此,除去有高胆固醇血症、高甘油三酯血症及复合性高脂血症急性并发症、先兆流产、习惯性流产而需保胎者及有妊娠高血压综合征者,孕妇应到室外参加适当运动。运动宜在饭后1小时左右,持续时间不宜过长,一般20～30分钟较合适。运动项目应选择较舒缓不剧烈的,如散步、缓慢的游泳和太极拳等。

加速体内废物排除

每天吃进去的食物经过消化后,会产生一些有毒物质,如果不能及时排出体外,就会被人体肠道重新吸收,进而进入循环,不仅危害内脏器官,还能诱发血脂异常等疾病。尤其是孕妈妈经常会有便秘的情况发生,要注意养成良好的排便习惯,食用有助于消化和排便的食物,及时将体内代谢的有毒物质清除出去,避免调节血脂异常。

每天洗个温水澡

温热的水能够让处于紧张的交感神经"镇定"下来,这样心率也会慢慢平静,血压也会自然下降。而且还能促进末梢血管的舒展,全身的血液循环也会变得畅通。

甩甩手、踮踮脚，调脂降压

甩手包含了合理运动、情绪调整以及工作压力排泄等多方面的因素，能起到行气消痰、调理心肾、沟通阴阳的效果，通过对人体各个系统功能的调节，能稳定血压，调节脂质代谢。

踮脚走路时，前脚掌内侧、大脚趾起支撑作用，足少阴肾经、足厥阴肝经和足太阴脾经经过此处，可以帮助按摩足三阴穴，起到温补肾阳，促进血液循环，调节血压的效果。

排斥药物疗法

如果饮食管理与运动仍不能控制血脂时，可以进行药物治疗，通过阻止胆酸或胆固醇从肠道吸收，促进胆酸或胆固醇随粪便排出来达到降脂的效果。

但要在医生的指导下使用既可有效控制血脂、又不影响胎宝宝发育，对母子来说都是安全的药物。

情绪过于激动

保持情绪稳定，避免情绪过于激动，是有效防止血脂异常发生的一项重要措施。孕妈妈由于受到身体激素变化的影响，会有情绪波动的情况的发生，但要注意调整和控制情绪，避免情绪变化过度。

睡眠枕头过高、过软

良好的作息是预防和缓解血脂异常的重要手段，血脂异常患者应该尽量提高睡眠质量。如果枕头过高，那么血液流向头部的速度会再次减慢，血流量也会减少。枕头的软硬度要适中，过于松软对头皮压迫面积大，不利于血液循环，同时也存在透气性差的问题，不能保证睡眠时充分的呼吸，可能存在安全隐患。睡眠枕头以荞麦皮的为佳。

乙肝孕妈妈饮食宜忌

重症乙肝，控制蛋白质

重症乙肝产妇，蛋白质来源可选择大豆制品、奶、鸡肉、淡水鱼等脂肪含量少的优质蛋白质。要严格控制蛋白质，避免因肝脏蛋白质代谢障碍，体内有过多的氨而引发血氨增加，诱发肝性脑病。

绿色、红色食物搭配，养好肝

根据中医五行理论，肝属木，而绿色也属木，因此绿色食物可以养肝。适量摄入绿色食物有助于肝气循环代谢、消除疲劳、舒缓肝郁、增强免疫功能，帮助肝脏增强解毒能力，所以绿色食物的摄入对养肝护肝很有帮助。

将绿色食物和红色食物相互搭配，对于增强养肝功效事半功倍。红色食物可补血，孕妈妈多吃红枣、山楂、番茄、苹果、牛肉、羊肉、樱桃等红色食物，将气血补足了，肝血的濡养功能自然也就增强了。

适量增加膳食纤维食物

对于孕妈妈来说，膳食纤维可以清洁消化壁，增强消化功能，防止孕期便秘，同时可稀释和加速食物中的有毒物质和脂肪的移除，有效保护肝脏。还可减缓消化速度和最快速排泄胆固醇，让血液中的血糖和胆固醇控制在最理想的水平。

吃水果要适量、有选择

乙肝孕妈妈每天适量吃些水果，有益健康，但要适量、有选择。水果吃得太多会加重肾脏负担，影响消化吸收，甚至诱发疾病。一般乙肝孕妈妈可以吃苹果、柑橘、葡萄、梨等，而脾胃虚寒泄泻者宜吃火龙果、荔枝、桑葚等。

忌

过多摄入脂肪

慢性乙肝孕妈妈要注意脂肪的摄入，因为摄入脂肪过多，会加重肝脏负担，并可引起肝脏脂肪浸润，即肝脏内的脂肪含量增多，脂肪细胞大量充盈于肝细胞内。吃一些蘑菇、香菇、平菇等菌类食物，不仅可以减轻肝脏的负担，还可以提高免疫力。

碳水化合物摄入量过多

碳水化合物也被称为糖类，是为人体提供热能的三种主要的营养素中最廉价的营养素，主要从食糖、谷物和薯类中获取。人体可以吸收利用的有效碳水化合物分为单糖、双糖和多糖三大类。碳水化合物摄入过多，一方面容易引起热量过剩；另一方面，过量的糖类可以直接转化为甘油三酯，导致肝功能的损伤。

盐摄入超量

如果摄入的盐分过多，会加重肝脏负担。患有乙肝的孕妈妈应该避免盐的过多摄入，避免损害肝功能，甚至诱发高血压，每个人每天盐分的摄入量以6克以下为宜，酱油、豆瓣酱等隐形盐包含在内。

贪吃煎炸、甜食

油炸、油煎食物
这些食物属于高脂肪食物，不宜消化和吸收，会增加肝脏负担。

各种甜食
糖容易发酵，会加重胃胀气，加重肝脏对脂肪的储存，促进脂肪肝的发生。

生活细节宜忌

孕前要做乙肝病毒抗原抗体检测

乙肝病毒可以通过胎盘引起宫内感染或者通过产道引起感染，可能会导致胎宝宝出生后成为乙肝病毒携带者，做此项检测可让备孕妈妈提早知道自己是否携带乙肝病毒。

孕前9个月，注射乙肝疫苗

母婴传播是乙型肝炎最重要的途径之一。一旦传染给胎宝宝，85%~90%的人会发展成慢性乙肝病毒携带者，其中25%在成年后会转化成肝硬化或肝癌。为了预防怀孕后得肝炎，并使胎宝宝免遭乙肝病毒侵害，备孕女性一定要在孕前进行乙肝疫苗的接种。按照0、1、6的程序注射，即从第一针算起，此后在第1个月时注射第2针，在6个月时注射第3针。

检验结果提示活动性乙肝要告知儿科医生

孕25~28周要进行乙肝抗原检查，此阶段最重要的是为孕妈妈抽血检查乙肝。如果孕妈妈的乙肝检验结果提示活动性乙肝，一定要让儿科医生知道，才能在乙肝妈妈生下宝宝的24小时内，为新生儿注射乙肝免疫球蛋白，以免让新生儿遭受感染。

马大夫告诉你

乙肝孕妈妈要分情况而定

如果孕妈妈在孕后3个月内发现乙肝，但肝功能正常，那么孕妈妈只要每月复查肝功能就可以。但如果肝脏功能不好，又有如黄疸、恶心、肝区疼痛等严重的症状，这时胎宝宝是不能要了，只有及时流产，否则大人胎儿都危险。

如果孕妈妈在孕中晚期才发现乙肝，肝功能是好的，症状又不重，胎宝宝可以保留，但要进行严密观察，要经常上医院做检查，医生会根据你的情况给予适当治疗。

宝宝出生后，要在24小时内打1支乙肝高效免疫球蛋白，在1~2周后遵循医嘱打乙肝疫苗，6个月大时，再打一支乙肝疫苗，保护率可高达97.13%，效果较好。

母乳喂养

乙肝妈妈是否可以母乳喂养,应该咨询医生,具体问题具体分析。如果可以喂哺宝宝,要按照医嘱进行。

无良好的睡眠习惯

肝主藏血,人体内的血液在清醒时遍布全身,维持生计;在睡眠时藏于肝脏,休养生息。所以,保持良好的睡眠,有助于增强肝脏的生理功能。对于孕妈妈来说,充足而良好的睡眠不仅对肝脏有益,还对胎儿发育有好处,睡得好,肝血充盈,身体才会健康。晚上11点到凌晨1点是肝脏代谢的时间,血归肝经,所以,不要错过这个黄金睡眠时间,最好在11点前就寝,12点半前睡着。

不坚持定期复查

如果是乙肝病毒携带者但是肝功能正常的孕妈妈,一般情况下妊娠不会有太大危害。但如果肝脏已经出现潜在性的伤害,怀孕会可能会增加肝脏负担导致肝脏病变。因此,乙肝孕妈妈要坚持定期复查,至少复查三次肝功及相关指标,通过肝功能等方面的监测,观察孕妇能否胜任妊娠,以期达到母婴平安。

体力、脑力劳累过度

不管是体力还是脑力劳累过度,都可能会造成肝脏能量供给大量较少,降低肝脏的抗病能力,会加速乙肝病毒扩散,甚至造成肝脏功能不可逆转的病变。因此,乙肝孕妈妈要注意休息,劳逸集合,适量运动,以不疲劳、不恶心、不腰困为度,保持起居有常的良好生活规律。

经常抑郁、发怒

中医认为"肝为将军之官",本性喜顺达、舒畅。长期郁愤,会导致致肝气郁结,肝郁化火,引起生理功能的紊乱。乙肝孕妈妈一定要保持心胸开阔,情绪饱满,乐观向上,这样才能减轻病痛,促进身体免疫机制的增强,最终战胜疾病。

多胎孕妈妈

饮食宜忌

按照"三餐两加餐"的饮食规律进食

多胎孕妈妈在怀孕之后,需要的营养物质多于单胎孕妈妈,所以更应该注重饮食,最好能坚持"三餐两加餐"的原则,三餐之间最好安排两次加餐,进食一些糕点、饮料(如牛奶、酸奶、鲜榨果汁等)、蔬菜和水果等。

早、中、晚这三次正餐应该占全天总热能的90%,大部分营养素的摄入,应该在三餐中安排进去,特别是优质蛋白质、脂肪、碳水化合物这三大营养物质。

加餐一般占到全天总热量的10%,可以吃点核桃、花生、瓜子等坚果或100克的水果(如苹果、桃子、猕猴桃、香蕉、草莓等),再加1份酸奶。

可补充孕妇奶粉

怀有多胞胎的孕妈妈则更是应该储备充足的钙质,孕妈妈如果钙的摄入不足,胎宝宝就会从孕妈妈的骨骼中夺取来满足自身的生长需要,这容易使孕妈妈血钙水平降低。

要想使孕妈妈保持充足的营养,又为胎宝宝健康成长提供必需的营养,同时还不要过量饮食,避免肥胖,最好的办法就是喝孕妇奶粉。孕妈妈可以选择一些品质好的孕妇奶粉,如含有孕妈妈、产妇和胎宝宝必需的各种营养成分的奶粉。每天喝一点孕妇奶粉,是孕妈妈最佳的营养补充途径,方便又有效。

适量增加能对抗水肿的食物

在怀孕的中后期,多胎孕妈妈由于身体负担比较大,经常会发生水肿,这会加重怀孕的辛苦,还容易发生妊娠高血压综合征。

为了对抗水肿,孕妈妈需要限制饮食中的盐分,还可以借助甜味和酸来调节食物的味道,还要适量摄入抗水肿的食物,如:冬瓜、绿豆等。

适当服用补充剂

怀有双胞胎以上的孕妈妈更容易出现贫血症状。如果是双胞胎孕妈妈，每天需要摄入 30~60 毫克铁，所以需要在医嘱下适当补充铁制剂。另外，还需要摄入更多的钙，如果通过食物无法摄入足够的钙，建议咨询医生是否通过服用钙片补钙。

> **马大夫告诉你**
>
> **不建议人为提高双胞胎概率**
>
> 一般来说，我们不建议人为提高双胞胎概率，特别反对采用促排卵药物促成双胞胎，因为这样母胎的并发症发生率高。

营养增加不足

对于怀有多胞胎的孕妈妈来说，一个人吃的饭几个人来分享，因此孕妈妈要比怀一个宝宝的孕妈妈摄取更多营养，以确保宝宝的生长发育。孕妈妈只有增加足够的体重，才能使宝宝们能长到健康的个头，否则会导致早产、宝宝出生体重过轻等问题。因此这类孕妈妈需要适当多吃点儿。饮食上可选择富含蛋白质、钙、碳水化合物的食物，尤其是粗粮。

抗拒营养补充剂

多胎孕妈妈需要更多的热量来满足胎宝宝的需要，每天应吸收 3500 千卡热量，需要摄入足够的蛋白质、维生素，还要在医生的指导下加服铁剂、钙剂、叶酸，以免发生贫血、缺钙等。

多胎孕妈妈不能因为害怕服用过多的营养补充剂而产生抗拒心理，因为多胎孕妈妈缺乏营养素的情况比较多见，尤其是贫血的概率高达 40%，一定要重视，不能忽视补充营养素的作用。

生活细节宜忌

多胞胎妈妈一定要定期进行产前检查

相比较单胎,怀双胞胎的孕妈妈产前检查有不同的时间间隔和检查方案。

孕妈妈单胎妊娠常规检查为孕7月以前每4周检查1次,孕8~9月每2周检查1次,孕10月每周检查1次。就B超来说,双胞胎的孕妈妈应至少每月进行1次胎儿生长发育的超声评估和脐血流多普勒检测。如果为单卵双胎,或可疑双胎输血综合征时,要增加检查频率,同时,妊娠晚期需要增加对胎儿的超声评估次数。如果有可疑双胎输血综合征时,要增加检查频率。

多胞胎妈妈及早住院早待产

怀多胞胎的孕妈妈子宫增大要比单胎迅速和明显,特别是在孕24周以后,尤为迅速。在孕晚期,很容易出现心慌、呼吸不畅、下肢水肿、静脉曲张等压迫症状。临产时比较容易发生子宫收缩无力而出现滞产,也可因胎盘早期剥离发生产前出血等症,还可因子宫过度膨大、胎盘过大而感觉疲惫,因此在孕晚期要特别注意休息,劳逸结合,观察宫缩情况,预防早产。如有症状,怀多胞胎的孕妈妈应及早住院待产,可以进一步检查,针对性治疗,降低母婴并发症发生。

事先咨询医生是否实施剖宫产

怀有多胞胎的孕妈妈,在预产期到来之前,应该就是否实施剖宫产的问题事先咨询医生,并与家人达成一致,做好充分的准备。

虽然自然分娩比较理想,但是为了确保安全,很多时候多胞胎最终实施的都是剖宫产。在预产期到来之前,孕妈妈要详细了解这两种分娩方式的知识,了解得越多,准备得越充分,分娩也就越顺利。

适当使用除纹霜预防妊娠纹

多胎孕妈妈由于腹部较大，比一般的单胎孕妈妈更容易产生妊娠纹，可适度地使用除纹霜，它含胶原蛋白成分，可预防纤维断裂，从而防止妊娠纹的产生。

使用托腹带

多胎孕妈妈可以在适当的时候使用腹带，减轻腰部压力，避免因为腹壁变松，形成悬垂腹。

托腹带的作用主要是帮助孕妈妈托起腹部，适用于肚子比较大，比较重，走路的时候都需要用手托着肚子的孕妈妈，尤其是连接骨盆的各条韧带发生松弛性疼痛的孕妈妈，托腹带可以对背部起到支撑作用。

要保证充分的休息与睡眠

为了适应怀孕后身体产生的变化，多胎孕妈妈更应该注意保证充分的休息和睡眠，可适当增加休息和睡眠的时间。一般来说，夜间睡眠至少要保证8小时，条件允许的话可增加午睡时间。睡眠时尽量抬高双腿，有助于减轻下肢水肿和静脉曲张。

盲目运动

多胎孕妈妈运动应该以散步为主，其他的运动方式应在医生的建议下进行。很多医生会建议怀多胞胎的孕妈妈在怀孕20周后减少运动量，不能盲目运动，以免造成危险。

如果出现下面的症状，应马上停止运动：

1. 感觉到出现宫缩的症状。
2. 感觉到骨盆受到压力。
3. 阴道出血。
4. 出现水肿，特别是脚开始肿胀。

附录

产前记住一些用力要领

产妈在阵痛期间的呼吸要根据宫缩特点,慢慢地、有节奏地进行,这样能有效缓解疼痛。一有宫缩就开始用力,在宫缩疼痛顶峰时使最大的劲儿,一次宫缩最好能有3次以上的发力过程,这样才是有效的,产妈也不至于白疼一次。即使产妈不知道怎么用力也不要慌张,医生、助产士会指导你用力,共同促进宝宝娩出。

向下用力:半仰卧位

①手握紧,双膝打开

产妈用力时,双手要紧握产床两边的把手向上向后用力,两腿尽量分开,膝盖向外侧倾斜,给宝宝出生让道,避免将大腿合并,否则会导致产道关闭。

②感觉特别想大便的时候,加大用力力度

当腹部用力时,肛门附近会有被压迫的感觉,类似排便,当便意特别强烈时,可加大用力,促进分娩。

③腰不要弯,背部要完全下垂

产妈在遭遇阵痛时,后背和腰部要躺在产床上,可适当弯曲,弯曲程度以你能看见肚脐为宜。如果过度弯曲,会导致产力向身体两侧分散,减小产力,不利于分娩。

横向用力:侧卧位

①必要用力蹬脚

当产妈采用侧卧位或半坐卧位分娩时,脚要蹬在墙壁或脚踏板上,这样才方便向下用力。

②感觉后背弓起

当产妈选择侧卧位分娩时,后背弓起能缓解疼痛。

③握紧把手

双手紧握住产床两边的把手,能利用作用力与反作用力的原理,协助用力。

练练缩紧阴道的分腿助产运动

缩紧阴道

平躺,吸气,同时慢慢地从肛门尽量用力紧缩阴道,注意不要把力量分散到其他部位,吸气时数到 8。

呼气,同时慢慢放松下来。重复 5 次之后放松休息。

分腿运动

在平躺的姿势下将膝盖向上举。用鼻子吸气并恢复平躺姿势,重复 5 次之后放松休息。

协和专家教你
产后恢复身材棒

马良坤 主编
北京协和医院妇产科主任医师、教授

电子工业出版社
Publishing House of Electronics Industry
北京·BEIJING

未经许可，不得以任何方式复制或抄袭本书之部分或全部内容。
版权所有，侵权必究。

图书在版编目（CIP）数据

协和专家教你产后恢复身材棒 / 马良坤主编 . — 北京：电子工业出版社，2017.1
（悦然·亲亲小脚丫系列）
ISBN 978-7-121-30059-2

Ⅰ. ①协… Ⅱ. ①马… Ⅲ. ①产褥期－妇幼保健－基本知识 Ⅳ. ① R714.6

中国版本图书馆 CIP 数据核字（2016）第 237070 号

责任编辑：周　林
特约编辑：贾敬芝
印　　刷：北京盛通印刷股份有限公司
装　　订：北京盛通印刷股份有限公司
出版发行：电子工业出版社
　　　　　北京市海淀区万寿路 173 信箱　邮编：100036
开　　本：720×1000　1/16　印张：11　字数：221 千字
版　　次：2017 年 1 月第 1 版
印　　次：2017 年 5 月第 2 次印刷
定　　价：39.90 元

凡所购买电子工业出版社图书有缺损问题，请向购买书店调换。若书店售缺，请与本社发行部联系，联系及邮购电话：(010) 88254888，88258888。

质量投诉请发邮件至 zlts@phei.com.cn，盗版侵权举报请发邮件到 dbqq@phei.com.cn。

本书咨询联系方式：zhoulin@phei.com.cn。

前言

十月怀胎，妈妈期待的小天使终于诞生了，在享受甜蜜、幸福的同时，也有一些小烦恼随之而来，比如"补"出来的体重，隆起的腹部，粗了一大圈的臂膀……不管是普通大众，还是模特、明星，产前身材即使再好，都难免会在怀孕、生产后走样。可以说，身材的恢复是绝大部分产后妈妈最关心的问题。

然而，女人在经历了生产的磨炼后，身体需要一段时间来恢复生机，而节食瘦身、高强度运动塑形都是不可取的。因此，产后身材的恢复需要饮食、运动、生活细节多方面的科学配合，才能在保证产后身体健康的同时又能瘦身、塑形。

本书特别聘请协和医院的孕产专家、专业瑜伽老师给予最贴心的指导。不管是顺产妈妈、剖宫产妈妈，不管是一孩妈妈还是二孩妈妈，都能从中找到最适合自己的产后恢复方法。从产后第一天到产后六个月，产后妈妈通过"掌握饮食智慧""讲究生活细节""安全瘦身运动"等方式，既能恢复健康，又能拥有好身材。

本书还针对女性的身体特点，特别是孕产对女性身体造成的生理影响给出了呵护方法，如守护"私密花园"，让子宫完好如初；呵护乳房健康，重塑乳房之美；拯救骨盆，让打开的骨盆收紧；告别大肚腩，练出小蛮腰等。对于女性产后常见的不适症状，如恶露不尽、产后便秘、乳腺炎等也都给出了调理方法。

总之，让妈妈们可以在享受与宝宝的甜蜜时光中，轻松愉快地恢复好身材。

协和专家教你
产后恢复身材棒

{目录}

CONTENTS

第一章 经历生产，你的身体亟待恢复

生完也没有变轻松：松弛了、肥胖了、出问题了 ... 014
产后肥胖十有八九会中招 ... 015
孕期体重长哪儿了，哪些地方能减掉 ... 016
产后肥胖有哪些看不见的伤害 ... 018
产后恢复急不得，一点一点慢慢来 ... 019
月子期要为不胖身材打基础 ... 020
要不胖，月子饮食有讲究 ... 020
要不胖，月子运动少不了 ... 020
出现这些情况时，瘦身计划缓一缓 ... 021
产后便秘不宜瘦身 ... 021
产后贫血不宜瘦身 ... 021
科学饮食是产后恢复的保证 ... 022
不反弹不复胖，这才是检验减肥成功的关键 ... 024

第二章 产后0~6个月的享"瘦"计划

{产后第一周}
掌握饮食智慧——以清淡、易消化的食物为主 ... 028
产后瘦身不能按照一般的减肥方法 ... 028
坚持母乳喂养是促进脂肪燃烧的第一选择 ... 028
多吃易消化的粥、软烂面条 ... 029
没下奶之前，千万不要喝下奶汤 ... 029
千万不能节食 ... 029
少量多餐，饿了就吃 ... 030
吃菜有点咸味就行，盐别多放 ... 030
将普通盐换成低钠盐 ... 030
哺乳妈妈也不需要大吃大喝 ... 030
讲究生活细节——及时使用收腹带 ... 032
收腹带不仅能瘦腰腹，还能防内脏下垂 ... 032

顺产后什么时候用收腹带	032
剖宫产后什么时候用收腹带	032

安全瘦身运动——根据身体情况及早下床　033

坐月子不等于卧床不动	033
顺产后 6~8 小时可以起身坐一坐	033
下床活动要防止眩晕	033
剖宫产后第一天要勤翻身	034
剖宫产后第二天可起身坐一坐	034
剖宫产妈妈可以在床上做做深呼吸运动	034
剖宫产后要待伤口愈合后再开始瘦身运动	034
帮助剖宫产妈妈捏捏全身肌肉，可避免肌肉僵硬	034

{产后第二周}

掌握饮食智慧——胃口慢慢变好，但不宜大补　035

注意饮食也要合理控制体重	035
一定要按时吃早餐	035
产后不要盲目大补	035
每天搭配 50 克粗粮，减肥不减营养	036
别太怕脂肪，摄入不超过总能量的 1/3 即可	036

讲究生活细节——细心做好身体护理　038

如果涨奶一定不要挤压乳房	038
涨奶疼痛难熬时可采取的舒缓不适的办法	038
用软毛牙刷、温水，天天刷牙	039
便后要冲洗外阴	039
及时更换卫生巾	039
剖宫产可以淋浴，以 5 ~ 10 分钟为宜	039

安全瘦身运动——开始做做产褥操　040

{产后第三周}

掌握饮食智慧——补血养气，提高乳汁质量　041

产后应进食滋阴补血的食物	041
催乳提上日程，多喝汤汤水水	041
药膳有很好的催乳功效	041

讲究生活细节——产后妈妈要穿哺乳文胸了　043

必须穿哺乳文胸了	043
如何选择哺乳文胸	043
近视眼的妈妈，产后需要重新验光	044
充足睡眠，加速恢复好身材	044
弯腰时，不要用力过猛	044

安全瘦身运动——健身球帮助矫正骨盆　045

{ 产后第四周 }

掌握饮食智慧——增强体质，补充体力 ... 046
合理搭配食物，提高蛋白质的营养价值 ... 046
补充维生素A，防止宝宝生长缓慢 ... 046

讲究生活细节——漏奶不要过于着急 ... 048
漏奶到底是怎么回事 ... 048
漏奶别着急，保持心情平定、放松 ... 048
不要过于担心形象，对产后恢复充满信心 ... 049
要好好保护手腕，避免疼痛 ... 049

安全瘦身运动——可适当增加运动量 ... 050
脊椎伸展，塑造背部曲线 ... 050
做做颈部运动，缓解哺乳引起的颈部酸痛 ... 051
转肩运动，预防肩部疼痛 ... 051
这些小动作，随时都可以做 ... 051

{ 产后第二个月 }

掌握饮食智慧——每天摄入的总热量别超标 ... 052
保持热量平衡才能控制体重 ... 052
爱吃蔬菜水果，既瘦又漂亮 ... 053

讲究生活细节——内调外养恢复快 ... 054
天气晴朗时，可以出门活动了 ... 054
扮靓自己，也有助于瘦身 ... 054
拍拍足三里，胜吃老母鸡 ... 054

安全瘦身运动——关节不僵硬，想瘦哪里瘦哪里 ... 055

{ 产后第三个月 }

掌握饮食智慧——无须刻意节食，也能跟赘肉说再见 ... 056
选择看得见原貌的食物 ... 056
增加膳食纤维的摄入 ... 056
三种瓜皮不要丢，瘦身又排毒 ... 056

讲究生活细节——身体温暖，健康不发胖 ... 057
温暖的身体不爱胖 ... 057
"宫廷"回暖酒 ... 057
一根擀面杖，驱寒排脂 ... 057

安全瘦身运动——产后瑜伽好处多 ... 058
虎式瑜伽，让臀部翘起来 ... 058
半脊椎扭转 ... 060

{ 产后第四个月 }

掌握饮食智慧——又要营养，又不要吃过量 ... 061

目录 CONTENTS

三餐热量最好达到3∶2∶1	061
想吃零食就选这些	062
每天至少一杯果蔬汁，燃烧脂肪抵抗衰老	062

讲究生活细节——恢复性生活后要注意避孕 　063
产后性生活要注意节制　063
可以进行短途旅行　063
洗澡刮痧，轻松燃烧脂肪　063

安全瘦身运动——收紧肋骨，快速瘦腰腹　064

{ 产后第五个月 }

掌握饮食智慧——有选择性进食　065
看着血糖上升指数（GI）买食物　065
夜宵！可是肥胖的"最佳帮手"　066

讲究生活细节——生活好习惯，瘦无声息　067
每天早上5分钟排毒操，肉肉掉得快　067
美腿好习惯　067
按摩脸部，促使肌肤复原　068

安全瘦身运动——加速脂肪燃烧　069
低强度的有氧运动最利于瘦身　069
每天三个5分钟，打造小蛮腰　069

{ 产后第六个月 }

掌握饮食智慧——酶与胖瘦密切相关　070
高酶果蔬加速瘦身　070
八种富含酶的果蔬　070

讲究生活细节——随时随地都能瘦　072
粗盐擦身帮助燃脂　072
清除身体"废物"消灭赘肉　072
地板上游泳燃烧全身脂肪　073

安全瘦身运动——普通矿泉水，轻松练走蝴蝶臂　074

第三章 守护"私密花园"，让子宫完好如初

从十月怀胎到初为人母，子宫的变化　078
十月怀胎子宫变化　078
子宫恢复主要包括三个方面　079

掌握饮食智慧——活血化淤排恶露　080
寒凉食物不利于恶露排出　080
摄入必需脂肪酸帮助子宫收缩　080

产后第七天左右开始吃红糖可活血化淤	081
吃红糖的时间不宜超过 10 天	081
山楂促进子宫收缩，加快子宫恢复	082
促进恶露排出的好饮品：山楂红糖水	082
莲藕补营养去淤血，促进乳汁分泌	083
鲤鱼可促进子宫收缩，除恶露	083
产后不宜大补，调和气血是重点	084
鸡汤有营养可温补，但宜分娩 5 天后喝	084
补气血的食物利于子宫恢复	084

讲究生活细节——促进子宫恢复   086

产后 8～12 天是开始帮助子宫恢复的好时机	086
生产结束，子宫需要 6～8 周来恢复	086
子宫恢复也"偷懒"	086
母乳喂养也是促进子宫恢复的好办法	087
及时排尿，减少子宫收缩的障碍	087
别当脏妈妈，注意阴部卫生	087
产后 24 小时内做子宫按摩加速收缩	088
中药足浴熏洗与按摩，促进子宫恢复	088

安全瘦身运动——让子宫尽快恢复   089

凯格尔运动预防子宫脱垂	089
简单易做的子宫恢复操	090
猫咪式小运动，锻炼宫缩力	091

第四章　呵护乳房健康，重塑乳房之美

细数乳房的变化   094

掌握饮食智慧——既丰胸又防病   095

过度节食会让乳房干瘪、变小	095
尽量少吃油炸食物，避免加重乳腺增生	095
吃肉要适量，过少胸部易萎缩，过多会发胖	095
乳房最爱的营养素	096

安全瘦身运动——做法很简单效果很明显   097

"8"字按摩法	097
画圈按摩法	097
按压法	098
螺旋按摩法	098
古今传承的丰胸招式	099
丰胸瑜伽，让胸部弹性十足	100
上班族妈妈的午间健胸操	102

第五章　拯救骨盆，让打开的骨盆收紧

分娩让骨盆弹力组织最大限度的松弛了 　　106
骨盆走样，破坏身材美，也是疾病诱因 　　107
自我检查一下：你的骨盆倾斜吗 　　107
掌握饮食智慧——"端正"骨盆、加强骨质，营养要先行 　　108
牛奶及奶制品是良好的钙来源 　　108
鸡肉富含蛋白质和维生素A，宜适量多吃 　　108
海带和虾皮都是补钙的好食物 　　109
大骨含钙高，但需烹饪得法 　　109
豆类及豆制品，产后妈妈补钙不可少 　　110
蔬菜中也不乏补钙佳品 　　110

讲究生活细节——抓住"端正"骨盆时机 　　111
骨盆底修复的最佳时机 　　111
小细节帮你打造完美骨盆 　　111
剖宫产也要进行骨盆修复 　　111
修复骨盆也可借助骨盆矫正带 　　112
坐时别跷二郎腿，并拢双腿 　　112
不要单手拎重物，背包要换肩背 　　112

安全瘦身运动——矫正骨盆，柔韧曲线 　　113
借助瑜伽球矫正骨盆 　　113
钟摆式运动，让骨盆回到中央 　　114
蹲起式运动，正骨盆瘦臀腹 　　114
坐在沙发上就能做的矫正骨盆小动作 　　115

第六章　告别大肚腩，练出小蛮腰

从怀孕到生产，腹部松弛了 　　118
恢复宝宝撑出来的大肚子 　　118
腰部"游泳圈"是脂肪堆积太多了 　　118
酶失职会让小肚子一天胖一圈 　　119
8种食物吃出平坦小腹 　　121
摄入富含B族维生素食物，促进身体代谢 　　123
用不粘锅炒菜以减少高热量油脂 　　123
饭后喝大麦茶或橘皮水、芹菜汁 　　123

讲究生活细节——精油按摩，收紧腰腹线条 　　124
安全瘦身运动——瘦出性感曲线 　　126
能站就不坐，站着就能瘦 　　126

散步的时候拍拍腹部	126
瘦肚子多做仰卧起坐	127
让肚子"消气"的腹式呼吸法	127
扭扭腰，扭掉水桶腰	128
左右摇摆塑造S曲线	129
侧抬腿练出腰肌	130
刮天枢穴、关元穴、气海穴，除掉小腹赘肉	131
利用零散时间，每天10分钟运动瘦全身	132

第七章 产后妈妈的局部瘦身，每一处都瘦瘦的

瘦腿	138
多吃4种食物，打造撩人细长腿	138
每天10分钟细腿按摩	139
超简单瘦大腿，扶着椅子踢踢腿	140
告别"大象腿"，多做骑车运动	140
洗完澡搓一搓，搓掉小粗腿	141
踮踮脚瘦小腿	142
瘦手臂	143
手臂伸展操，快速瘦手臂	143
小道具轻松瘦手臂	144
洗澡时捏一捏也能瘦手臂	144
瑜伽让你的手臂、肩背线条更优美	145
按压曲池穴、内关穴，跟手臂赘肉说再见	146
打造骨感肩背	147
刮痧刮走"水牛肩"	147
模仿划桨运动，坐拥X形美背	148
随时随处可用的美背小妙招——站墙根	148
美肩瘦背瑜伽，修饰迷人后背	149
美臀	152
洗澡时按一按轻松瘦臀部	152
美臀坐垫，随时随地轻松美臀	152
塑造S曲线的瘦腿美臀操	153
丰臀瑜伽瘦身不反弹	154
瘦脸	156
水肿、脂肪、肌肉松都会变成大胖脸	156
多吃消肿利湿、富含膳食纤维的食物	156
8种瘦脸食材	157
没了双下巴，脸也会变小	159

第八章　积极调理和预防产后不适

恶露不尽 — 162
产后恶露不尽，大多由感染引发 — 162
产后恶露不尽不容忽视，依情况及时就医 — 162
缓解产后恶露有良方 — 163

"妈妈腕" — 164
妈妈分娩后易出现"妈妈腕" — 164
如何预防"妈妈腕"的产生，如何缓解"妈妈腕" — 165

产后便秘 — 166
产后便秘的影响 — 166
产后便秘的预防 — 167

产后水肿 — 168
产后水肿的原因 — 168
产后水肿的影响 — 168
产后水肿的调理 — 169

产后乳腺炎 — 170
产后乳腺炎一般分为三个时期 — 170
初产妇更易得乳腺炎 — 170
产后乳腺炎的预防与调理 — 171

乳腺增生 — 172
产后乳腺增生的症状 — 172
乳腺增生的原因 — 172
产后乳腺增生的判定 — 172
注意调理情绪，以免加重病情 — 173
产后乳腺增生的预防与调理 — 173

腰酸背痛 — 174
产后不宜过早穿跟鞋 — 174
喂奶时注意采取正确姿势 — 174

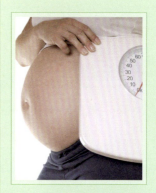

第一章
经历生产，你的身体亟待恢复

宝宝的到来为整个家庭带来了无穷的幸福和欢乐，女人也有了全新的体验和感悟。与此同时，妈妈们也面临着身材走样的苦恼，纠结着如何才能迅速恢复曼妙身姿。

爱美是所有女人的天性，产后妈妈不要以"照顾宝宝忙"为借口放弃自己身材的恢复，让我们一起了解产后身体，掌握科学的方法，变身凹凸有致的漂亮辣妈吧。

生完也没有变轻松：松弛了、肥胖了、出问题了

女人在孕期要忍受各种妊娠反应，有人会告诉你生了孩子就好了，感觉生完孩子女人就可以解放似的。其实不然，生完孩子的女人一点也不轻松，除了要照顾宝宝，还要解决自己的一个大麻烦——身材走样。

女性身体在产后发生变化是正常的，而且大部分变化是暂时的。不过，产后妈妈还是要对自己身体的变化有一个全面系统的了解，这样才能采取有针对性的瘦身方法，促进身体的恢复。

身体	产后变化
全身	腹部隆起；腹肌松弛、下垂；臀部宽大；手臂、大腿脂肪堆积
关节	整个妊娠期腰部和下肢承担负重压力，产后韧带还未恢复，造成腰膝无力、腰部酸疼
皮肤	怀孕期间色素沉积，如果孕期不重视皮肤保养，产后脸部很可能出现色斑；腹部出现的妊娠纹不容易消失
子宫	子宫：每天下降1~2厘米；10~14天后缩入盆腔；6周左右恢复正常大小，约50克重
	宫颈：出现松弛、充血、水肿等症状；1周后恢复正常形状，4周后恢复正常大小
阴道	产后逐渐缩小，阴道壁肌肉弹性逐渐恢复但未达到产前的紧致程度；6~8周后聚集的色素逐渐消退
盆腔底部肌肉群	4~6周肌肉群才能恢复到孕前状态
乳房	可能会出现乳房下垂，所以要做好产后乳房护理，再次让胸部坚挺

产后肥胖十有八九会中招

产后肥胖是妈妈们最烦恼的一个问题,大多数妈妈产后体重都较产前有很大变化,为什么呢?因为女性最容易长肉的三个阶段中就包括产后。所以了解产后肥胖,积极应对,才能尽快恢复体形。

女性最容易长肉的三个阶段

第一阶段 青春期

原因在这里

青春期,女性的内分泌会发生一系列变化,由于性激素分泌旺盛而导致代谢失衡,造成脂肪堆积。

第二阶段 产后

原因在这里

产后肥胖往往是孕期肥胖的延续。女性在孕期,为满足胎中宝宝的生长需要,大幅度增加营养摄入,而且随着其体内激素的增加,肠胃蠕动变慢,新陈代谢减慢,从而导致体重增加。

坐月子期间摄入了比较多的高脂肪、高蛋白食物,运动又相对较少,因此无法及时代谢掉多余的脂肪,也容易导致肥胖。

第三阶段 中年

原因在这里

人至中年,代谢功能降低,运动量少,导致脂肪堆积,加上稳定的家庭生活让女性内心比较安逸,压力较小,所以比较容易发福。

孕期体重长哪儿了，哪些地方能减掉

怀孕期间女性的体重都会增加，这些是普遍规律。但是不要以为所有增长的重量都长在了母体上，有些重量会在分娩之后自动消失，而有些就不能。这些重量从哪儿来？

孕期体重增加的情况一般如下图所示。

产后肥胖有不同的类型，妈妈有必要先了解下自己是什么类型的肥胖，再对症下药，才能取得事半功倍的效果。

体质性产后肥胖

先天就胖，主要是个体体内物质代谢慢，物质代谢速度不及合成速度，造成脂肪遍及全身。

瘦身建议： 坚持饭后散步、快走或做产褥操，加快代谢速度。

获得性肥胖

孕期、哺乳期过量饮食,而且膳食不合理,偏爱甜食、多油、高蛋白质食物,使得身体的肌肉松垮、不紧实。

瘦身建议: 少吃油腻、含糖高的食物,多吃蔬菜、水果等绿色食物,后者既能增加饱腹感,热量又低、膳食纤维丰富,可以促进肠胃蠕动,有利排便,减少肥胖。

紊乱型肥胖

内分泌失调造成的肥胖。

瘦身建议: 有规律生活,不熬夜,保证充足睡眠,保持快乐的情绪。

水肿型肥胖

孕期体内积存了大量的体液,宝宝出生后还未排除彻底,手指和脚踝出现了水肿。另外,孕妇的甲状腺功能减退,也会出现水肿现象。

瘦身建议: 饮食清淡,少摄入盐,多吃利水利尿食物,如冬瓜、芹菜等;每天进行腿部按摩。

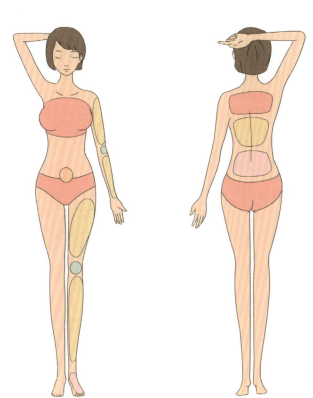

上臂、大腿、腰腹部、背部、臀部是产后妈妈最容易囤积脂肪的部位,产后运动有助于帮助这些部位的脂肪消除。

产后肥胖有哪些看不见的伤害

肥胖,归根结底是指进食的热量远远大于身体所消耗的热量,不仅影响体形,还会引发健康疾病。

1 易遭受外伤
肥胖者行动反应迟缓,相对正常人来说更易发生骨折、扭伤等外伤。

2 容易疲劳
严重肥胖者行动迟缓,活动力度稍大些就会气喘吁吁,容易疲劳。

3 易发三高疾病
体重越重的人,心脑血管疾病的发病概率也会越高,越容易患高血压、高血脂以及糖尿病等。

4 影响肺功能
肥胖者肺活量和肺功能会降低,同时肥胖者腹部脂肪堆积又限制了肺的呼吸运动,可造成缺氧和呼吸困难,甚至可导致心肺功能衰竭。

5 易引起脂肪肝等肝胆病变
肥胖者是脂肪肝的高发人群,尤其是腹部肥胖者更易患脂肪肝。

6 增加手术难度
肥胖者一旦患病会增加手术难度,并且术后易感染。

7 可引起关节病变
肥胖者的体重大多超过了膝关节所能承受的正常重量,导致膝关节受力不均,关节负荷增加进而可导致病变。

产后肥胖严重影响妈妈的健康,产后积极地从饮食、运动等方面加以控制是避免产后肥胖的关键。

产后恢复急不得，一点一点慢慢来

十月孕育，宝宝终于出生了，伴随着这种幸福，妈妈的忧愁也接踵而来——身材肥胖、严重走形，所以越来越多的产后妈妈加入了瘦身塑形的大军中。但是产后瘦身不能操之过急，一定要循序渐进，以免给身体带来伤害。

产后第一周 恢复健康最重要，轻微动一动，可以整理一下身边的卫生用品或自己的衣物，饮食上以清淡、易消化的流食为主。

产后第二周 下床活动，做做产褥操。产褥操可以锻炼肌肉，促进血液循环，有助于恶露排出和子宫收缩。

产后第三周 做些简单的家务，可以锻炼弱化了的腿部和腰部功能；饮食上可以适当温补，但荤的素的要搭配着吃，以利于蛋白质的及时吸收。

产后第四周 保持饮食均衡，肉类要选择高蛋白质、低脂肪的鱼类、瘦肉，热量低、膳食纤维丰富的蔬菜水果不可少；如果天气好，可以带着宝宝外出走走，但时间不宜过长。

产后第二个月 控制发胖，选择可促进脂肪代谢的植物油，食物忌糖；散步、快走是最好的减肥方式。

产后第三个月 这时消脂食材可以帮上忙，加快上下楼梯时的速度也可以燃烧脂肪。

产后第四个月 运动计划提上日程，饭前1~2小时运动效果最好。要建立好的饮食顺序，即汤—蔬菜—米饭—肉类，半小时后再吃水果。

产后第五个月 可以加大运动强度，进行力量训练，有针对性地进行胸、腰、腿部位的运动锻炼。

产后第六个月 是减肥的黄金期。这时身体新陈代谢的速度基本恢复正常，一定要把握好这一良机，泡澡、游泳、健美操都是不错的选择。

月子期要为不胖身材打基础

月子期是产后女性恢复身体健康的关键期。孕期、产后身体各器官机能需要恢复到孕前水平，体力、精力也亟待恢复，坐月子是必不可少的。因此，月子期是妈妈们休养生息、保证未来健康快乐的重要时期。

要不胖，月子饮食有讲究

月子期是产妇身体恢复的关键期，一定要养好，为了身体机能早日恢复正常以及正常分泌乳汁，必须摄取足够多的营养。但是，一定要注意饮食习惯与搭配，这对恢复身材起着重要的作用。首先要改变孕期食量大的习惯，少吃多餐；饮食要有规律，按时吃饭，不暴饮暴食或偏食；吃饭时细嚼慢咽，不能速度太快；食物要选择健康食品，而且品种多样。

要不胖，月子运动少不了

运动是恢复身材的好方式。月子期适当运动有助于身体健康和体形塑造。首先要摈弃传统坐月子时要卧床休息，少下床活动的陈旧观念。顺产妈妈在产后第一天如果身体没有什么不适，便可以做一些翻身、抬腿、缩肛动作；剖宫产妈妈拆线前也可以在床上翻身或下床走走。待身体适宜后可以出门散步，既燃烧脂肪又有利于恢复肌肉群和关节韧带的弹性和紧致。坚持哺乳也有利于瘦身。需要强调的是运动要量力而行，不可操之过急。

NO 不能为瘦身而进行高强度运动

产后妈妈身体内的激素发生变化，会使肌肉的弹性、力量有所下降，关节附近的韧带弹力也有不同程度的降低，从而导致关节松弛。此时妈妈就需要多休息而避免做幅度太大的健身运动，以致本来就脆弱的关节、韧带因拉伤或负荷大而出现疼痛。

NO 不能为瘦身控制饮食

有些妈妈产后急于恢复往日的苗条身材，刚生产完就开始控制饮食，这是不明智的。经过生产，妈妈的体力需要恢复，伤口也需要愈合，所以营养的补充不可缺少。否则营养跟不上，身体会更难恢复，甚至落下病根。同时，妈妈营养不足也会影响乳汁的质和量，从而造成宝宝生长发育不良。

出现这些情况时，瘦身计划缓一缓

产后便秘不宜瘦身

分娩后产妇身体水分的大量排出使肠内干燥，产后身体虚弱，不能依靠腹压协助排便；产后肠道蠕动慢，易引发便秘。这种情况下妈妈不宜即刻进行瘦身，而应该针对性地补水和适量的膳食纤维的补充，等便秘情况得到缓解之后再进行瘦身，否则会遭受更严重的便秘。

解决对策

1. 不能仅吃母鸡汤、猪手汤等高脂肪食物，要均衡摄入些水果蔬菜来缓解便秘，帮助排便。
2. 养成定时排便的好习惯，有便意就要去厕所。
3. 进行提肛运动。

产后贫血不宜瘦身

如果在孕期就贫血，生产时又失血过多，就很容易造成产后贫血。贫血会使产后恢复过程延长，在贫血没有得到解决的时候强行进行瘦身，必然会加重妈妈的贫血现象。

解决对策

1. 多吃含铁丰富的食物，如猪血、动物肝脏、菠菜、红糖等。
2. 可以服用硫酸亚铁口服液补铁，同时服用维生素 C，促进铁的吸收。

科学饮食是产后恢复的保证

多选富含蛋白质食物

每天补充 90~95 克蛋白质为宜。鸡、鱼、瘦肉、动物肝脏都是优质蛋白质的主要来源,牛奶、豆类也是妈妈产后必不可少的补养佳品。但是这些不可过量摄取,否则不但不利于身体恢复,还会加重肝肾负担。

食物要多样化

粗粮细粮都要吃,不要只吃精米精面,更需要加入如小米、燕麦、糙米、玉米、红豆等粗粮、杂粮,这样可以使营养互补,帮助妈妈产后尽快恢复元气。

摄取含钙丰富的食物

哺乳期的妈妈对钙的需求量相对较大,需要特别注意补充。可以多吃些豆类及豆制品,牛奶、海米、芝麻等也是很好的补钙食物。此外,身体允许的条件下多晒晒太阳,做产后保健操,都有助于促进钙质吸收。

摄取含铁丰富的食物

妈妈产后补铁也是很必要的,不然很容易发生贫血。可以在饮食中加入富含铁的食物,如动物肝脏、鱼类、油菜、菠菜、豆类等。

脂肪也需要适量摄取

妈妈产后虽然要恢复身材,但也不能一点不摄取脂肪,摄取必需脂肪有助于宝宝的大脑发育。但是不能过量,否则妈妈会发胖,导致脂肪肝,乳汁中脂肪含量过高也容易造成宝宝腹泻。

多吃蔬菜、水果和藻类

新鲜的蔬菜水果中含有丰富的维生素、矿物质、膳食纤维，藻类能提供适量的碘。这些都是妈妈产后必需的营养素，有助于瘦身的同时又能满足身体所需。

多喝汤

汤类易消化吸收，饱腹感强，瘦身的同时也能滋养皮肤。鲫鱼汤、猪蹄汤、排骨汤都是很好的选择。

饮食清淡，要有忌口

饮食要清淡，少吃或者不吃辛辣、酸涩的食物，这些食物容易刺激产后妈妈虚弱的肠胃，引起便秘等。少盐，有点咸味即可，避免过咸影响体内的水盐代谢，不利于瘦身；忌吃生冷寒凉食物，否则影响脾胃的消化吸收功能。

不反弹不复胖，这才是检验瘦身成功的关键

真正的瘦身成功并不是看你减掉了多少斤，而是一直能保持着标准体重不反弹。所谓"打江山容易，守江山难"，减肥也是这个道理。据统计，如果只是以节食来减肥的人，10个人中有7个人体重都会减了再反弹，想要一直瘦，估计你这一辈子都只能想象美食了。

然而，那些瘦身成功并且一直保持下去的人几乎都不节食，只是找到了对的方法，用科学的饮食加上适量的运动，让体重稳定在标准数值。

如果你已经减掉了体重，那接下来需要做的就是好好保持。推荐12种防止复胖的生活好习惯，以供参考。

不戒三餐

一日三餐按时吃，因为每次进餐时体内的新陈代谢会加快，三餐比两餐会多消耗10%的热量。但是要注意三餐的比例，早餐吃饱，午餐简单量少，晚餐适量即可。

每次戒一种食物

奶油蛋糕、油炸食品、糖果……都是容易发胖的食物，但是又很容易勾起食欲，一下子全都戒掉从心理上会觉得特别痛苦。一个一个戒掉，比较容易做到。

零食要有选择

零食最好选择蔬菜水果等，少吃薯片、爆米花等。

吃饭只做一件事

不要一边吃饭一边看电视、玩手机、不停聊天，边吃饭边做其他事情会不知不觉拉长吃饭时间，增加进食量。

不挑食

不要爱吃的食物使劲吃，不爱吃的一口不吃，均衡饮食才能有效地促进身体的新陈代谢。

口味要清淡

清淡饮食有助于身体良好的新陈代谢，避免脂肪堆积。重口味的食物更下饭，比如过咸、过辣，但无形中增加了热量摄入。

适量多吃粗粮和富含膳食纤维的食物

这些食物有助于促进肠胃蠕动，帮助身体排出废物。

养成喝水好习惯

喝水不仅能控制食欲，还有助于体内脂肪的代谢。

健康饮水时间

AM 6:30
身体排毒、
促进血液循环

AM 9:00
镇定精神、
开始忙碌的一天

AM 11:00
放松情绪

PM 12:50
促进消化、
保持身材

PM 15:00
缓解疲劳

PM 18:00
补充水分、
增加饱腹感

PM 19:30
帮助晚餐后
消化吸收

PM 21:00
备足一夜
所需水分

细嚼慢咽

细嚼慢咽能让食物与唾液充分混合，提高营养的吸收率，还能增加饱腹感，减少进食量。

适时鼓励自己

每看到自己体重下降的时候都可以给自己来点适当的鼓励，比如看场电影、买件好看的衣服，给自己增加信心。

第二章
产后 0~6 个月的享"瘦"计划

女人由于在妊娠期摄取的营养丰富而导致分娩后身材臃肿,属于正常现象,不用过分介意。产后是重塑美丽身材和崭新形象的大好时机,重要的是要找对方法。

特别定制的 6 个月瘦身计划,通过合理的饮食、科学的运动以及生活细节的自我调理,引导产后妈妈一步步恢复窈窕身材,重拾对美的自信!

产后第一周

掌握饮食智慧
——以清淡、易消化的食物为主

产后瘦身不能按照一般的减肥方法

身材变样、产后肥胖也跟随着宝宝一起来了,这是令每一位当妈妈的女人最头疼的问题,看着镜中那个胖了好几圈的自己简直不忍直视。于是女人们爱美的天性开启了,寻找各种减肥的方法准备瘦身。

但是,产后妈妈的减肥是不能按照一般的减肥方法进行的,比如节食减肥、高强度运动减肥,甚至吃减肥药减肥。因为女人经历分娩后,身体各部分还在恢复当中,经不起高强度的运动锻炼,而且为了保证产后乳汁充沛,需要补充营养,不能节食更不能吃减肥药。

所以,产后瘦身决不能为了追求速成效果而盲目地选择减肥方法,不科学的减肥不仅会对女人的身体造成伤害,更会影响宝宝的健康。

坚持母乳喂养是促进脂肪燃烧的第一选择

现在,全世界范围内都在提倡母乳喂养,不仅是因为母乳能为宝宝提供无法替代的营养物质、增强免疫力,而且母乳喂养有利于产后妈妈瘦身。

女人在分娩前体内会积存许多热能,乳汁的分泌为这些热能的消耗找到了途径,如果产后不哺乳,积存的热能就不能散发出去,继续囤积在体内就容易使产后妈妈发胖。

另外,母体内的葡萄糖会转化为乳糖进入乳汁,这也是消耗能量的一个很好的途径。

多吃易消化的粥、软烂面条

坐月子期间,保证营养均衡的饮食对妈妈的身体健康十分重要。不过,这也不是说想吃什么就可以吃什么,要选择营养高并且易消化的食物。

因为妈妈坐月子期间肠胃功能还在恢复中,大量进补容易造成肠胃功能紊乱。粥、烂熟的面条、蔬菜汤、清淡的鱼汤是坐月子前期最好的选择。随着妈妈身体的恢复,后期逐渐增加富含蛋白质、碳水化合物和适量脂肪的食物。需按照身体恢复的状况来进补,若是吃下太多养分高又难消化的食物,身体也无法吸收。

没下奶之前,千万不要喝下奶汤

产后要让宝宝尽早吸吮乳房,以使乳腺管畅通,而乳腺管畅通了就容易下奶了。有些妈妈经过宝宝吸吮就会下奶,有些妈妈则会出现乳房肿胀、发热等,这时就要通乳了,一定要遵医嘱。

如果在妈妈乳腺管还没有彻底通畅、没有下奶之前,就喝下奶汤,会导致乳汁一下子出来堵塞乳腺管,出现乳房胀痛现象。所以没下奶之前,千万不要喝下奶汤。

千万不能节食

看到自己臃肿的身材可能妈妈会难以接受。因此,会在月子期间急于节食减肥。这样做不但对妈妈健康不利,对宝宝也无益处。

为了保证哺乳需要,产后妈妈一定要摄入营养丰富的食物,保证每天足够的热量。如果因为急于恢复身材而节食,乳汁营养就会不足,容易导致宝宝营养不良、免疫力低下。而且,妈妈恢复身体也需要营养,所以千万不能节食减肥。

少量多餐，饿了就吃

妈妈产后肠胃功能还没有完全恢复，一次吃太多会给虚弱的肠胃带来负担，少量多餐才有助于肠胃功能的恢复。另外，因为刚经历了生产，妈妈的胃口不是很好，除了一日三餐的正常饮食外，可以在两餐之间适当加餐，或者饿了随时吃。

吃菜有点咸味就行，盐别多放

过去有一种说法，产妇在坐月子期间不能吃盐，吃了对妈妈和宝宝都不好，这是不科学的。但是盐吃多了不好，如果产后妈妈每天的盐量摄入过多，就会加重肾脏的负担，对肾脏不利，会使血压升高，同时也不利于新生儿的肾脏健康。但是也不能一点都不吃，盐中含有钠，如果钠缺乏会影响体内电解质平衡，弄得妈妈没了胃口，食欲不振，营养缺乏，影响泌乳。

所以，妈妈产后可以吃盐，但是不要口味过重，以饭菜中有点咸味为度。

将普通盐换成低钠盐

普通食盐的主要成分是氯化钠，不含钾。低钠盐不只含有氯化钠，同时还含有氯化钾和硫酸镁，有助于改善体内钠、钾、镁的平衡。而且，低钠盐的咸味略淡，更适合妈妈在月子期食用。

另外，低钠盐所含的高钾成分在预防高血压方面的作用不容忽视。

哺乳妈妈也不需要大吃大喝

传统观念里，产后必然要大补，这样才能有充足的乳汁。但是究竟需不需要大补呢？

哺乳妈妈进补不可一概而论。现代人平常的饮食已比较丰富，产后妈妈的饮食比日常饮食稍增加些营养即可，不需要大吃大喝，否则可能会导致"虚不受补"的现象。

最有效的下奶食谱○○○

花生仁小米粥

● 小米非常适合产后妈妈食用，富含B族维生素，对于产后气血亏损、体质虚弱的妈妈有很好的补益作用，还能健脾开胃、促进睡眠。

> 材料 花生仁30克，小米100克。

> 做法

1. 花生仁洗净；小米洗净。
2. 锅置火上，加适量清水煮沸，把小米、花生仁一同放入锅中，大火煮沸，转小火继续熬煮至黏稠即可。

多彩蔬菜羹

● 这款汤色彩诱人，能让产后妈妈比较有食欲，还能提供丰富的维生素和矿物质，可振奋精神、提高抵抗力、促进恢复。

> 材料 白菜、油菜各100克，胡萝卜50克，鲜香菇3朵。

> 调料 葱末3克，盐1克，水淀粉、植物油各适量。

> 做法

1. 白菜、油菜择洗干净，切末；胡萝卜洗净，切末；鲜香菇洗净，去蒂，放入沸水中焯烫1分钟，捞出，切末。
2. 锅置火上，倒油烧至七成热，炒香葱末，放入胡萝卜末略炒后倒入适量清水煮至胡萝卜八成熟，下入白菜末和油菜末煮至断生，加香菇末，用盐调味，用水淀粉勾薄芡即可。

讲究生活细节
——及时使用收腹带

收腹带不仅能瘦腰腹，还能防内脏下垂

怀孕期间，子宫变大，腹壁松弛，都会导致产后肚子变大、腹肌变松。而产后子宫还未恢复，内脏失去支撑很容易下垂，内脏下垂是女性疾病和未老先衰的根源，产后用收腹带能帮助缓解内脏和子宫下垂，还有助于让怀胎十月的肚子尽快回缩、提臀，告别松弛的大肚腩和大屁股。

顺产后什么时候用收腹带

顺产后第三天就可以使用收腹带，但不能一天到晚都系着，避免长期使用影响血液循环。最好是下床活动时系上，在床上躺着或者坐着休息时解开。顺产后第七天，可以延长时间，系一两个小时后，就应该解开，让腰腹放松一会儿。

而产后六个月内体内脂肪是流动的，是重塑体形的最佳时机，所以利用收腹带重塑体形可以从产后第三天开始，持续半年效果最好。

建议选择有弹性的收腹带，避免造成血液循环不畅或影响妈妈的日常活动。市面上有各种类型的收腹带，设计各不相同，在选择收腹带时除了关注它的弹性如何，还要考虑材质的透气性和长度，应该选有弹性、透气好、高腰、较长的收腹带。

剖宫产后什么时候用收腹带

剖宫产妈妈在做完手术后腹部会留下伤口，所以不能马上用收腹带，以免引起伤口感染。建议剖宫产妈妈在伤口完全愈合后再用收缚带，一般是在分娩2个月后。使用收腹带时，不要一直系着，隔一两个小时可以放松一下，而且要在睡前取下，同时要避免束缚太紧。

安全瘦身运动
——根据身体情况及早下床

坐月子不等于卧床不动

刚生完宝宝的妈妈身体虚弱，所以需要坐月子来充分调理身体，帮助身体复原。但是，月子期间一味地卧床休息对妈妈也不利。所以妈妈既不能卧床不动，也不能过早、过量运动，而要劳逸结合，适当锻炼，稍有累感就要躺下休息。

顺产后 6~8 小时可以起身坐一坐

正常情况下，家人应督促顺产妈妈在产后 6~8 小时坐起来，因为总是躺在床上，不利于体力的恢复，还容易降低排尿的敏感度，可能会妨碍尿液排出，引起尿潴留，甚至导致血栓形成。

下床活动要防止眩晕

妈妈分娩时可能会因失血过多和用力过度而伤元气，导致脑部供血不足，出现眩晕的情况。经过 1 天的恢复，这种情况已经有所缓解，但妈妈下床时仍要有家人陪同，避免眩晕摔倒的发生。

妈妈下床前应先在床头坐 5 分钟，确认没有不舒服再起身。	下床排便前要先吃点东西恢复体力，避免晕倒在厕所内。此外，上厕所的时间不要太久，蹲下站起动作要慢。	一旦出现头晕现象，妈妈要立刻坐下来，在原地休息，并喝点热水，等不适感觉消失后再回到床上。

剖宫产后第一天要勤翻身

妈妈在剖宫产术后会有不同程度的肠胀气，此时在家人的帮助下多做翻身动作，有助于促进麻痹的肠肌恢复蠕动功能，从而使肠道内的气体尽早排出，避免肠粘连。

另外，剖宫产后恶露排出的量会比自然分娩的要少，多翻身有助于恶露排出，避免恶露淤积在子宫内引起感染。

所以，忍住疼痛多翻身是剖宫产妈妈尽快排气、排恶露的一大秘诀。

剖宫产后第二天可起身坐一坐

剖宫产妈妈不能像正常阴道分娩的妈妈一样产后 24 小时就下床活动，但是可以在第二天起身坐一坐，这也有助于排恶露、避免肠粘连，有利于子宫切口的愈合。

剖宫产妈妈可以在床上做做深呼吸运动

妈妈在产后做适当的运动，对于体力恢复和器官复位有很好的促进作用，但是不要做剧烈运动，避免影响剖宫产刀口的愈合，在床上休息时做做深呼运动，配合活动一下手腿。

剖宫产后要待伤口愈合后再开始瘦身运动

很多人觉得剖宫产后要静卧不动，等待体力恢复，这也是种认识误区。只要体力允许，要尽早下床活动并逐渐增加活动量。但是要跟顺产妈妈的瘦身运动方案有所区别，一是因为刀口恢复需要时间；二是剖宫产后妈妈腰腹部比较脆弱，强行锻炼会对身体造成损伤。建议剖宫产后四周左右等刀口愈合后，再进行瘦身运动。

帮助剖宫产妈妈捏捏全身肌肉，可避免肌肉僵硬

剖宫产手术后，在麻醉药效还没有完全消退时，妈妈会感到下肢麻麻的，这时家人要帮助妈妈捏捏四肢，如捏捏双臂和双腿，以避免妈妈肌肉僵硬，为妈妈尽早排便和下床行走做准备。

{产后第二周}

掌握饮食智慧
——胃口慢慢变好,但不宜大补

注意饮食也要合理控制体重

进入产后第2周,妈妈的身体有一定程度的恢复,这个时候可以进行轻微的活动。同时要注意饮食营养,保证乳汁的充分分泌,但是也要合理控制体重。

产后妈妈更应该建立体重管理的概念,适量补充营养就好,不要暴饮暴食,也不宜补充过多的特殊补品。合理控制体重不仅对身体恢复有利,还能避免一些慢性疾病的困扰。

一定要按时吃早餐

月子里妈妈按时吃早餐是非常重要的。因为经过一夜的睡眠,体内的营养已经消失殆尽,血糖浓度偏低,如果不能及时补充碳水化合物,就会出现头昏心慌、四肢无力、精神不振等症状。且哺乳妈妈需要更多的热量来哺喂宝宝,所以,这时的早餐应该比平时更丰富。

产后不要盲目大补

坐月子期间一味地吃大鱼大肉进补,是老观念了,早已经不适合现代女性。现代人的生活富裕,营养并不匮乏,关于产后的营养问题,中国营养学会建议产后月子期女性平衡膳食,主要包括:增加鱼、禽、蛋、瘦肉及海产品摄入量;适当增加奶类摄入,多喝汤水;产褥期饮食多样,不过量;忌烟酒,避免浓茶和咖啡。盲目进补有时会适得其反。

每天搭配 50 克粗粮，减肥不减营养

主食的摄入中，适量增加一些相对于大米、白面这些细粮以外的全谷物和杂豆类食物，如小米、高粱、玉米、荞麦、燕麦、薏米、红豆、绿豆等，其中的膳食纤维含量较高，可以在胃肠内限制糖分与脂肪的吸收，有效增加饱腹感，抑制人的食欲，进而减少热量的摄入，有助于减肥。另外，五谷杂粮中的膳食纤维还能够促进肠道的吸收和蠕动，达到润肠通便的作用。

同时，主食中搭配粗粮可以提高食物的营养价值，如谷类蛋白质中赖氨酸是限制性氨基酸，含量低；豆类蛋白质中蛋氨酸也是限制性氨基酸，含量低，但富含赖氨酸，此时将谷豆搭配，它们各自的限制性氨基酸正好互补，就能大大提高蛋白质的营养价值。

别太怕脂肪，摄入不超过总能量的 1/3 即可

脂肪是人体器官和组织的重要部分，有着不可替代的地位，为了减肥完全不摄取脂肪类食物是不科学的。但是，脂肪也是一个很让人纠结的东西——既能满足身体对热量的需求，又很容易摄取过量造成肥胖。因此，脂肪的均衡摄入是非常重要的。成人每日的脂肪摄入量应占总热量的 20%～25%，如果是减肥期间，还要适当减少摄入量。

建议多摄入富含不饱和脂肪酸的食物如鱼类，鱼肉中富含不饱和脂肪酸，有助于降低胆固醇。相对而言，最好少吃含有饱和脂肪酸的食物，如猪肉。

健康美味月子餐○○○

鸡肉山药粥

● 鸡肉的蛋白质消化吸收率高,有助改善产后妈妈虚弱等症状。

> **材料** 大米、山药各100克,去皮鸡肉200克。

> **调料** 盐、葱花、植物油各适量。

> **做法**

1. 山药去皮洗净,切小块;鸡肉洗净,切小丁,入沸水焯烫,捞出,沥干。
2. 油烧热,葱花爆香,放鸡肉丁翻炒熟后盛出备用。
3. 大米淘洗干净,放入砂锅中,加适量水,大火烧开,加入鸡肉丁和山药块,继续烧开后转小火熬煮,直至粥熟加盐调味即可。

花生红枣鸡汤

● 调理产后五脏亏虚

> **材料** 净鸡1只,水发冬菇30克,花生仁25克,红枣5颗。

> **调料** 葱段、姜片各5克,盐2克,老抽、白糖各3克,淀粉、料酒各6克,香油1克,植物油适量。

> **做法**

1. 花生仁洗净;冬菇加白糖、3克料酒、香油、淀粉拌匀;鸡沥干水,用老抽、1克盐腌渍10分钟。
2. 锅内倒油烧热,放入鸡,炸至皮呈黄色,捞起;锅留底油烧热,爆香葱段、姜片,放入鸡、花生仁、冬菇、红枣,加剩余料酒、适量清水,慢火炖1小时,加剩余盐调味即可。

讲究生活细节
——细心做好身体护理

如果涨奶一定不要挤压乳房

如果妈妈哺喂的间隔时间太长，或乳汁分泌过多，孩子吃不完，使乳汁无法被完全移出，乳腺管内乳汁淤积，让乳房变得肿胀且疼痛，就是常说的"涨奶"。妈妈涨奶时要及时喂宝宝，如果乳汁分泌过多，宝宝吃不了，应用吸奶器把多余的奶吸空。这样既能解决产妇乳房胀痛，又能促进乳汁分泌。涨奶时要注意不要挤压乳房，否则容易诱发乳腺炎。

涨奶疼痛难熬时可采取的舒缓不适的办法

热敷

热敷有助于使阻塞的乳腺变得通畅，改善乳房循环状况。热敷中，要注意避开皮肤娇嫩的乳晕和乳头部位，温度不宜过热，以免烫伤皮肤。

按摩

一只手托住乳房，另一只手轻柔按摩，先揉乳头，再揉乳晕，最后揉乳根，再将乳汁挤在容器中。然后换到另一侧，重复此过程。

温水浸泡乳房

可用一盆温热水放在膝盖上，再将上身弯至膝盖，让乳房泡在盆里，帮助缓解胀痛感。

借助吸奶器

涨奶厉害时，可使用手动或电动吸奶器来辅助挤奶，效果不错。

冷敷

如果乳房肿胀疼痛非常严重，可用冷敷止痛。一定要先将乳汁挤出后再进行冷敷。

用软毛牙刷、温水，天天刷牙

"坐月子不能洗脸刷牙"，这是旧习俗，并不提倡，从今天的医学角度来看这种说法毫无科学依据，而且还会危害妈妈和宝宝的健康。

因为在妊娠的时候牙齿就面临很多健康问题，变得脆弱，如果在月子期间不刷牙，就会给细菌的滋生提供温床，导致各种牙病，如牙周炎、龋齿、龋齿脓肿等。所以妈妈在月子期里一定要刷牙，而且要用软毛刷、温水刷牙。

软毛牙刷可以保护妈妈比较脆弱的牙齿，不会伤害牙龈，刷牙时要动作轻柔，"竖着"刷。产后妈妈身体还比较虚弱，对寒冷的刺激较敏感，所以要用温开水刷牙，避免对牙齿和齿龈刺激过大。

便后要冲洗外阴

阴道内或生殖道创面极其容易受到各种病菌的侵害，从而造成感染。同时，分娩会消耗相当多的体力，容易导致身体抵抗力降低，造成某个身体部位甚至全身出现炎症。所以，为了预防产后感染，在坐月子期间，应该经常清洗私处，保持外阴清洁。

如果会阴没有伤口，每次冲洗时，要先擦去分泌物，然后用清水先冲洗外阴，再洗肛门处。如果有伤口，要注意观察会阴伤口愈合情况，检查伤口有无渗血、血肿、硬结及异常的分泌物等。

及时更换卫生巾

分娩后一段时间内，体内会有一些血液混杂着坏死脱落的子宫内膜等经阴道排出，我们通常称之为恶露。恶露会从阴道排出，所以要及时更换干净的会阴垫或卫生巾，保持外阴清洁，以预防感染。

剖宫产可以淋浴，以 5～10 分钟为宜

剖宫产后一周就可以淋浴了，不可坐浴；洗浴时间不宜太久，时间以 5～10 分钟为宜，以 37～40℃的水温最为适宜。洗完要注意保暖，迅速擦干身体，及时穿好衣服，并吹干头发，以免受凉感冒。

安全瘦身运动
——开始做做产褥操

顺产妈妈在产后 6~7 天可以开始练习产褥操，帮助子宫恢复和恶露排出，促进膀胱功能的恢复，加强胃肠功能，还可以促进盆底肌肉和韧带紧张度的恢复。

1 仰卧，双手贴在身体两侧，吸气收腹；呼气同时做缩肛运动 50 次。

2 双腿并拢缓缓抬起，尽量使腿和身体成直角，然后放下。重复动作 10 次。

3 双腿在空中交替做骑车蹬腿运动。最开始可以做 10 分钟，然后根据身体适应能力逐渐增加时间。

{ 产后第三周 }

掌握饮食智慧——补血养气，提高乳汁质量

产后应进食滋阴补血的食物

妈妈在产后一定要注意合理膳食，营养摄入均衡，尤其是蛋白质、维生素、铁等丰富的营养以供给足够的造血原料。动物肝脏、动物血和瘦肉是补铁的最佳选择。胡萝卜不仅含有铁质，还含有丰富的胡萝卜素，有助于消化吸收。

蛋、豆制品、红枣、桂圆也是哺乳期妈妈不可少的，新鲜果蔬中的维生素C可以使植物性食物中铁的吸收率提高2~3倍。

催乳提上日程，多喝汤汤水水

从本周开始，催乳就要被正式提上日程了，乳汁分泌不好的妈妈应该想办法催乳了。比如，可以喝催乳汤，汤水要多才能下奶；还可以吃一些利水去肿的食物，如乌鸡、鱼、蛋、红豆、芝麻、银耳、核桃、玉米等。常用食谱：花生红豆粥、核桃枸杞紫米粥、黑芝麻花生粥、鱼头豆腐汤、酒酿蛋汤、花生猪脚汤、海带豆腐汤等。

药膳有很好的催乳功效

药膳是药物与食物的结合，既营养又催乳，可谓一举两得。如莴苣子粥、山药炖母鸡、炒黄花猪腰、王不留行炖猪脚，是4种实用、美味的催乳药膳。

健康美味月子餐 ○○○

花生牛奶

● 花生含有丰富的蛋白质和脂肪，对产后女性乳汁不足者有养血通乳的作用。

> **材料** 花生仁 35 克，牛奶 250 克。

> **做法**

1. 花生仁煮熟，备用。
2. 将花生仁和牛奶放入豆浆机中，按下"豆浆"键，煮熟倒出即可。

羊肉胡萝卜粥

● 增强体质

> **材料** 大米、胡萝卜各 100 克，羊肉 75 克。

> **调料** 葱末、姜末各 5 克，盐 3 克。

> **做法**

1. 大米洗净，浸泡 30 分钟，控水；羊肉、胡萝卜分别洗净，切片。羊肉放开水中焯熟。
2. 锅置火上，放入大米，加适量水熬煮成粥，放入羊肉片、胡萝卜片煮熟，加盐、葱末、姜末调味即可。

讲究生活细节
——产后妈妈要穿哺乳文胸了

必须穿哺乳文胸了

很多妈妈坐月子期间嫌麻烦不穿文胸,这是不好的。因为文胸是很重要的,它能支持和扶托乳房,防止乳房下垂;能促进乳房血液循环,加速乳汁分泌;能避免乳汁淤积而引起的乳腺炎;还能保护乳头免受摩擦。

如何选择哺乳文胸

要根据自己乳房的大小及时调换文胸的大小和罩杯的形状;文胸的带子要有一定的拉力,能将乳房向上托起;文胸应选择透气性好的纯棉布料;最好穿胸前有开口的文胸,方便给宝宝喂乳。

另外,哺乳文胸很娇气,清洗和晾晒有讲究。要用内衣专用的中性洗剂单独手洗,洗好后把带子放入罩杯中,握在掌心挤压水分,这样可以避免罩杯变形。晾晒时,要以三点悬挂,不要用肩带挂,因为水分的重量会将肩带拉长。

挤压控水

三点晾晒

近视眼的妈妈，产后需要重新验光

近视眼的妈妈，产后应复查一下视力，以检查产后屈光度是否发生变化。如果确定已经发生了改变，应及时配新眼镜，这样对产后眼睛的康复有重要的作用。

充足睡眠，加速恢复好身材

有一种听起来很炫的产后瘦身方法叫"梦幻睡眠法"，这种方法主要利用身体的"瘦素"，在睡眠中促进新陈代谢，通过提高热量消耗来减少脂肪。

所谓"瘦素"，是指人体本身分泌的生长激素（即HGH），这种激素可以帮助加速体内脂肪的燃烧。HGH在晚上睡眠时间23：00~凌晨2：00分泌最多，特别是在入睡一个半小时后最旺盛。虽然在睡眠时身体机能运行缓慢，但是贮存在体内的热量仍然不断消耗，新陈代谢仍会持续进行。

人体越年轻健康，细胞的代谢功能就越强，睡眠状态时消耗的热量就越多，所以睡得好才更能瘦身。睡得好是要保证充足的睡眠时间和好的睡眠质量。

好的睡眠质量标准：
①在10～20分钟内入睡；
②一觉到天亮，睡眠时无噩梦；
③偶尔醒来又能在5分钟内入睡；
④睡眠时做梦但早上会很快忘记；
⑤早上起床神清气爽，精力充沛。

弯腰时，不要用力过猛

产后妈妈平时在拿取物品的时候，特别是举重物、举高东西、弯腰捡东西的时候，注意动作不要过猛，以避免拉伤腰部肌肉。若腰部不适，在抱宝宝的时候尽量用手臂和腿的力量，腰部少用力；捡东西的时候不要猛然弯腰，最好先将双腿前后分开，再下蹲，这样保持重心稳定的同时也分散了腰部用力。

安全瘦身运动
——健身球帮助矫正骨盆

1. 仰卧，双腿放在健身球上面做腹式呼吸。

2. 吸气的同时臀部抬起，放松，保持5秒。

3. 两个膝盖夹紧健身球，且收缩肛门，重复10次。

4. 上身抬起，保持5秒，再平躺下来。

{产后第四周}

掌握饮食智慧——增强体质，补充体力

合理搭配食物，提高蛋白质的营养价值

蛋白质的营养价值高低跟其所含的氨基酸的种类和数量有关，因此，通过把不同种类的食物搭配在一起可以取长补短，提高蛋白质的营养价值。植物性食物中的豆类、坚果、谷类等也含有蛋白质，其中黄豆及其制品中的蛋白质可提供人体所需的必需氨基酸，其他植物蛋白质不能提供全部的必需氨基酸，与其他食物混合食用可以实现互补。将豆类和谷类混合食用，比如馒头配豆浆，它们的蛋白质营养几乎和牛肉相当。

玉米、小米、黄豆混合食用时，蛋白质的生物效价比单独食用任何一个都要高。素食之间的合理搭配对于患有高脂血症、冠心病等疾病的妈妈来说，既能摄入足够的蛋白质，又能避免摄入肉类而导致的高脂肪、高胆固醇。

补充维生素A，防止宝宝生长缓慢

维生素A和细胞的完整性有关，能够帮助细胞对抗氧化，增进免疫细胞的活力，提高免疫细胞的数量。哺乳妈妈如果乳汁中缺乏维生素A，就会使宝宝生长缓慢，并对眼部、呼吸道、泌尿系统的健康发育都有影响。

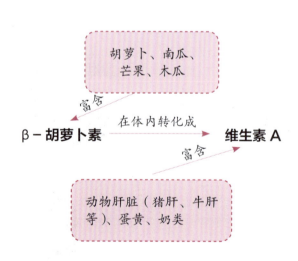

健康美味月子餐○○○

一品豆腐汤

● 豆腐含有丰富的钙，有助于促进骨骼发育，帮助新妈妈补充体力。

> 材料　豆腐100克，水发海参、虾仁、鲜贝各25克，枸杞子少许。

> 调料　盐、白糖各适量。

> 做法

1. 豆腐洗净，切小丁；水发海参剖开，去内脏后洗净，切小丁；虾仁去虾线后洗净，切小丁；鲜贝洗净，切小丁；三种海鲜均焯水；枸杞子清洗干净，备用。
2. 锅置火上，倒入适量清水烧开，放入豆腐丁、海参丁、虾仁丁、鲜贝丁、枸杞子煮3分钟，加入盐、白糖调味即可。

红豆红枣豆浆

● 红豆富含叶酸，有催乳的功效，红枣能补益气血、通乳，对产后体力恢复和乳汁分泌都有很好的功效

> 材料　黄豆40克，红小豆、红枣各20克。

> 调料　冰糖10克。

> 做法

1. 黄豆用清水浸泡10~12小时，洗净；红小豆淘洗干净，用清水浸泡4~6小时；红枣洗净，去核，切碎。
2. 将黄豆、红小豆和红枣碎倒入全自动豆浆机中，加水至上、下水位线之间，煮至豆浆机提示豆浆做好，过滤后加冰糖搅拌至化开即可。

讲究生活细节
——漏奶不要过于着急

漏奶到底是怎么回事

生完宝宝后奶水不断外流，俗称"漏奶"。医学上说，漏奶是指乳房不能储存乳汁的现象。漏奶和哺乳过程中的泌乳反射、条件反射及乳房结构等有关。有些妈妈产后气血虚弱，也可能发生漏奶现象。

泌乳反射
在乳汁开始分泌的前几周，宝宝频繁吸奶会导致乳房出现泌乳反射，乳房受到刺激可能发生漏奶的现象

条件反射
当妈妈看到别的妈妈哺乳时，会引起自身条件反射，出现漏乳现象。此外，如果乳房淤积过多乳汁时，出现泌乳反射，也可能产生漏奶现象

乳房结构
如果妈妈乳头位置较低，也较容易出现漏奶现象。此外，如果妈妈奶水过多，宝宝没有吸光，乳房充盈也会出现漏奶现象

产后气血虚弱
妈妈在分娩时耗费了大量精力，且失血过多，加上产后饮食不均衡、休息不足，容易出现气血虚弱，进而导致漏奶

漏奶别着急，保持心情平定、放松

有漏奶问题的妈妈，一定不要过于着急，要保持心情平定、放松，虽然没有什么百分之百有效的方法能避免哺乳期漏奶，但是可以采取一些应急措施。

1. 佩戴合适的文胸，将乳房高高托起，保持乳头的位置不下垂。
2. 当感觉乳胀时，要及时喂哺或将乳汁吸出。

3. 减少刺激，尽量避免看到能够带来条件反射的场面。

4. 事先准备些干净毛巾或防溢乳垫带在身边，以备擦拭或防衣物打湿。在公共场合出现紧急情况时，可以双手交叉用劲按压胸部，可防止奶水很快流出，然后到卫生间处理。

不要过于担心形象，对产后恢复充满信心

有些产后妈妈看到自己产后一身的赘肉、脸上的妊娠斑、身上的妊娠纹就非常担心，怕这些会影响自己的形象。其实，这时是不必过于担心，关于身材的问题，可以等产后身体彻底恢复后再瘦身也来得及，只要坚持运动和合理饮食，身材很快就会恢复到产前水平。

关于妊娠纹和妊娠斑，虽然不能完全消除，但可以通过按摩、擦些保湿的护肤品等方法进行淡化，也不会影响美观的。

经过前几周的身体调理，自己的身体逐渐恢复，在喂养宝宝、照顾宝宝的过程中与宝宝不断接触，彼此之间的感情越来越亲密，这就给自己带来了巨大的自豪感，增强了能照顾好宝宝的自信心，心情就会好起来。

要好好保护手腕，避免疼痛

妈妈要经常抱着宝宝喂奶，或做些简单的家务，还因为玩手机、电脑等，这都会导致手腕过于疲劳，造成手腕疼痛。所以妈妈要学会抱宝宝的正确姿势，并减少玩手机和电脑的时间，多注意休息。如果调整了一段时间后，手腕仍不舒服，应该就医，看是否患了肌腱炎，如果是就需要在医生的指导下进行治疗。

安全瘦身运动
——可适当增加运动量

脊椎伸展，塑造背部曲线

坐在椅子或沙发上的时候，双手用力撑住身体，做出要站起来的样子，每10个一组，每天做三组，长期坚持下去，有助于消除肩膀多余的脂肪。此时，再配合下面脊椎伸展运动，可以帮助打造完美的背部曲线。

1 选一把折叠椅，靠墙固定放好，避免晃动。双脚分开站立，与肩同宽，双手支撑在椅面，感受背部的伸展。

2 继续保持背部伸展，双手慢慢上移抓住椅背，强化伸展效果。

3 双手再回到支撑椅面，手指并拢用力，双脚向后移动，背部下压呈45度继续伸展。

做做颈部运动，缓解哺乳引起的颈部酸痛

妈妈生产时体内会分泌肌肉松弛素，导致全身关节部位的肌肉松弛，关节的保护作用减弱。由于需要长时间低头喂宝宝吃奶，更容易导致哺乳期妈妈颈部酸痛。颈部运动可以帮助锻炼颈部肌肉，缓解酸痛。

仰卧在瑜伽垫上，双肩着地，双手平枕在脑后，颈部向右转，然后再向左转，根据自己的身体情况重复动作。做此运动时要选在地板上或者较硬的床上进行，以达到锻炼效果。

转肩运动，预防肩部疼痛

产后妈妈抱宝宝的时间比较长，容易造成双臂和肩膀的疲劳，导致疼痛。多做些双臂运动，有助于促进血液循环，缓解疲劳。

站立或者坐位，曲臂，手指轻搭在肩上，肘部带动肩膀关节顺指针方向转动，转动10次，再逆时针转动10次。

这些小动作，随时都可以做

瘦身运动不一定非要拿出大块的时间，日常生活中随时都可以锻炼。如适量的洗衣服、做饭、收拾屋子；坐的时间长了站一会儿做做提肛运动；也可以用脚尖站立，绷紧腿部和臀部肌肉。或者在屋里走几圈。上下电梯时，可以将头、背、臀、脚跟紧贴电梯壁站直，别小看乘电梯的这几分钟，养成习惯会让身体挺拔、优美。

{产后第二个月}

掌握饮食智慧
——每天摄入的总热量别超标

保持热量平衡才能控制体重

瘦身的饮食基础就是维持"摄取热量＝消耗热量"的热量平衡，如果每天的饮食生活都能遵循此标准，怎么吃都不会胖的。

第一步：要清楚自己的标准体重

标准体重（千克）＝身高（厘米）－105

【举例】一位身高160厘米女士的标准体重计算为：160-105=55千克

第二步：计算出不同劳动强度下热量需要量

不同劳动强度下热量需要量

不同劳动强度	每千克体重所需要的热量（千卡）
极轻体力劳动	30～35
轻体力劳动	35～40
中等体力劳动	40～45
重体力劳动	45～50
极重体力劳动	50～55（或60～70）

第三步：计算每日的热量需求

每天需要的总热量 = 标准体重 × 每天每千克体重耗费的热量

【举例】

比如，一位身高160厘米的女性，在办公室工作，属于极轻体力劳动，每天每千克体重耗费热量是30～35千卡。她每天需要的总热量计算为：55×30~35（千卡），得出每天需要的总热量应该是1650~1800千卡。

中国营养学会1989年10月提出了劳动强度分级的参考标准，如下所示。

极轻体力劳动： 以坐着为主的工作，如办公室工作。

轻体力劳动： 以站着或少量走动为主的工作，如教师、售货员等。

中等体力劳动： 如学生的日常活动等。

重体力劳动： 如体育运动、机械化的农业劳动等。

极重体力劳动： 如非机械化的装卸、伐木、采矿、砸石等。

爱吃蔬菜水果，既瘦又漂亮

科学研究发现，蔬菜和水果等植物性食物中含有很多植物营养素，是一种不同于维生素和矿物质等的营养成分，不仅利于瘦身，抗氧化功效显著，还能提高机体抗病毒和抗癌能力。植物营养素有成千上万种，目前已知的种类可分为类胡萝卜素类、类黄酮类、多酚类等，番茄红素、花青素等都是植物营养素，已经比较广泛地被人们所熟知。

类胡萝卜素类
主要存在于红色、黄色的蔬菜和水果中

番茄红素
延缓衰老，保护皮肤免受紫外线伤害，保护心血管。
番茄、西瓜、木瓜、红彩椒

β-胡萝卜素
可在体内转化成维生素A，保护视力及皮肤健康。
胡萝卜、菠菜、芒果

辣椒红素
减肥，促进面部血液循环，止痛消炎，提高免疫力。
辣椒

玉米黄素
延缓衰老，抗癌，保护眼睛，预防白内障。
玉米、猕猴桃

讲究生活细节
——内调外养恢复快

天气晴朗时，可以出门活动了

如果天气温暖无风的话，妈妈可以带着宝宝到户外晒晒太阳了，既可以呼吸到新鲜的空气，还能让宝宝开始认识这个大千世界，也能让妈妈的母亲感更强烈一些。此外，外出活动还可以缓解产后抑郁。

扮靓自己，也有助于瘦身

有些妈妈把时间都放在了照顾宝宝上，或是认为自己处于产后的特殊阶段，每天待在家中，没有必要好好收拾自己，虽说不至于蓬头垢面，但是相比孕前的靓丽还是差了很多。

建议妈妈们，不妨每天花点时间来打扮自己，把自己收拾靓丽些，比如，好好梳梳头，弄个漂亮的发型；好好洗个脸，做个脸部按摩……这样做不仅会增加身体的活动量，同时看到一个美丽的自己，也会给自己一个好心情，增加自己瘦身的动力。

拍拍足三里，胜吃老母鸡

常言说：拍拍足三里，胜吃老母鸡。足三里作为胃经上的合穴，是全身经脉流注汇合的穴位，是胃经经气的必经之处，而胃经与脾经又互为表里。所以，按摩足三里可以调和气血、补中益气，同时还能起到瘦臀、瘦大小腿的功效。

每天可以用大拇指或中指用力按压两侧足三里穴各1次，每次按压5分钟，酸胀感较强才会有效果，如果只是轻轻按揉，是起不到作用的。

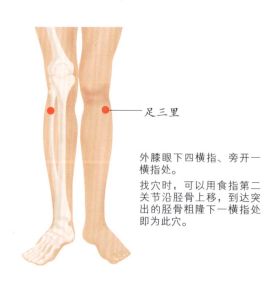

足三里

外膝眼下四横指、旁开一横指处。
找穴时，可以用食指第二关节沿胫骨上移，到达突出的胫骨粗隆下一横指处即为此穴。

安全瘦身运动
——关节不僵硬，想瘦哪里瘦哪里

1 双脚平行略分开站立，用大腿内侧夹紧瑜伽砖，双手自然垂放在身体两侧。吸气，同时双臂缓缓平行抬起。

2 呼气，同时手臂带动身体向左侧扭转，吸气时回到原位。呼气，同时换右侧扭转。每次做两组。

3 双手掐腰身体慢慢下蹲，左腿在前，其大腿与小腿成直角，右腿尽量往后拉，右脚跟抬起做上下压腿动作。左右腿交换再做一次。

4 左腿屈膝跪在瑜伽垫上，右腿向外侧平伸，左手掌支撑地面，吸气，同时右手臂向屋顶方向伸展，眼睛看向右手指尖。换另一侧重复动作一次。

产后第三个月

掌握饮食智慧
——无须刻意节食，也能跟赘肉说再见

选择看得见原貌的食物

减肥的成功，有80%在于吃的食物，换言之，懂得吃，就会瘦。建议挑选真正好的食物，把握一个简单的规则：看得见食物天然原貌。

也就是说，选择吃新鲜牛肉片、牛排，而不吃加工过的牛肉干，因为牛肉经过加工，会加入许多添加物，已经不是食物的原貌了。同样道理，吃鱼而不是吃火锅的鱼饺，吃水果而不是吃水果干，越天然越好。

增加膳食纤维的摄入

膳食纤维被称为人体不可缺少的"第七营养素"，能促进肠道蠕动，加快排便速度，防止便秘，增加饱腹感，减少热量囤积，有助于体重控制，而且脂肪含量相对较低，不用担心油脂摄取过量，特别适合产后妈妈。

蔬菜、水果、海藻、薯类、豆类食物中富含膳食纤维。产后妈妈每天吃约250克大麦和约278克苋菜或者约300克玉米面和约347克西葫芦，就可以增加饱腹感，降低热量的吸收。

三种瓜皮不要丢，瘦身又排毒

冬瓜皮、西瓜皮和黄瓜皮是所有果蔬皮中清热利湿、消脂瘦身的作用最好的，因此产后妈妈可以将这三种瓜皮加入三餐中食用。食用西瓜皮的时候，需先刮去蜡质外皮，冬瓜皮需先刮去绒毛硬质外皮，这两种瓜皮可以炒菜吃，也可以煮水喝。而黄瓜皮可以直接食用，所以在吃黄瓜的时候尽量不要削皮。也可以将三种皮一起焯烫1分钟，冷却后凉拌食用。

讲究生活细节
——身体温暖，健康不发胖

温暖的身体不爱胖

当身体温度变低、疲劳的时候，都是在通知你不发胖体质出现缺陷，表明你可能要开始变胖了。胖瘦也跟身体的冷热有关，体温每上升1度，身体的基础代谢率将提高12%，而且身体很"聪明"，哪里冷就往哪儿长肉。所以，希望自己拥有"会燃烧脂肪的体质"，最重要的就是不要让自己的身体冷下来。

"宫廷"回暖酒

材料：远志、当归各150克，黄酒1500毫克。

方法：将远志、当归粉碎，放入黄酒中浸泡一周后饮用。饮用时要温热，睡前饮用，每次50毫克。

一根擀面杖，驱寒排脂

拿一根擀面杖，煮热，用毛巾擦干。平躺，露出小肚子，趁热用擀面杖从中脘穴到气海穴单向擀压小肚子。动作要缓慢，力道要适中，有轻微酸痛感为宜。

安全瘦身运动
——产后瑜伽好处多

虎式瑜伽,让臀部翘起来

1 双膝跪地,打开与肩同宽,让小腿和脚面尽量贴近地面。上身直立,大腿与小腿成90度。

2 缓缓俯身向前,手掌着地,手臂垂直地面,脊椎与地面平行。

3 吸气,背部下沉成弧形。

第二章
产后 0~6 个月的享"瘦"计划

4 抬腿笔直伸展，同时抬头、抬高下颌，伸展颈部。

5 呼气，低头，曲膝尽量靠近头部，脊椎成拱形。

6 收腿，头触地，收下颌尽量靠近膝盖，双臂自然向后伸展。

Tips:

瑜伽是一项很好的帮助身体恢复的锻炼，有计划的适度进行瑜伽锻炼，对身体和心理都有诸多好处。
1. 改善血液循环，恢复皮肤弹性。
2. 减少脂肪囤积，帮助恢复体形。
3. 加强恢复、强健腹部及骨盆肌肉，增强骨盆内器官的支撑力量。
4. 舒缓心情，预防和缓解产后抑郁。

半脊椎扭转

1 背部挺直坐在瑜伽垫上,双手自然支撑在身体稍靠后位置。

2 右腿伸直,勾起脚尖,左腿弯曲,双手抱膝。

3 吸气,右臂贴近耳朵向上伸展,左手抱住左腿。

4 右手放在左膝上,左手放在身后,呼气,从胸椎开始向后方扭转,均匀呼吸,保持15秒。然后吸气,回到步骤1,反方向做。

{ 产后第四个月 }

掌握饮食智慧——又要营养，又不要吃过量

三餐热量最好达到3∶2∶1

合理安排一日三餐，最好达到早、午、晚三餐热量为3∶2∶1的比例，这样可以让全天的热量均衡。如果两餐合并为一餐，一下子摄取过高的热量不容易消耗，就会转化成脂肪囤积在体内。瘦身的过程中一定要好好吃早餐，因为早饭是一日三餐中最不容易转化成脂肪的一餐。

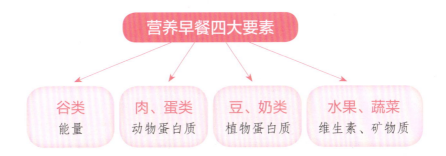

建议起床后空腹喝一杯温蜂蜜水，有助于清理肠胃，长时间坚持会让你不便秘也不长斑。如果你特别想吃高热量的食物，比如奶油蛋糕、巧克力、肉类，可以选在早上吃，这样可以保证在体力最旺盛的时间内将热量消耗掉。

午餐在一天当中起着承上启下的作用。营养丰富的午餐可使人精力充沛，学习、工作效率提高。晚餐不应大快朵颐，否则使热量堆积过多，第二天的早餐和午餐就没有了胃口，然后等到晚上再大吃一顿，如此恶性循环，机体的新陈代谢就会减慢。

想吃零食就选这些

干果是健康零食的首选。核桃、杏仁、花生、榛子等食物中,含有磷脂、蛋白质、不饱和脂肪酸等,可以抗氧化、防衰老、健脑和舒缓心情。水果也是健康零食的一个好选择,苹果、香蕉、猕猴桃、梨等富含维生素和矿物质,有利于排毒养颜、补充水分。全麦面包、全麦饼干、燕麦片等,是缓解饥饿感的安全零食,富含膳食纤维,促进肠道健康,还可以防止血糖和胆固醇升高。

每天至少一杯果蔬汁,燃烧脂肪抵抗衰老

果蔬中含有丰富的维生素、矿物质、植物化学物如番茄红素等,这些营养元素能帮助身体打造干净的内部环境,促进新陈代谢、帮助脂肪燃烧,塑造不发胖体质。

按照"彩虹饮食法"把果蔬分成红色、绿色、黄色、紫色及白色五种,每一种颜色分别代表了一种营养素,相同颜色的食材营养素相同,将不同的颜色搭配到三餐中,就很容易达到营养均衡的目的。另外,颜色鲜艳的果蔬都具有很好的抗氧化效果,让人远离"初老族"。

讲究生活细节
——恢复性生活后要注意避孕

产后性生活要注意节制

产后第四个月，子宫颈口基本恢复闭合状态，宫颈和盆腔、阴道的伤口也基本愈合。所以，原则上是可以过性生活了。但产后妈妈由于经历了分娩的疼痛，加上满腹心思都在宝宝身上，会对性生活有一些抵触情绪。此外，由于阴道内组织依然薄弱，惧怕疼痛，也会对性生活产生抵触。

所以，产后性生活要注意节制，丈夫要体贴妻子，理解妻子的恐惧心理，安抚好妻子的情绪，逐渐培养两人的亲密感觉，慢慢恢复夫妻性生活。因为在月经恢复之前可能就有排卵了，所以要注意避孕，否则会伤害身体健康。

可以进行短途旅行

对于大多数产后妈妈来说，这时身体已经基本恢复，那么是可以安排一个短途旅行的。如骑自行车到郊外等地缓解一下压力，放松一下心情。既有利于身体的恢复，还能帮助缓解抑郁情绪。

洗澡刮痧，轻松燃烧脂肪

洗澡的时候准备个刮痧板，沿着肚脐和肚脐两侧刮痧。因为肚脐旁边是带脉区，这个区域可以帮助消化，有助于燃烧脂肪。平时吃完饭，握拳轻敲肚脐两侧也有燃脂的效果。

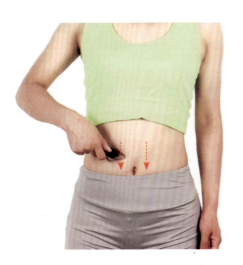

安全瘦身运动——收紧肋骨，快速瘦腰腹

1 双腿并拢站直，双手在后背打直，十指交叉使手腕外翻，手掌撑向地板方向。

2 双臂缓缓抬起，让掌心努力朝向天花板。

3 保持步骤2的姿势，上半身大幅度向左转，腰部要有用力扭转的感觉，保持姿势深呼吸3次。反方向动作。

4 恢复步骤1，双手交握，尽量向右拉伸左臂，拉到极限时深呼吸3次。反方向动作。

产后第五个月

掌握饮食智慧——有选择性进食

看着血糖上升指数（GI）买食物

说到"升糖指数"，往往会和糖尿病患者联系在一起，但是现在产后减肥也要考虑到食物的升糖指数。所谓的升糖指数，是指当我们摄入食物后，身体中血糖变化的程度。一般情况，摄取高升糖指数的食物，血糖值会急剧上升，造成胰岛素分泌过度，人就容易变胖；而摄取升糖指数低的食物，在肠胃中存留的时间会久一些，饱腹感相对会延长，人就不容易发胖。

GI 较低的食物

通常把 GI 小于 55 的称为低 GI 食物，55~70 之间的称为中 GI 食物，高于 70 的称为高 GI 食物。平时吃的大米饭、馒头、大米粥等，GI 通常在 80~90 之间，建议减肥的人少吃。

谷类食物大多属于中高 GI 食物，但个别食物 GI 也较低，如玉米面粥 GI 为 50.9，玉米粥 GI 为 51.8，黑米粥 GI 为 42.3，全麦面条 GI 为 37.0，这些均是粗粮食物，可适量多吃。

低 GI 食物如鱼、肉、蛋类食物很"顶饿"

鱼虾、肉类和蛋类食物主要营养成分包括水分、蛋白质和脂肪，本身含糖量很少（1%~3%），不但能防止血糖升高速度过快，还能提供更全面、更优质的营养。

另外，鱼虾、肉类和蛋类食物在胃内停留时间较长，很"顶饿"，可以间接减少主食摄入量，延缓餐后血糖升高速度。

杂豆类食物 GI 通常都很低

扁豆、四季豆、绿豆、蚕豆等杂豆类食物，其所含淀粉不易糊化，且富含膳食纤维，属于低 GI 食物，升糖速度很慢，可以代替部分的谷类食用。

夜宵！可是肥胖的"最佳帮手"

晚上副交感神经活跃，很容易储存热量，吃完夜宵不久就上床睡觉，没有来得及消耗的食物热量就会转换成脂肪储存在身体中。如果夜宵吃的是高脂肪、高蛋白质的食物，就很容易使人体内的血脂升高，晚上吃得多或者多次进食，就会给肝脏带来负担，导致胆固醇明显增多，并且刺激肝脏制造更多的低密度脂蛋白，阻碍体内脂肪的燃烧，最终导致肥胖。

但是睡前饥饿可能不利于睡眠，此时需要吃夜宵但是要有选择。

果蔬汁

当体内的细胞缺水时会让你有饥饿感，其实并不是真正的饿，此时可以选择一杯果蔬汁，既可以补充体内水分又能驱走饥饿感，同时还能帮助你放松神经，促进睡眠。

牛奶

睡眠的好坏对肥胖有很大的影响，而牛奶中的色氨酸成分有镇静作用，所以睡前的夜宵选择一杯温牛奶，既有助于提高睡眠质量，又能帮助你睡眠时排毒代谢，给瘦身加油。

小米南瓜粥

南瓜富含膳食纤维和果胶，不仅具有良好的加大饱腹感的作用，还能吸附肠道中的代谢废物，帮助肠道在睡眠过程中排毒。而且南瓜热量低，即使在睡前吃也不会导致发胖。

香蕉

香蕉中含有镁元素，睡觉时帮助放松；还含有大量的膳食纤维，多吃可以帮助畅通肠胃，晚上吃香蕉也不会导致肥胖。

讲究生活细节
——生活好习惯，瘦无声息

每天早上5分钟排毒操，肉肉掉得快

很多人在早上能多睡一分钟就多睡一分钟，可实际给你10分钟也不一定能睡得踏实，还让上班变得手忙脚乱。不要再赖床了，到时间坚定起床，留出5分钟做个排毒操，一周后你就会发现身体轻盈，小肚皮紧绷。

1 站立，双脚打开与肩同宽，收腹、夹紧臀部，双手在胸前呈抱球状，指尖微碰。注意，不要耸肩。

2 抬起脚跟，脚尖尽量向上拉的同时双臂向上伸展，双手逐渐合十，感觉从上到下身体绷紧成了一根线，站立5秒钟后放下脚跟。重复动作10次。

美腿好习惯

对于女性而言，腿部是一个很容易堆积脂肪的位置，相对于男性，由于女性需要生育的生理结构，更容易出现"大象腿"。想要打造紧实美丽的美腿，不仅要多吃有助于提高身体代谢能力的食材，还要养成好的美腿习惯。如利用每一个零碎的时间，比如等公交、地铁、电梯时，做踮脚运动，养成习惯会让你纤细到脚踝；跷二郎腿会破坏腿部优美线条，要杜绝。

按摩脸部，促使肌肤复原

每天抽出几分钟时间做下脸部按摩操，可以有效提拉面部的线条，使面部皮肤保持紧致，让产后妈妈看起来青春洋溢。

1 双手压在眉峰上，右手静止不动，左手以画圆圈的方式从眉峰向耳部按摩，反复按摩并持续2分钟，再按另一侧。

2 双手放在眼角下方，左手静止不动，右手由眼睛下方往太阳穴方向做提拉运动，最后着重按压太阳穴，反复按摩并持续2分钟，再按另一侧。

3 左手按压在眼角处静止不动，右手向额头方向提拉按摩，反复按摩并持续2分钟，再按另一侧。

4 将右手放于下巴处，左手由下巴处向太阳穴以及耳朵方向进行提拉按摩，反复按摩并持续2分钟，再按另一侧。

5 双手指腹按压太阳穴以及耳朵的周围，缓缓向上提拉按摩。

安全瘦身运动
——加速脂肪燃烧

低强度的有氧运动最利于瘦身

提到瘦身运动,很多人想到的就是大汗淋漓的跑步或者健身操,其实这样的运动远不如低强度有氧运动更利于瘦身。持续性的中低强度运动,不仅脂肪燃烧效果最佳,而且可以舒缓心情,让瘦身变得更快乐。

低强度有氧运动:在运动中自言自语,如果可以呼吸顺畅地说出完整句子,说明目前处于低强度有氧运动;如果是一句三喘气地说出一句话,就需要调整运动强度。

每天三个5分钟,打造小蛮腰

准备活动:选择合适运动场地,硬板床或者将瑜伽垫铺在地板上最好。运动时注意调整呼吸,运动间隔和运动频率根据自身情况调整。

第二个5分钟:平躺,双手抱膝,颈抬起,双腿屈膝抬起,双肘与双膝靠拢。

第一个5分钟:平躺,双手伸展平放在身体两侧,双腿屈膝抬至胸前,然后运用腰腹力量左右摇摆,动作在空中稍作停留。

第三个5分钟:双腿绷直,用双脚和手掌支撑身体,向上挺身。

{ 产后第六个月 }

掌握饮食智慧——酶与胖瘦密切相关

高酶果蔬加速瘦身

酶也可以叫做"酵素",它存在于所有活的动、植物体内,是维持机体正常功能、消化食物、修复组织等生命活动的一种必需物质,在日常饮食中摄取高酶食物,更有利于瘦身。同时从食物中还能获得维生素和矿物质,它们是酶在进行各种作用时的好帮手,可以直接或者间接地参与酶的活动,增强酶的活性。

八种富含酶的果蔬

1 猕猴桃

猕猴桃中的猕猴桃酶有整肠作用,可以促进消化,阻碍体内脂肪囤积,绿色果肉的猕猴桃酶含量多。同时,猕猴桃中含有丰富的维生素 C,有很好的美白抗氧化作用。

2 菠萝

菠萝中含有蛋白酶,可以分解蛋白质,帮助蛋白质的吸收和消化,促进新陈代谢。同时菠萝中的维生素 B_1 可以帮助糖分解,促进代谢。

3 香蕉

香蕉含有丰富的蛋白质分解酶,可以协助蛋白质的消化吸收。熟透的香蕉富含消化酶。另外,香蕉有降压和预防心血管疾病的作用,也是与香蕉中的酶有关。

6 油菜

油菜中含有丰富的维生素、矿物质,可以强化酶的活性,提升代谢功能帮助瘦身。另外,油菜中含有膳食纤维,能与食物中的胆固醇及甘油三酯结合,并从粪便中排出,从而减少脂类的吸收。

4 葡萄柚

葡萄柚是减肥圣品,其中的柠檬酸成分有助于提升新陈代谢,苦味的柠檬精油成分能活化酶,天然肌醇可以促进脂肪代谢。

7 胡萝卜

胡萝卜中有多种分解酶、溶菌酶等,它的各种功效都与所含的酶有关,富含维生素、矿物质等营养成分,可强化代谢能力。具有抗氧化作用的β胡萝卜素含量在所有蔬菜中名列前茅。

5 白萝卜

白萝卜富含分解淀粉的淀粉酶,帮助消化,减少粪便在肠道内停留的时间,帮助身体排毒,促进身体新陈代谢,达到瘦身的效果。

8 圆白菜

圆白菜富含淀粉酶,可以协同体内的消化酶提升肠胃功能,帮助废物排出体外。圆白菜中的丙醇二酸可以抑制糖类转化成脂肪,控制体重。

讲究生活细节
——随时随地都能瘦

粗盐擦身帮助燃脂

粗盐可以帮助排出体内多余的水分和废物，帮助脂肪燃烧。还能促进皮肤的新陈代谢，软化污垢、补充身体盐分和矿物质，所以粗盐不但能帮助减肥，还可以让肌肤也变得细致粉嫩有弹性。

洗澡前，取一杯粗盐用热水拌成糊状，涂抹在身上脂肪堆积较多的地方，如手臂、腹部、大腿，静止十分钟，然后把粗盐冲洗干净后开始沐浴就可以了。

清除身体"废物"消灭赘肉

我们在大自然中常看到一种现象，一条流畅的河道某一个位置堆积了落叶、淤泥，如果不尽快清理，就会越积越多，原本流畅的河道就会流通不畅。我们的身体也是如此，新陈代谢畅通的身体，热量吸收消耗水平均衡，不容易因为热量过剩囤积脂肪。如果体内的废物过多，身体的新陈代谢不畅，很容易生长赘肉。

宿便

按一下自己的小肚子，如果感觉有点硬，按完后弹不回来，这个"废物"就是宿便。

排废妙招

早上准备起床前，先躺在床上按摩自己的肚子，沿着肚脐周围慢慢按摩，可以软化大肠中的便便，起床后就会很顺利地把积攒了一晚上的便便排出体外，让身体轻轻松松地迎接新的一天。

废气

肚腩从胃部开始凸起，用手敲打腹部有回声，这个"废物"就是废气。

简单有效的排气妙招

躺在床上的时候随时可以做点小动作，有助排气，防止废气堆积成小肚子。
平躺，双手抱住膝盖，抬头，努力让大腿压向肚子，保持15秒钟，躺下，松开。重复10次动作。

地板上游泳燃烧全身脂肪

1 趴在地板上，双手自然贴放在身体两侧，运用腰部力量，让上半身尽量抬起。

2 模仿在水中手臂的划水动作，手臂慢慢向前，准备划水。

3 曲肘使双臂慢慢举向头顶，在头顶轻击双掌。

4 再展开双臂，向后划水，回归身体两侧。

5 两脚紧贴，两膝分开向两侧弯曲，模仿踩水动作，然后打开双脚尽量往两侧伸展。

* 从一整套动作重复10次开始，等身体逐渐适应运动节奏，逐步增加运动次数，每天运动时间控制在半小时以内，重在坚持。

安全瘦身运动
——普通矿泉水，轻松练走蝴蝶臂

蝴蝶臂听起来很美，实际上有了蝴蝶臂基本上就和无袖的衣服说拜拜了。用家里常备的矿泉水，就可以随时随地锻炼，轻松瘦手臂。

第一组

1 双脚分开与肩同宽站立，双手握住一瓶矿泉水，吸气时将手臂从身前平行抬至头顶。

2 呼气，弯曲小臂，向后做出抛的动作。

3 吸气，手臂抬起回到头顶位置，重复抛的动作15次。

第二组

坚持练习这组动作,不仅有助于瘦手臂还能修饰背部线条,秀出性感美背。

1 双脚分开与肩同宽站立,微屈膝,背部挺直向前倾斜约20度,双手各握一瓶矿泉水。

2 双臂向上抬起,在身体两侧水平伸直。

3 双臂水平方向画弧形,向前伸展,与背部保持同一水平线。

4 再水平方向画弧形,向后伸展。重复动作3~5次。

第三章
守护"私密花园",让子宫完好如初

> 子宫是女人最独特的器官,子宫是孕育生命的摇篮,是深藏在女人身体中的私密花园。每个女人都知道子宫,却并不一定了解子宫。大多数人只给子宫定义为传宗接代的工具,其实,女人的健康衰老、青春容貌、妙曼身姿和红润肌肤都与子宫息息相关。可以说,健康的子宫会让女人孕育健康的宝宝,更会滋养女人的一生。

从十月怀胎到初为人母，子宫的变化

妊娠期子宫的增大有一定的规律性，表现为宫底升高，腹围增加。孕妈妈的宫高、腹围与胎儿的大小关系非常密切。孕早期、孕中期时，每月的增长都有一定的标准。因此，从宫高的增长情况可以推断妊娠期和胎儿的发育情况。测量结果记录在妊娠检测图上，来观察胎儿发育与孕周是否相符。

十月怀胎子宫变化

宫高： 从下腹耻骨联合处上方至子宫底间的长度为宫高。

腹围： 测量时，以测量最大平面为准。

正常情况下，妊娠各阶段宫高如下：

妊娠期	宫高
妊娠12周末	在耻骨联合上2～3厘米
妊娠16周末	在耻骨联合与肚脐之间
妊娠20周末	在脐下1～2横指
妊娠24周末	平脐或者脐上1横指
妊娠28周末	在脐上2～3横指
妊娠32周末	在肚脐与剑突之间
妊娠36周末	在剑突下2～3横指
妊娠40周末	恢复至肚脐与剑突之间或者稍高

子宫恢复主要包括三个方面

子宫体的复原

在胎盘排出之后,子宫会立即收缩,在腹部用手可以摸到一个很硬并呈球形的子宫体,它的最高处和肚脐的水平同高。子宫会进一步收缩,将血块不断挤压排出,子宫高度也会每天下降1~2厘米,在产后10~14天内,子宫变小,降入盆腔内。这时,在腹部就摸不到子宫底了。

子宫颈的复原

分娩刚刚结束时,因充血、水肿,子宫颈会变得非常柔软,子宫颈壁也很薄,且多褶皱,7~10天之后才会恢复到原来的形状,同时子宫颈内口会关闭。一直到产后4周左右,子宫颈才会恢复到正常大小。

子宫内膜的复原

分娩后,胎盘和胎膜与子宫壁分离,由母体排出体外。之后,从子宫内膜的基底层,会再长出一层新的子宫内膜。产后10天左右,除了胎盘附着面外,其他部分的子宫腔会全部被新生的内膜所覆盖。

掌握饮食智慧
——活血化淤排恶露

寒凉食物不利于恶露排出

产后妈妈的肠胃对冷刺激尤其敏感,因此不宜吃生冷、辛辣、油腻、不易消化的食物,以免导致胃肠淤血,影响血液循环,进而引发恶露不下或不绝、产后腹痛等多种症状。

中医主张妈妈产后宜温食,但并不是主张不吃果蔬,反而应适量多吃一些,以利于产后的恢复。

特别要注意妈妈产后42天内吃果蔬要讲究方法。不能吃生冷寒凉的蔬菜和水果,如刚从冰箱取出的水果、蔬菜等,也不宜吃梨、西瓜、橘子等性味偏寒凉的水果;蔬菜可以烫一烫或炒熟,水果可以直接或榨成果汁后放入热水中浸泡5~10分钟后再饮食,或者是将水果煮成水果茶饮用。

摄入必需脂肪酸帮助子宫收缩

必需脂肪酸是能调整荷尔蒙、减少发炎的营养素,当生产过后,身体需要必需脂肪酸帮助子宫收缩,好恢复到原来大小,所以必需脂肪酸对产妇特别重要。

ω-3脂肪酸是典型的必需脂肪酸,它的食物来源较少,像我们平常常吃的豆类、谷类及蔬果等,几乎都不含有这种脂肪酸,而海鱼中含量丰富,如带鱼、黄鱼、鳕鱼等,因此建议每周吃2次海鱼,可以保证身体所需的ω-3脂肪酸的量。

此外,香油也是产妇常用的一种必需脂肪酸的食物来源,还具有润肠通便的效果,所以特别适合产后妈妈食用。

产后第七天左右开始吃红糖可活血化淤

妈妈在分娩时,由于精力和体力消耗非常大,加上失血,产后还要哺乳,因此需要补充大量铁质。

红糖含钙、铁、锰、锌、铜、铬等矿物质,以及一定量的核黄素、胡萝卜素、尼克酸等。对于食欲不好、食量很少的产妇来说,是一个很好的热量和铁的来源。

此外,红糖释放能量快,营养吸收利用率高,具有温补性质,不仅能健脾暖胃、活血化淤,还能补血,并促进子宫收缩,排出产后宫腔内淤血,促使子宫早日复原。

吃红糖的时间不宜超过 10 天

尽管产后妈妈吃红糖有诸多的益处,但是吃红糖的时间也不宜太长,因为目前产妇多为初产妇,产后子宫收缩一般是良好的,恶露的色和量均正常,血性恶露一般持续时间为7~10 天。

如果妈妈产后吃红糖时间过长,达半个月至 1 个月以上时,排出的液体多为鲜红色血液,这样会使妈妈因为出血过多而造成失血性贫血,进而影响子宫复原和身体康复。

因此,产后新妈妈喝红糖水的时间不宜太长,以 7~10 天为宜,以后则应多吃营养丰富、多种多样的食物。

此外,喝红糖水时最好煮开后饮用,不要用开水一冲即用,因为红糖在贮藏、运输等过程中,易滋生细菌。

山楂促进子宫收缩，加快子宫恢复

山楂可促进子宫收缩，可以加速子宫的恢复。而子宫收缩也会使子宫的血管收缩，起到止血的作用，对产后出血和产后恶露不尽的恢复有重要意义。

但是山楂一定不要多吃，因为它同时还具有活血化淤的作用，以防出血过多。

山楂中含有大量的有机酸和果酸，肠胃较为虚弱的妈妈，吃新鲜的山楂会引起反胃和肠胃烧灼感。如果能将山楂煮一下或炖一下再吃，就能避免伤害肠胃，还能促进果酸全部被吸收，并且不会因为山楂太酸而倒牙。

促进恶露排出的好饮品：山楂红糖水

山楂有助于妈妈产后增进食欲，促进消化，其活血作用更有助于体内淤血的排除，再加上红糖补血益血的作用，两者一起炖饮非常有助于恶露不尽的妈妈尽快化淤，排尽恶露。

材料：山楂8颗，红糖25克。

做法：山楂洗净用筷子去除内核，然后与红糖一起放入炖盅内，加入适量清水，再放蒸笼中，隔水蒸炖30分钟即可。

山楂红糖水

莲藕补营养去淤血，促进乳汁分泌

莲藕富含淀粉、蛋白质、天门冬素、多种矿物质及维生素，是食补佳品。不仅可以帮助妈妈产后补充营养，也是去淤生新的最佳食物，有助于尽快去除体内的淤血，同时还能健脾养胃、润燥养阴，更有助于促进乳房的乳汁分泌。

妈妈产后食用莲藕时，最宜熟食，可以选择与黄豆芽、西蓝花、菜椒（青椒、黄椒、红椒均可）、紫甘蓝、丝瓜、毛豆、西葫芦等4种以上蔬菜一起，不加任何调料煮成原味蔬菜汤，煮烂后取汤水代茶饮用，不仅味道清香，在产后当天（剖宫产次日）饮用还有极佳的发奶作用。

此外，莲藕也可以与鸡、鱼等一起煲成汤，在分娩5天后食用，非常有助于新妈妈补充营养，促进身体恢复和乳汁分泌。

鲤鱼可促进子宫收缩，除恶露

民间产妇多喜吃鲤鱼，认为"鱼能撵余血"。所谓"余血"，主要是指恶露。恶露的排出与子宫的收缩力关系密切，一方面子宫的收缩力有助于将子宫余血挤压出去，同时还能带出子宫内坏死的蜕膜细胞和表皮细胞，经阴道并带着阴道内的黏液，一起排出体外。

鲤鱼性平味甘，肉质细嫩鲜美，且营养丰富，其蛋白质不但含量高，且质量佳，人体消化吸收率可达96%，并能提供人体必需的氨基酸、矿物质、维生素A和维生素D。妈妈产后食用，不仅可促进子宫收缩，帮助去除余血；还有利尿消肿解毒的功效，有利于消除产后浮肿；同时还可促进乳汁的分泌。

需要提醒的一点是，剖宫产的妈妈产后一周内最好不要吃鱼，以免影响伤口的愈合。

产后不宜大补，调和气血是重点

随着坐月子的开始，产妇体内的热性开始逐渐退去，并开始处于"虚"的状态。产妇若在偏热体质还没退去时就一味大补气血，就容易加重原有的不适症状，这也是许多产妇进补后出现问题的时间多集中在产后一周或产后前半月的缘故。

因此，对于产后妈妈来说，此时调和气血才是体质调养的重点，这有助于促进体力的恢复、补充脏腑气血，避免出现内脏下垂、斑点难消、血液循环不佳、干眼症、易衰老、产后肥胖、更年期提早等诸多月子隐患。

鸡汤有营养可温补，但宜分娩 5 天后喝

鸡汤营养丰富，可起到温补的作用，能有效帮助产妇快速恢复体力，补充身体所需营养，是产后恢复体力的首选食物。

分娩后产妇体内血液的雌激素浓度大大降低，这时催乳素就会发挥作用，促进乳汁分泌。而老母鸡越老含的雌性激素就越多，因此产后如果过早过多地喝母鸡汤，使血液中的雌激素增多，就会使催乳素的作用减弱甚至消失，影响乳汁分泌。所以老母鸡汤千万不能早喝，要等到分娩 5 天后再开始喝。

鸡汤虽然补，但油脂含量高，鸡汤中的脂肪如果摄入过多，易引起肥胖及便秘。

补气血的食物利于子宫恢复

多食补气血的食物可以有利于妈妈产后子宫的恢复，包括红糖、小米、红枣、鸡蛋、芝麻等传统的产后滋补品。此外，排骨汤、牛肉汤、栗子鸡汤、阿胶瘦肉汤、枸杞鲫鱼汤、花生当归猪蹄汤等汤类也是有利于产后补气血的。

妈妈产后注意不要进食乌梅、莲子、芡实、柿子、南瓜等酸涩收敛类食物，以免阻滞血行，不利恶露排出。

促进子宫恢复的营养食谱 ○○○

清淡鱼片粥

● 恢复体力,促进子宫收缩和乳汁分泌

> 材料　大米 50 克,草鱼 30 克。
> 调料　姜丝、盐、植物油、葱花各适量。
> 做法

1. 鱼片加入姜丝、植物油、盐拌匀入味。
2. 大米淘洗干净,放入锅中加适量清水煮至快熟时,倒入准备好的鱼片,再次煮滚后,关火撒上葱花即可。

海参竹荪汤

● 海参属于温补食材,而且铁元素的含量丰富,女性常喝此汤不仅能滋阴补血,还能温暖子宫缓解宫寒等症状。

> 材料　海参 50 克,红枣、银耳各 20 克,竹荪、净枸杞子各 10 克。
> 调料　盐适量。
> 做法

1. 海参、竹荪入清水中泡发洗净,切丝;红枣去核,洗净,浸泡;银耳泡发,去蒂,洗净,撕成小朵。
2. 锅中倒入适量清水,放入银耳、海参丝,大火煮沸后改小火煮约 20 分钟,加入枸杞子、红枣、竹荪丝煮约 10 分钟,加盐调味即可。

讲究生活细节——促进子宫恢复

产后8～12天是开始帮助子宫恢复的好时机

经过一周时间的精心调理，妈妈的伤口基本上愈合了，胃口也有了明显的好转，妈妈可以继续吃一些补气血的食物，以调理气血。

同时，在产后10～14天，子宫基本缩入盆腔；产后7～10天宫颈内口关闭，开始"内部"修复；产后10天左右，子宫腔基本都被新生的内膜所覆盖。

所以，这一时间也就成了帮助怀孕期间承受了巨大压力的各个组织器官恢复的最佳时机，也是开始帮助恢复子宫机能的最好时机。

生产结束，子宫需要6～8周来恢复

女性的子宫是一个非常强大而有韧性的器官，它从50克重量、7厘米长度的小小个体，为了孕育新生命，而变成了重1000克、长35厘米的"庞然大物"。

但同时子宫也很脆弱，一朝分娩后，它的体积立即变小了很多，要恢复成原本的面目，它需要至少6～8周的时间才能完全达到。

对于产后妈妈们来说，只有让子宫恢复到最初良好的状态，她们以后的身体才能真正健康无忧。

子宫恢复也"偷懒"

正常来说，子宫恢复需要6～8周的时间，这需要妈妈们精心的照料。一旦妈妈产后对子宫照顾不周，子宫的恢复也可能会有"偷懒"现象，从而出现子宫收缩不好、很大很柔软、迟迟不恢复到最初的模样、褐色出血持续不断等复原不良状况。

当然，子宫恢复不好，并非它有意"偷懒"，实际是遭遇一些难对付的"宿敌"，如胎盘或胎膜残留于子宫腔内、子宫蜕膜脱落不全、合并子宫内膜炎或盆腔内炎症、子宫过度后屈、合并子宫肌壁间肌瘤等，让它有些"招架不住"。

因此，妈妈产后一定要重视子宫的恢复，并精心照料，千万不可大意。

母乳喂养也是促进子宫恢复的好办法

子宫若想恢复到产前的大小，就需要更加有力的收缩，这种宫缩在哺乳时会尤其明显，因此，产后坚持母乳喂养也是促进子宫恢复的好办法。

这是因为女性的乳头和乳晕上有着丰富的感觉神经末梢，宝宝的吸吮通过刺激这些感觉神经末梢传入脑部的垂体后叶，会促进催产素的合成，并释放至血液中，从而反过来促进子宫肌肉的收缩，进而加速子宫的恢复。

及时排尿，减少子宫收缩的障碍

产后，医生常常会嘱咐妈妈要尽早排尿，具体时间一般在产后 4 小时。为什么妈妈在产后必须及时排尿呢？

因为在分娩过程中，膀胱受压、黏膜充血、肌肉张力降低、会阴伤口疼痛以及不习惯于卧床姿势排尿等原因，都易使新妈妈出现尿潴留，使膀胱胀大，产后再不及时排尿，胀大的膀胱就会妨碍子宫的收缩而引起产后出血或膀胱炎。

有的妈妈会因为害怕伤口疼痛而不敢排尿，从而造成膀胱长时间处于充盈状态，影响子宫收缩。

别当脏妈妈，注意阴部卫生

老人往往认为妈妈产后气血虚弱，因而不宜沐浴，以免受风受寒。

但实际上，为了产后恢复，妈妈一定要注意沐浴卫生，尤其是阴部的洁净，以免引起生殖道炎症，进一步影响子宫的恢复。

分娩后沐浴，对妈妈来说有益无害。如果是正常分娩，沐浴能使外阴伤口及周围的细菌不易停留，还能促进外阴伤口血液循环，有利于伤口愈合。但沐浴时要注意保暖，以防风、寒、暑、热乘虚而入；宜淋浴，而不宜泡澡，时间也不宜过长，最好在 5~10 分钟左右。

如果是剖宫产，而且采取的是皮肤横切口、皮下缝合的方法，那么沐浴时水是绝对不会进入伤口的。只要在伤口表面敷一块纱布，不让水直接冲击伤口即可。当然，伤口毕竟是很娇嫩的，所以沐浴完毕后，伤口应该重新换药，切勿用湿毛巾在伤口上来回擦。

当然，如果分娩过程不顺利，出血过多，或平时体质较差，不宜勉强过早淋浴，可改为擦浴。

产后24小时内做子宫按摩加速收缩

妈妈生完孩子后，在肚脐周围可以触摸到圆形的子宫，可以经常在自己小腹部做顺时针轻轻地按摩，通过在按摩过程中对穴位的刺激，间接增强子宫肌肉的兴奋性，不仅可促进宫缩，同时也会促进恶露的排出。

此外，产后如果对骶尾部（尾椎）进行按摩，也可促进盆腔肌肉的收缩，增强筋膜张力，有助子宫恢复。

子宫变硬表示收缩情况良好，所以，顺产的产妇在产后24小时内，应随时按摩，必须做到子宫变硬才能停止。剖宫产妈妈也需要做子宫按摩，但由于腹部有手术创口，按摩需要专业护理人员帮忙。

中药足浴熏洗与按摩，促进子宫恢复

人体的脚部不仅有很重要的穴位，同时也有身体各大器官的反射区。因此，用足浴和按摩等方式，对脚部进行刺激，也是有助于促进子宫恢复的一个好方法。

具体做法，可在医生指导下适当使用益母草、当归等药材的制剂浸泡双脚，然后通过按摩脚底脚后跟等位置，对足部的穴位经络刺激，使得全身血管扩张，促进全身血液循环，从而恢复脏器的正常功能。

安全瘦身运动——让子宫尽快恢复

凯格尔运动预防子宫脱垂

1 平躺、双膝弯曲。收缩臀部的肌肉向上提肛。紧闭尿道、阴道及肛门，想象用阴道吸某种东西，从阴道入口开始上提，再逐渐沿阴道上升，并坚持3秒钟。重复10次为一组，每日3组以上，逐渐增加到25次为一组。

2 用双腿、双肩支撑，尽量提高臀部，使阴道下降，就像将某种东西挤出阴道，如磁力缩阴球。坚持3秒钟即放松，重复10次为一组，每日3组以上，逐渐增加至每组25次。保持骨盆底肌肉收缩5秒钟，然后慢慢地放松，5~10秒后，重复收缩。

简单易做的子宫恢复操

1 仰卧,双腿分开略比肩宽,双脚踩在瑜伽垫上,双臂打开水平伸展。

2 呼气,同时双膝向左扭转,头扭向右侧,吸气同时还原。

3 呼气,同时双膝向右扭转,头扭向左侧,吸气同时还原。

功效:这套简单的子宫恢复操,可改善盆腔血液循环,增加腹肌力量,进而纠正子宫位置。

猫咪式小运动，锻炼宫缩力

猫咪伸懒腰式

双膝自然分开，舒适地跪在床上，脊椎向上拱起一个弧度，然后向下塌腰，自然带动头颈抬起，臀部翘起，感受到脊椎的自然拉伸。保持5分钟。

注意：不要向前移动身体。

功效：锻炼宫缩力，促进子宫恢复。

猫咪爬行式

跪坐床上，臀部坐在两脚跟上，上身挺直。然后想象猫咪向前爬行，左手向前伸，做出爬行的姿势，右腿抬起向后向上伸展，保持5秒，还原后换左腿重复同样的动作。两腿交替重复各5次即可。

注意：腿抬起后可以平直向后伸，也可以抬起向上向后伸展。

功效：促进子宫恢复，提臀。

第四章
呵护乳房健康，重塑乳房之美

从出生那一刻起我们就跟乳房有着最亲密的接触，它不仅哺育了可爱的生命，更是女孩向女人转变的最显著特征。

乳房的位置与年龄、体型、发育程度等有密切关系，未婚女性乳房位置会显得略高，随着年龄增长伴随哺乳，乳房位置就会变得低垂。所以，女人要了解自己的乳房，在不同的年龄段做最适合的呵护，多注重乳房保养，让乳房坚挺、有弹性、不生病。

细数乳房的变化

女性一生中,乳房经历着不同的演绎变化,怀孕、分娩、哺乳、断奶,让乳房变化特别多。同时,孕期和哺乳期是女性乳腺疾病发病率最高的时期,因此这一阶段对乳房更要格外呵护。

孕早期	在孕激素的影响下,乳房增大、膨胀,乳头发黑、乳晕增大。
孕中期	乳房的膨胀达到最大化,乳头上有少量的白色乳汁溢出。
孕晚期	乳房的重量增加了2~3倍,肿胀感更明显。
产后2~3天	双侧乳房会充血而开始发胀、膨大,有胀痛感及触痛,开始分泌乳汁,这时分泌的奶量较少,是初乳。初乳对于宝宝来说十分珍贵。
整个哺乳期	在宝宝吸吮乳头的刺激下,妈妈的乳腺组织越来越发达,在整个哺乳期不断分泌乳汁,乳房看上去会非常丰满、坚挺。在哺乳期,妈妈要保证充足的奶量就要做到:1.让宝宝多吸 2.多喝水和汤 3.保持愉快的心情和充足的休息 4.摄入均衡的营养。 要防止乳房变形、大小不一就要做到:1.保持正确的哺乳姿势 2.左右乳房轮流喂,均衡授乳 3.穿合适的胸衣 4.适当按摩 5.坚持锻炼。(具体方法在本章后边的小节中均有介绍。)
断奶后	断奶后,乳腺不如哺乳期发达,乳房会恢复到怀孕前的大小,这时要坚持合理的饮食和按摩、运动,防止乳房萎缩。

掌握饮食智慧——既丰胸又防病

过度节食会让乳房干瘪、变小

过度节食，会影响营养的摄入，人体缺少营养就会消耗体内储藏的脂肪和蛋白质，而胸部脂肪减少，就会导致皮肤松弛、胸部变小甚至下垂。而且对于哺乳期的妈妈来说，过度节食还会导致奶水不足，影响乳汁质量。

尽量少吃油炸食物，避免加重乳腺增生

炸麻花、炸春卷、炸丸子、油条、油饼等油炸食物所含的热量较高，长期食用会使乳腺增生更严重。不仅如此，油炸食物中往往含有一定的致癌物质，长期食用还有致癌的风险。

黄豆猪蹄汤
为了控制体重，产后妈妈喝汤的时候最好把表层的油脂撇掉再喝，以免脂肪摄入过多。

吃肉要适量，过少胸部易萎缩，过多会发胖

乳房大小取决于乳腺组织和脂肪的数量，胸部脂肪过少，会导致乳房外围的皮肤松弛，甚至腺体组织萎缩，乳房变小、萎缩。肉类是获取脂肪的一个很好的途径，适当吃肉不仅能增加胸部的脂肪量，还能获得蛋白质、铁等成分，可令胸部丰满。

但是过量食肉，尤其是过量食用肥肉会导致胆固醇的摄入过多，不仅容易导致肥胖，还会刺激人体分泌过量的雌激素，而绝大多数乳房肿块都是与雌激素过量分泌相关。因此吃肉要尽量选择瘦肉，并且以每天 100 克为宜。

乳房最爱的营养素

胸部的发育情况,受饮食的影响很大。充足合理的营养摄入,才能让胸部美丽迷人、健康无恙。了解哪些营养素有养护胸部的效果,才能有针对性地摄入食物,这是产后丰胸的一门重要课程。

蛋白质
> 功效 摄取优质蛋白质不仅可以使乳房肌肤光滑细腻,还能使乳房丰满圆润、挺拔秀丽。
> 食物来源 谷类、豆类及豆制品、动物瘦肉、鱼虾、蛋、牛奶等。

B族维生素
> 功效 能促进雌性激素的分泌,有助于维持乳房形态,还能使胸部富有弹性。
> 食物来源 粗粮、豆类、牛奶、猪肝、牛肉等。

维生素C
> 功效 可以帮助清除体内自由基,起到抗衰老作用,也是蛋白质合成必不可少的辅助物质,为乳房补充营养,保持乳房的青春活力。
> 食物来源 新鲜水果和蔬菜中,如橙子、西瓜、柠檬、番茄等。

铬
> 功效 铬能促进葡萄糖的吸收并在乳房等部位转化成脂肪,让乳房丰满圆润。
> 食物来源 全谷物、肉类、豆类、牛奶及奶制品等。

注:脂肪的摄入要适量,否则会引起肥胖并增加罹患三高疾病的风险。

安全瘦身运动
——做法很简单效果很明显

"8"字按摩法

效果：防止胸部外扩。

方法：

1. 左手放在左胸外下侧。
2. 沿着胸部下方向另一边乳房打 8 字扫去。然后换右侧开始重复动作。

次数：左右交替，重复 10 次。

画圈按摩法

效果：促进胸部血液循环，紧实胸部肌肉，防止胸部下垂。

方法：

1. 手背相对，置于双乳中间。
2. 双手同一时间轻按乳房，向外扫并且打一个圈。

次数：每天 1 次，每次重复 20 次。

按压法

效果： 刺激胸部组织，促进乳房发育。

方法：

用手包住整个乳房，轻轻按压胸部周围的组织，每次按压停留3秒。然后分别在乳沟的位置从下向上按压，一直按压到乳房外侧。换另一侧重复动作。

次数： 动作重复按摩6次，每次持续按摩30秒。

螺旋按摩法

效果： 紧实胸部肌肉，加强支撑力，让胸部越来越挺。

方法：

1 一只手放在腋下，沿着乳房外围作圆形按摩。

2 从乳房下面往上提拉按摩，直到锁骨的位置。换另一侧重复动作。

次数： 每个动作重复8~10次。

1　　2

古今传承的丰胸招式

五禽戏是一种通过模仿虎、鹿、熊、猿、鸟（鹤）五种动物的动作，以保健强身的健身方法。其中熊戏的熊运部分，有助促进乳房丰满。

动作一： 两掌握空拳成"熊掌"，拳眼相对，垂手胸部；目视两拳（图1）。

动作二： 以腰、腹为轴，上体做顺时针摇晃；同时，两拳随之沿右肋部、上腹部、左肋部、下腹部画圆；目随上体摇晃环视（图2~图4）。

动作三、四： 同动作一、二。动作五至动作八：同动作一至动作四，但是左右相反，上体做逆时针摇晃，两拳随之画圆。

做完最后动作，两拳变掌下落，自然垂于体侧；目视前方（图5）。

丰胸瑜伽，让胸部弹性十足

这套瑜伽动作能增强乳腺的发育，使胸部坚实、有弹性，还有助于促进胸部血液循环和淋巴循环的正常运行，让女人在获得美妙身材的同时，预防乳腺疾病。可以每天做一次。

1 采用基本跪坐姿势，双手自然放在大腿上，保持脊背挺直。

2 吸气，同时双臂缓缓侧平举至与肩同高，掌心向前。

3 呼气，同时头颈尽量向上后仰，手臂向后张开，扩胸。

4 吸气，还原到步骤2。

5 呼气，同时头颈向前弯曲，双臂保持平行地面向前收拢，尽量向前伸直，背部自然成弧形。

6 吸气，回到步骤2。

7 吸气，同时双臂从身体前向上伸展，掌心向前。

8 呼气，同时双臂再从体前向下滑落，并向后方伸直，尽量做到最大限度。

9 吸气，回到步骤2，再慢慢均匀呼吸，恢复到步骤1。

上班族妈妈的午间健胸操

上班族可以利用工作的闲暇时刻或午休时间做一些简单的健胸动作，从而达到缓解疲劳、促进胸部健康的效果。

扩胸运动

方法：

1. 采用站姿，身体挺直，双脚张开与肩同宽，伸开双臂、双手握拳，平举在胸前。
2. 双臂沿水平方向分别向后用力，做扩胸运动。

重复动作5~10分钟。可改善乳房外侧的血液循环。

甩肩运动

方法： 先取站姿，然后双手自然搭在双肩上，以肩关节为中心，肩带动肘再带动前臂、手，由下向上顺时针抬举过头顶旋转画圈4次，再同法逆时针旋转4次为1个循环，共4个循环。可预防乳房下垂。

站立丰胸

方法： 取站立姿势，两手在背后相扣，抬头挺胸，用手臂做拉伸动作，均匀有序的呼吸。

保持30秒，重复动作5次，可使胸部紧致、坚挺。

推墙法

方法： 面对墙站立，双腿分开与肩同宽，抬头、挺胸、收腹，双臂伸直与肩同高，五指分开，掌心紧贴墙面，手臂弯曲将身体贴近墙面，然后用力伸直手臂推墙。

重复这个动作5~10分钟。可锻炼胸大肌。

握拳斜上伸展运动

方法：

1. 取站姿，双手握拳，左手向右上方举起，举过头顶，保持姿势。
2. 右手向左上方举起，在头顶处与右手呈交叉状，保持10秒。

如此交替4次为1个循环，共4个循环。可有效拉伸胸廓及乳房两侧经脉，预防乳房下垂。

1　　2

第五章
拯救骨盆，让打开的骨盆收紧

女性的骨盆天生就为生育而具有活动的特性，骨盆的形状会直接影响腰围的尺寸，产后腰变粗的妈妈们，基本上骨盆都比较松弛。另外，如果骨盆出现扩张不当或者歪斜，将使内脏功能下降、血液循环变差，容易造成下半身脂肪囤积。

所以，通过收紧、矫正骨盆，帮助产后妈妈纤体瘦身。

分娩让骨盆弹力组织最大限度的松弛了

怀孕时，内分泌激素使骨盆的韧带、肌肉等弹力组织部分松弛，分娩时让骨盆打开达到最大幅度；分娩时，为了让胎儿顺利通过，骨盆关节往往会因用力猛烈进一步分开，甚至可能造成关节、韧带、肌肉的损伤，关节的松弛以及弹力纤维的损伤，更容易造成关节部位的扭转、牵拉、碰挫等，导致骨盆变形。

虽然分娩让骨盆最大限度的松弛了，但产后2周左右，因分娩而最大限度松弛的骨盆弹力组织将开始慢慢恢复。

现代女性劳动量减少，交通工具发达，步行时间也越来越少，这导致女性韧带以及下半身、骨盆周围的肌肉不发达，这也在很大程度上导致女性怀孕后骨盆更容易变得过分松弛。在孕产的基础上，女性产后对骨盆的放任不理以及缺少运动，再加上生活中的一些不良习惯，才会导致骨盆变大，身材走样。这些共同成为了骨盆不再完美的元凶。

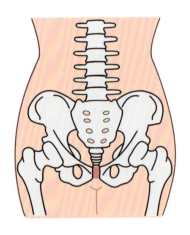

正常骨盆状态：
骨盆的下端是夹起来的
可以明显看出，大腿骨是向下、向内收
底盆面积狭小
臀部紧实

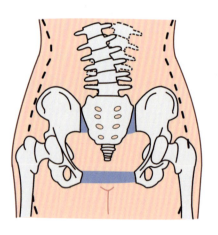

产后骨盆状态：
骨盆下端有明显的距离
可以明显看出，大腿骨几乎平行
底盆面积被扩大
臀部大

骨盆走样，破坏身材美，也是疾病诱因

女性产后骨盆出现松弛、张开、歪斜，是破坏身体的整体曲线，影响身材美的罪魁祸首。因为产后子宫和下垂的内脏掉入张开的骨盆内，易导致下腹部凸出，出现臀部和腰腹部及下半身的自然肥胖。同时，骨盆走样，也会引起臀部下垂，脂肪在下垂的臀部堆积，久而久之，就形成了大屁股。

骨盆走样，不仅破坏身材，同时也易引起下面一系列问题：

尿道、肛门、阴道得不到收紧；

阴道松弛、产后腰痛、臀部疼痛、便秘、漏尿等症状；

骨盆不及时收紧，耻骨联合分离、耻骨疼痛（特别是初产妇）等症状，严重甚至无法行走；

还可能会出现经常复发的腰痛、肩酸、步行困难，内脏和子宫下垂、子宫脱位、小便失禁等；

此外，严重的骨盆松弛还容易引起产后大出血。因为骨盆一旦松弛，就会发生错位，骶骨的边缘会陷入骨盆的内侧，划破子宫颈口，子宫动脉一起被划伤的情况下就会引起大出血。

自我检查一下：你的骨盆倾斜吗

你的骨盆有变形的征兆吗？下列的小测试可以帮你做一个自我检测。

1. 站立时，身体前倾，出现腰痛。
2. 坐在椅子上不自觉地把腿盘起。
3. 走路时，膝盖外屈，容易绊倒。
4. 伴有疲惫、失眠、食欲不振等症状。
5. 对镜观察自己的腰部以下，两边是否有不对称的情形，比如大腿关节是否突出，双脚是过于内八还是外八，两边臀部是否不一样大。
6. 用手摸摸自己的腰部后方下面两侧，是不是太过于厚硬，两边的腰是否一前一后，或一高一低。
7. 测量膝盖到地板的距离，右侧高于左侧时，就表示右侧骨盆朝右上歪斜，反之则朝左上歪。

掌握饮食智慧
——"端正"骨盆、加强骨质，营养要先行

牛奶及奶制品是良好的钙来源

牛奶中含有丰富的钙质，每250克牛奶中，所含的钙就达300毫克，可满足妈妈产后每天1/4的钙需求量；同时，相对其他食物，牛奶中的钙质更易为人体所吸收，牛奶中还含有多种氨基酸、乳酸、矿物质及维生素，对于钙的消化和吸收起着很好的促进作用。

因此，产后妈妈骨盆恢复阶段，应该注意适量饮用一些牛奶。若不喜欢饮用鲜牛奶，也可用其他奶类制品，如奶粉、酸奶、奶酪等替代，这些都是良好的钙质来源。

鸡肉富含蛋白质和维生素A，宜适量多吃

鸡肉肉质细嫩，滋味鲜美，且蛋白质含量颇高，适量的蛋白质和赖氨酸、精氨酸、色氨酸等一些氨基酸与钙结合成可溶性络合物有利于钙的吸收。

同时，相比其他肉类，鸡肉中的维生素A含量更多，虽然相比蔬菜或肝脏要少，但和牛肉、猪肉相比，其维生素A的含量却高出许多。此外，鸡肉中的钾、氨基酸的含量也很丰富，也弥补了牛肉、猪肉这方面的不足。

同时，鸡肉的做法多样，即可以炒，也可以炖汤、煮粥，可以与很多食材一起搭配烹煮，很适合需要补充营养的产后妈妈适量多吃一些。

海带和虾皮都是补钙的好食物

海带和虾皮都是高钙的海产品,其中海带(水发)每 100 克就含钙 241 毫克;虾皮中含钙量更高,每 100 克虾皮就含有 991 毫克的钙。对于产后妈妈来说,每天适当吃上一些海带、虾皮等海产品,是很好的补钙途径。

虾皮含钙量很高,但是太咸,在无形当中会摄入过多的盐,所以吃之前可以用温水泡两个小时以上,再多次清洗后加入醋食用,可减少盐的摄入,加醋有利于钙的溶出,但是也不可摄入太多。

海带、虾皮等海产品不仅可以补钙,同时也有降低血脂、预防动脉硬化的作用。用海带与肉类一起煮汤,用虾皮做汤、做馅,小鱼、小虾炸酥带骨一起吃,不仅是妈妈补钙的好选择,同时也是日常补钙的好选择。

大骨含钙高,但需烹饪得法

产后妈妈经常会喝汤水补充营养,可以利用熬骨头汤来补充一些钙,但是骨头里面的钙不会轻易溶解出来,因此单纯靠喝骨头汤绝对达不到补钙的目的,因此在烹制时,可以先将其敲碎,然后加入少许醋,来帮助钙的溶出。

同时,熬汤时宜去掉上面的浮油,再加入一些青菜,会更有利于营养的均衡吸收。

豆类及豆制品,产后妈妈补钙不可少

豆类是高蛋白质食物,富含多种营养成分,且吃法多样。不管是大豆本身,还是豆制品,其中的含钙量都很高。每100克大豆中含钙191毫克,500毫升豆浆含钙120毫克,150克豆腐含钙高达500毫克,还有其他一些豆制品也都是补钙的良品。

此外,大豆中还含有丰富的镁。研究发现,钙与镁的比例为2∶1时,最利于钙的吸收利用。所以,在补钙的同时,也不要忘了补充镁;而大豆不仅可补钙,同时也补充了镁,因此大豆及豆制品是妈妈产后非常好的补养食物。

蔬菜中也不乏补钙佳品

蔬菜中也有很多补钙的佳品,研究发现,每100克小萝卜缨中,含钙高达238毫克,是每100克牛奶含量的近2倍。

西蓝花富含蛋白质、维生素、胡萝卜素等多种营养成分,位居同类蔬菜之首,在钙的含量上,它也当仁不让,每100克西蓝花中含钙约67毫克。

此外,每100克雪里蕻中含钙达230毫克;而小白菜、油菜、茴香、香菜、芹菜等每100克钙含量也在150毫克左右,经常吃这些蔬菜不仅能补钙,同时还可补充维生素、膳食纤维等多种营养成分,因此妈妈在产后一定要注意适量食用。

讲究生活细节
——抓住"端正"骨盆时机

骨盆底修复的最佳时机

在分娩结束后,骨盆底肌肉并不会立刻恢复到孕前的状态,骨盆底肌、子宫和膀胱会持续下垂一段时间的。一般来说,骨盆底肌、子宫、宫颈、内膜全部都恢复到孕前状态,要到产后42天左右,但要恢复到能拎重物的程度大概是在产后8~12周。

所以,一般认为,妈妈产后骨盆修复的最佳时间是在产后42天时开始,产后一年内效果最佳。

需要注意的是,一旦妈妈出现身体状况不佳、进行伸展运动时感到疼痛,以及睡眠不足或空腹时要谨慎进行骨盆修复运动。

小细节帮你打造完美骨盆

妈妈在产后恢复期,最好减少上下楼梯以及走斜坡路的活动。在走路时,还要注意放慢速度,步子不可迈得太大,避免加重耻骨损伤。产后经常做提肛运动,以强化骨盆肌肉。若产后出现疼痛,则必须卧床休息,并采用骨盆恢复带固定骨盆,以帮助耻骨恢复。

剖宫产也要进行骨盆修复

有些妈妈认为,自然分娩才会造成骨盆松驰,而剖宫产因为没有骨盆被迫大力张开的过程,所以就不需要进行骨盆修复了。

这种观念是错误的。不要以为剖宫产就可以避免盆底肌肉松弛,其实剖宫产同样会面临盆底肌肉功能削弱的问题。

十月怀胎,盆底肌肉在长达10个月的时间内一直处于过重负荷状态内,较高的激素水平也导致盆底肌肉薄弱,所以,即使是剖宫产的妈妈也不可轻视骨盆修复。

修复骨盆也可借助骨盆矫正带

骨盆矫正带,又称骨盆带,是一种利用物理方法矫正骨盆的方法,主要用于产后骨盆的恢复,双菱形骨盆矫正带是现今国际产科医生比较看好的一款,对产后妈妈骨盆快速恢复、保持身材极有帮助。

使用骨盆矫正带要坚持,不要三天打鱼,二天晒网。尤其是做产后运动时,最好及时佩戴骨盆带矫正骨盆。此外,妈妈要注意,每天使用骨盆矫正带的时间不宜过长,一般8小时左右即可,且夜间睡觉时最好不要使用。

坐时别跷二郎腿,并拢双腿

很多人坐着时喜欢跷起二郎腿,却不知道,骨盆和髋关节在长期受压的情况下,易有酸疼感,时间一长,骨盆就在不知不觉中就歪斜了,同时还可能出现骨骼病变或肌肉劳损,这一点对于女性的影响尤其大。

对于处于骨盆恢复期的产后妈妈来说,更要注意这一点,尤其是长期坐着的白领妈妈,坐在椅子上时一定要注意保持正确的坐姿,腰部挺直,膝盖自然弯曲,保持双脚并拢着地,让身体的中心均衡地落在两腿之间,不要跷二郎腿。同时,还要注意伸展背肌,打开双肩,不仅有助于身体的恢复,同时显得更优雅。

不要单手拎重物,背包要换肩背

妈妈还要注意一点,不要单手拎过重的物体,单手拎物最好不要超过10斤;此外,最好改变单手拎东西的习惯,可以把所买的东西或者要拿的东西分成两份,平分于双手,各拎一份,这样能最大程度上保持平衡。

妈妈还有一点要注意的是,日常背挎包,尤其是背较大的挎包时,最好不要长期用某一侧的肩膀背,要养成每天换肩背包的好习惯,以免老是用一侧背包,导致背部和盆骨发生歪斜。

安全瘦身运动
——矫正骨盆，柔韧曲线

借助瑜伽球矫正骨盆

1 妈妈坐瑜伽球上，双腿呈分开状，双臂张开，身体轻轻用力使瑜伽球慢慢上弹下陷即可，活动时间 5～10 分钟。

注意： 妈妈一开始做时，为了安全起见，瑜伽球最好加上一个固定底座，以防瑜伽球乱跑。

功效： 活动骨盆，促进骨盆底肌弹性的恢复。

2 妈妈站在垫子上或地上，双腿分开，双手持瑜伽球平举于胸前，然后慢慢向左转，到最大限度后，保持 5～10 秒，然后回到原来状态。

3 休息 3～5 秒，然后慢慢向右转，到最大限度后保持 5～10 秒，再回复到原状。两侧交替各进行 5～10 次即。

注意： 做这一动作时，双腿可以略屈膝，同时上半身保持挺直。

功效： 锻炼骨盆骨骼和盆底肌，促进弹性的恢复。

钟摆式运动，让骨盆回到中央

站姿，身体挺直，双手叉腰。将骨盆轮流往右侧及左侧外推，像钟摆一样左右晃动，动作缓慢进行，不要太用力，慢慢重复5～10次即可。

注意： 做这一动作，要尽量保持上半身挺直不动，将注意力放在骨盆上，感觉整个骨盆确实的左右移动。

功效： 让骨盆回到中央，放松紧绷的髋关节。

蹲起式运动，正骨盆瘦臀腹

1 双脚开立与肩同宽，双手十指相交放于脑后，双腿挺直，吸气时背部向上伸展。

2 呼气，同时屈膝下蹲，尽量蹲至大腿与地面平行的位置。

3 吸气，同时双脚蹬地向上站起来。

坐在沙发上就能做的矫正骨盆小动作

坐在沙发（或床）上，脚掌紧贴相对，双手放在脚尖上，然后将脚跟拉向会阴处，把集中力放在大腿根部。然后，慢慢地把身体往前弯，维持该姿势约30秒。重复5～10次即可。

注意： 下压身体时，注意上半身一定要保持挺直，使整个上半身全部压在沙发表面。

功效： 锻炼盆底肌的弹性，促进骨盆恢复。

坐在沙发（或床）上，把双脚打开，把左脚弯向右大腿根部，右脚保持伸直，右手抓住右脚大脚趾，左手向后放在身体腰部，整个身体慢慢往右边弯曲，达到最大限度后停留大约20秒。然后换腿重复该动作，左右交替各重复5～10次即可。

注意： 妈妈一开始做这个动作时，身体弯曲的角度可以轻一些，不要强求。

功效： 锻炼骨盆底肌和腰部肌肉的弹性，促进产后恢复。

第六章
告别大肚腩，练出小蛮腰

　　有一首歌中唱到："如果有一天我有了大肚腩不要紧啦！拿来当枕头睡罗！"虽然诙谐幽默又带着温馨，但是大肚腩还是要不得。

　　俗话说："肚子越大寿命越短。"这是因为，肚腩囤积的脂肪并不只是表面看起来的，腹腔的肝脏、胰脏等重要器官的脂肪含量也会随之升高，这是危害健康的主要因素。

　　所以，为了身体健康也要减掉肉肉的大肚腩。

从怀孕到生产，腹部松弛了

恢复宝宝撑出来的大肚子

随着宝宝在妈妈肚子里一天天长大，妈妈的肚皮逐渐胀大，腹部肌肉被撑开，即使生完宝宝也不能马上恢复；宝宝出生后，子宫腾空，内脏下垂，也会让腹部看起来松弛。产后收腹带就是最好的帮手，松弛的腹部肌肉借助收腹带的帮助能很好地恢复。

同时，要给"肚子"一点时间，被过度拉伸的肌肉需要慢慢恢复弹性，妈妈可以通过饮食、运动调理，促进形体恢复。

腰部"游泳圈"是脂肪堆积太多了

脂肪囤积在腹部，就会显现出大肚腩，说得好听点叫"游泳圈"。腹部脂肪的囤积，并不像表面上看的那样似乎只是多了几圈肉，其实是脂肪囤积在支撑肝脏、胰脏、小肠等器官的肠间膜及血管周围，属于内脏脂肪型肥胖。

内脏脂肪型肥胖会让内脏功能受到脂肪的阻碍，调节血糖的胰岛素功能会减退，造成糖和脂肪不能顺利代谢。因此，容易导致糖尿病、高血压、心肌梗死等疾病的发生。所以，腰腹部肥胖绝不能掉以轻心，如果不能控制体重减掉大肚腩，将会威胁到健康。

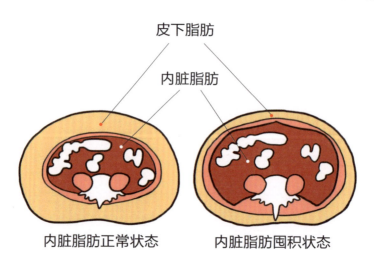

酶失职会让肚子一天胖一圈

人体的新陈代谢过程，就像一个维持生命活动的庞大生产加工工程，酶就在这个工程里尽职尽责的工作，负责启动和监管每一个细胞在代谢过程中的工作。如果酶失职，人体的代谢工程就会紊乱，脂肪得不到充分分解、转化，就容易囤积变胖。

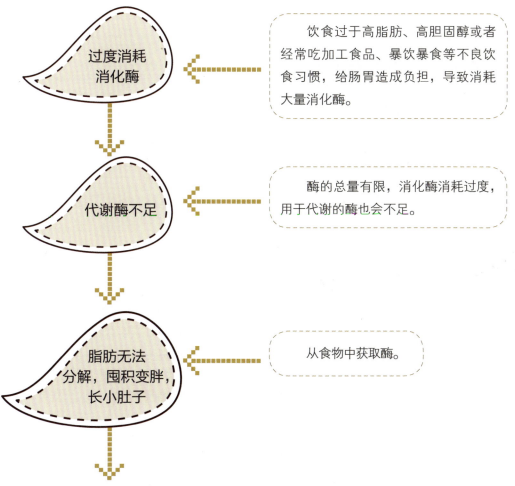

通过食物摄入酶，促进代谢酶和消化酶合成分泌，增强酶的活性，有利于瘦身

富含"酶"的果蔬汁最减肚子○○○

菠萝番茄汁

● 提升新陈代谢

番茄富含维生素和番茄红素,具有强抗氧化活性,搭配富含酶的菠萝,不仅提高酶的活性、促进新陈代谢,还能延缓衰老。

> 材料 菠萝 100 克,番茄 50 克。
> 调料 柠檬汁少许,蜂蜜适量。
> 做法

1. 番茄洗净,去皮,切块;菠萝去皮,切块,用淡盐水浸泡 15 分钟。
2. 将番茄和菠萝块放入榨汁机中,加适量饮用水和少许柠檬汁搅打成汁后倒入杯中,加入蜂蜜调匀即可。

香蕉腰果汁

● 舒缓情绪,抗疲劳

香蕉是高酶水果,能促进身体新陈代谢,腰果富含蛋白质和 B 族维生素,能迅速帮人补充体力,腰果每天食用量 30~50 克为宜。

> 材料 香蕉 1 根,腰果 30 克。
> 调料 原味酸奶 2 匙。
> 做法

1. 香蕉去皮,切片;腰果切碎。
2. 将上述食材和酸奶一同放入榨汁机中,加入适量饮用水搅打成汁后倒入杯中即可。

8 种食物吃出平坦小腹

燕麦：调节肠道菌群

燕麦中含有 β－葡聚糖，能调节肠道菌群，还可促进胃肠蠕动，防止便秘，起到很好的排毒瘦身作用。同时，燕麦富含维生素 E，可以抗氧化、美肌肤，具有很好的美容功效。

食用燕麦片的一个关键就是要避免长时间高温煮，否则会造成维生素被破坏。燕麦片煮的时间越长，其营养损失就越大。生麦片需要煮 20~30 分钟；熟麦片则只需 5 分钟。

山药：减少皮下脂肪堆积

山药最大的特点是能够大量供给人体黏液蛋白，它可以减少皮下脂肪沉积。山药中所含的水溶性纤维容易产生饱腹感，可控制食欲；消化酶能促进淀粉的分解，加速新陈代谢减少多余脂肪，是天然的瘦身佳品。

蓝莓：充当"溶脂剂"

蓝莓作为浆果的一种，其中富含的抗氧化剂就很好地充当了"溶脂剂"的角色，能加快小腹的塑形。另外，多吃蓝莓和黑莓还可以美容养颜。

成熟蓝莓要通过颜色分辨，应该是在深紫色和蓝黑色之间，这样的蓝莓才好吃。

魔芋：超强饱腹感

魔芋中含量最大的葡甘露聚糖（GM）具有强大的膨胀力，既可填充胃肠，消除饥饿感，又因其所含的热量微乎其微，所以对于控制体重是非常理想的食物。魔芋中的膳食纤维能促进胃肠蠕动，润肠通便，防止便秘和减少肠对脂肪的吸收。

生菜：瘦身又美颜

生菜是常见的减肥蔬菜，含有充足的膳食纤维及维生素C，可以产生饱腹感，控制进食量，帮助减少体内多余脂肪的同时还能滋润肌肤。

猕猴桃：美白、促进消化

猕猴桃中的猕猴桃酶有整肠作用，可以促进消化，阻碍体内脂肪囤积。同时，猕猴桃中含有丰富的维生素C，有很好的美白抗氧化作用。

白萝卜：加快新陈代谢

富含分解淀粉的淀粉酶，帮助消化，减少粪便在肠道内停留的时间，帮助身体排毒，促进身体新陈代谢达到瘦身的效果。

油菜：减少脂类的吸收

油菜中含有丰富的维生素、矿物质，能提升代谢功能帮助瘦身。油菜含有的膳食纤维，能与食物中的胆固醇及甘油三酯结合，并从粪便中排出，从而减少身体对脂类的吸收。

摄入富含 B 族维生素食物，促进身体代谢

肥胖是一种代谢不平衡的状态，而 B 族维生素是影响身体代谢的重要营养素，维生素 B_1、维生素 B_2、维生素 B_6 和维生素 B_{12} 可以促进脂肪、蛋白质、碳水化合物的代谢，具有燃烧脂肪、避免脂肪囤积的瘦身功效，主要来源是全谷物、新鲜蔬菜、水果和蛋奶类。

多吃粗粮和果蔬，从中摄取 B 族维生素，促进身体代谢，达到燃烧脂肪、避免脂肪囤积的瘦身功效。

用不粘锅炒菜以减少高热量油脂

许多朋友在炒菜的时候发现炒锅很容易粘住食材，所以通常会加进很多的油以防粘锅，这样会在不知不觉中会吃进过量的油脂。而用不粘锅，就可以维持低脂少油的原则，避免发胖。

饭后喝大麦茶或橘皮水、芹菜汁

大麦中的尿囊素和橘皮中的挥发油，可增加胃液分泌，促进胃肠蠕动，对食物的消化和吸收很有好处。

如果一餐中吃的油腻食物较多，喝杯糖分低、膳食纤维含量高的芹菜汁大有裨益，芹菜中的膳食纤维可以带走部分脂肪。

讲究生活细节
——精油按摩，收紧腰腹线条

天然植物单方精油中，如杜松精油、葡萄柚精油、柠檬精油、胡萝卜籽精油、丝柏精油、德国蓝甘菊精油等都是具有显著瘦身效果的植物精油，能够瓦解腹部顽固脂肪，增强腰腹皮肤弹性，收紧腰腹部线条。

柠檬配方精油： 柠檬 2 滴 + 杜松 2 滴 + 葡萄柚 3 滴 + 薄荷 1 滴 + 荷荷巴油 20ml
丝柏配方精油： 丝柏 4 滴 + 杜松 3 滴 + 天竺葵 3 滴 + 葡萄籽油 20ml + 甜杏仁油 10ml

按摩方法

1 先用温热的毛巾热敷在小肚子上。倒七八滴精油在掌心，搓热。

2 用双手把精油均匀地涂抹在小肚子上。双手画大圈按摩 7 圈。

3 顺时针画小圈按摩肚子,每个小圈按摩5次。

4 双手叉腰,虎口卡在腰部两侧,上下捏动。

5 用刮痧板从腰的一侧,从上往下一排一排刮下来,速度可以稍快点。

6 用保鲜膜将涂上精油的肚子包10分钟,让精油中的燃脂成分有效挥发,加强瘦身效果。

安全瘦身运动
——瘦出性感曲线

能站就不坐,站着就能瘦

久坐不动最容易囤积腹部脂肪,除了适当的休息,最好让身体离开沙发、床、虽然身体习惯了"懒惰",一开始坚持有点难受,但是坚持下来绝对就是胜利。站立时可以做个简单的小锻炼——收紧臀部和腿部,放松,再收紧,放松,反复数次,减肚子的同时还能紧致臀部和腿部的肌肉。

同时,一条腿站定,一条腿微微抬起转动脚踝,拉紧小腿肌肉放松,再换另外一条腿重复动作。这样做可以拉紧小腿肌肉,改善小腿粗的情况。站着是最简单最省力的瘦身方法。

散步的时候拍拍腹部

中医认为,脾胃虚弱运化无力,腹部就容易堆积脂肪,是胃气不足的表现,所以可以通过敲打胃经补足胃气。腹部有中脘穴和天枢穴,可以调节肠胃,没事儿的时候拍一拍能起到减肥的效果。

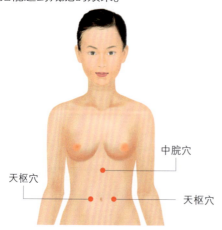

瘦肚子多做仰卧起坐

效果： 增强腹部肌肉弹性，改善体态。

方法：

1. 身体仰卧在瑜伽垫上，膝部屈曲成90度左右，脚部平放在地上。
2. 把手靠于头部两侧，靠腹肌力量把身体向上拉起，同时呼气，收紧腹部肌肉并稍作停顿，然后慢慢把身体下降回原位。

次数： 15次1组，从1组逐渐增加到3组练习。

Tips：仰卧起坐姿势要规范，如果进行不当，不但浪费时间，甚至有害无益。

* 不要把脚部固定（如由同伴用手按着脚踝），否则大腿和髋部的屈肌便会加入工作，从而降低了腹部肌肉的工作量。

* 不要直腿做仰卧起坐，否则会加重背部负担，容易对背部造成损害。

* 根据自身腹肌的力量而决定双手安放的位置，双手越靠近头部，进行仰卧起坐时会越感吃力。

初学者可以把手靠于身体两侧，体能改善后，可以把手交叉贴于胸前。然后，可以尝试把手交叉放于头后面，但每只手应放在身体另一侧的肩膀上。注意，不要双手手指交叉枕在脑后，以免用力时拉伤颈部的肌肉。

让肚子"消气"的腹式呼吸法

我们都知道呼吸靠肺部完成，是人体的一种生命本能，而腹式呼吸是吸气时腹部鼓起；呼气时腹部缩紧，腹部随着一呼一吸间起落。腹式呼吸有助于恢复腹部肌肉弹性，坚持一个月，能惊喜地发现原来气鼓鼓的肚子"消气"了。

扭扭腰，扭掉水桶腰

坐姿侧弯腰

效果： 可以减少腰侧赘肉，同时还能增强腰部灵活性。

方法：
双腿盘坐在瑜伽垫上，上半身挺直，右臂向上伸直贴于耳侧，左手轻轻触地，由腰椎带动上半身缓缓向左侧弯曲，达到极限时，自然呼吸，保持15秒；然后换另一方向做。

次数： 各重复10～20次。

站姿伸臂弯腰

效果： 可以减少腰腹部的赘肉，同时可以锻炼腰腹部的耐力、柔韧性。

方法：
站立，手臂向上伸展，双手十指相扣，掌心向外；身体缓慢向前弯曲，当上半身与下半身成直角的时候，停住保持姿势，进行3次呼吸，然后身体慢慢恢复直立姿势。

次数： 重复10～20次。

左右摇摆塑造 S 曲线

1 双脚分开与肩同宽站立,双腿收紧上提,吸气同时将双臂从身体两侧向上抬起,在头顶处十指交叉,翻转让掌心向上。

2 呼气,身体向左侧伸展,感受到拉伸右侧腰,保持 20 秒。吸气,回到中间。

3 呼气,身体向右侧伸展,感受到拉伸左侧腰,保持 20 秒。吸气,回到中间。

侧抬腿练出腰肌

1 身体侧躺,双腿收紧并拢在一起,双手自然撑在身前,上半身抬起。

2 呼气,双腿保持并拢状态抬起,与地面成约30度角,吸气,还原。重复动作20次。

约30度

功效: 此套动作可以锻炼大腿内部的肌肉,起到瘦腰腹的作用。

刮天枢穴、关元穴、气海穴，除掉小腹赘肉

功效： 内分泌失调，会导致新陈代谢发生障碍，体内废物不能及时有效排出体外，就会淤积于腹部，腹部是非常容易堆积脂肪的部位。采用刮痧的方法，刮天枢穴、关元穴、气海穴，疏通经络，促进新陈代谢，能够逐渐减少腹部脂肪，有效缩小腰围。

方法：

1. 以肚脐为中心，按顺时针方向用刮痧板刮拭天枢穴、气海穴、关元穴，力度均匀。

2. 采用角揉法按摩天枢穴、关元穴和气海穴，力度要适中。

时间： 保持在 30 分钟之内。

取穴方法：

天枢穴： 位于人体中腹部，肚脐两侧 2 寸处，左右各 1 处。

关元穴： 从肚脐正中央向下量 3 寸的位置即是关元穴。

气海穴： 从肚脐中央向下量 1.5 寸处即气海穴。

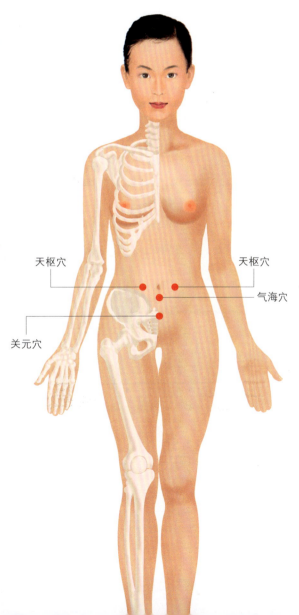

利用零散时间,每天 10 分钟运动瘦全身

妈妈照顾孩子可能要花费大部分时间,自己再找整块的时间去运动比较难实现,既然没有"大块时间",那就利用"零散时间",比如做一套 10 分钟的操,坚持下去自然就有好身材。

鳄鱼扭转

睡前,躺在床上做一做此套动作,可以帮助全身肌肉放松,活动骨盆,有助于消除多余的赘肉,还能帮助睡眠。

1 仰卧屈膝,双脚踩在床上,双臂自然放在身体两侧。

2 双臂慢慢展开,臀部微微抬起,左右移动。

3 双膝倒向左边,左手自然放在腿弯处,头扭向右边看右手,保持 20 秒。

4 反方向动作,保持 20 秒。

半月式

工具： 一块瑜伽砖

功效： 此套动作帮助拉伸身体大部分肌肉，舒缓身体，瘦身的同时又助于缓解疲劳，帮助骨盆恢复。

1 双脚较大分开，站立，双臂伸直侧平举。

2 呼气，身体向右侧拉伸，右手放在脚踝处。如果触不到脚踝可以放在小腿处。

3 吸气，曲右膝，左脚跟进一步，左手叉腰，右手放在竖放的瑜伽砖上。

4 呼气，右手支撑在瑜伽砖上，左腿抬起与身体保持水平，左臂向上伸直。

屈膝卷腹

睡前或者在床上躺着休息的时候,很方便做几组屈膝卷腹的动作,虽然动作看起来很简单,但是长期坚持可以有效地锻炼腹部肌肉,练出平坦小腹。

1 平躺,双腿伸直,双手自然伸直放在身体两侧,吸气,然后双腿同时慢慢屈膝抬起,保持小腿水平。

2 呼气,上半身微抬起,双手抱左膝,右腿伸直。再呼气,抱右膝,左腿伸直,重复动作 10~20 次。

Tips:
等身体已经适应此套动作后,可以慢慢地加快换腿抱膝的频率和加大次数。

平躺侧弯腰摸脚跟

用腰腹肌肉的力量拉动上半身抬起,使手能触摸到同侧脚跟,有助于重塑腰腹肌肉,紧致腰部曲线。

1 平躺,屈膝并拢,双脚分开与髋同宽,双臂自然放在身体两侧。

2 吸气,用左手去触摸左脚跟,背部抬起,呼气,回到平躺姿势;吸气,用右手去触摸右脚跟,背部抬起,呼气,回到平躺姿势。重复动作5~10次。

第七章
产后妈妈的局部瘦身,每一处都瘦瘦的

因为每个人的体质不同,肥胖的部位也不尽相同,所以妈妈在进行产后瘦身恢复的同时,也可以重点锻炼下特别肥胖的部位,比如大腿、手臂、后背……有重点的局部瘦身会让身材曲线更加妙曼。

瘦腿

多吃4种食物，打造撩人细长腿

苹果　帮助清除体内的垃圾

瘦身关键词：膳食纤维、维生素C、果酸

苹果富含膳食纤维，可以帮助清除体内的垃圾，有助于人体内部毒素的排出。

番茄　加强腿部血液循环

瘦身关键词：膳食纤维、维生素C

番茄富含膳食纤维，有利于排出各种毒素，还能够清除掉危害身体的自由基，保护人体细胞，能有效消除腿部的疲劳，加强腿部血液的循环。

红豆　促进新陈代谢

瘦身关键词：蛋白质、膳食纤维、B族维生素

红豆中所含的膳食纤维有助于促进新陈代谢、排泄体内堆积废物，在瘦腿上有很大效果。而且红豆中含有丰富的铁，可以补血。

香蕉　瘦腿、清宿便

瘦身关键词：钾、果胶、膳食纤维

香蕉富含钾，可以瘦腿，但是热量较其他水果偏高，每天吃两三根香蕉，适当少吃些主食，就能看到瘦腿的效果。香蕉含有果胶，有较好的通便效果，能防治便秘，帮助彻底清理体内的宿便。

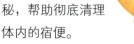

每天 10 分钟细腿按摩

风市穴： 位于大腿外侧中线上，站立时手臂下垂中指指尖所在位置。弯曲大拇指用指关节画圈按摩。

血海穴： 位于大腿内侧，膝盖内侧向上2指宽位置处。用大拇指指腹画圈按摩。

足三里穴： 位于膝盖外侧凹陷位置向下3寸处。用大拇指指腹向下按压，按压一次停留10秒左右。

承山穴： 踮起脚尖时，小腿肚会有一块隆起的肌肉，肌肉正下方的凹陷处即为承山穴。用大拇指指腹向下按压，按压一次停留5秒左右。

阳陵泉穴： 位于膝外侧腓骨小头部前下方凹陷处。用大拇指画圈按压式按摩。

梁丘穴： 膝盖伸直，位于外侧膝盖沟边缘。用大拇指指腹画圈按摩。

解溪穴： 位于脚背踝关节，两根筋的凹陷处。用大拇指指腹按摩。

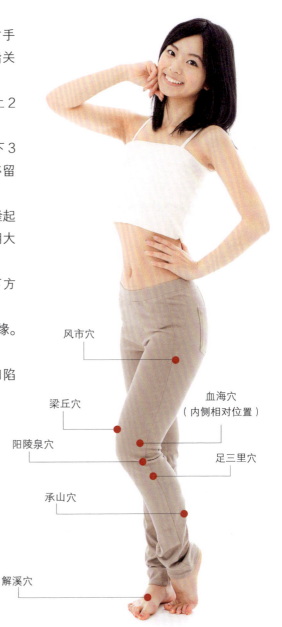

风市穴

梁丘穴

血海穴
（内侧相对位置）

阳陵泉穴

足三里穴

承山穴

解溪穴

超简单瘦大腿,扶着椅子踢踢腿

找一个稳定性好的椅子,侧身站在椅子后面,用手扶稳椅背,身体向椅背一侧倾斜,同时抬起外侧的腿,用力绷紧脚尖来回甩腿30下,然后换腿重复动作。

这个运动特别适合家里空间小,又不是很方便拿出大块时间运动的妈妈。每天练1组,一个月就能看到效果——大腿小了几圈,而且从脚踝到大腿的肉肉变得紧实很多。

告别"大象腿",多做骑车运动

骑车运动能很好地消减大腿赘肉,有条件的妈妈可以每天骑车40~60分钟。通过骑自行车进行运动减肥时,在运动的前20~30分钟,消耗的是糖分;运动30分钟后,身体才开始分解体内脂肪,低于40分钟的骑车运动,虽然能对心肺起到一定的锻炼效果,但并不能消耗更多脂肪。但是超过一个小时,会损害身体,所以保持一个小时的骑车运动最佳。

不方便出去骑车的妈妈,也可以在家里做类似骑车的运动。平躺在床上,双腿并拢抬高与身体呈90度,然后双腿在空中交替做骑车蹬腿运动。最开始可以做10分钟,然后根据身体适应能力逐渐增加时间。

洗完澡搓一搓，搓掉小粗腿

洗完澡后身体舒展，此时搓一搓大腿可以更快地燃烧脂肪，揉搓时配合瘦腿精油或者舒缓肌肉精油，瘦腿效果更明显。注意保持单向揉搓，不要来回搓，因为下半身的淋巴在腹股沟处，要往淋巴的方向引流才会有效果。

天竺葵瘦腿精油配方： 天竺葵精油 4 滴 + 丝柏精油 5 滴 + 荷荷巴油 20 毫升
舒缓肌肉精油配方： 迷迭香精油 6 滴 + 丝柏精油 5 滴 + 甜杏仁油 20 毫升

1 取适量精油均匀涂抹在大腿上，双手用虎口包住大腿，从膝盖向大腿根揉搓 15 分钟。

2 Z 字形揉搓，感觉像扭毛巾一样，用点力有点酸痛才有效果。也可以用带滚轮的按摩道具。

3 沿着大腿中央，用大拇指一边按压一边往上移动。

4 沿着大腿中央向上轻推。

踮踮脚瘦小腿

踮脚非常符合肌肉锻炼的节奏,平时站着的时候踮踮脚跟,有助于拉伸小腿肌肉,塑造修长小腿。

1 双脚并拢站立,头颈背挺直,手臂向前平伸,与身体成直角。

2 吸气,双脚脚跟提起,重心放在脚尖,保持双腿双脚并拢,上半身挺直。

3 呼气,慢慢屈膝下蹲,脚跟高高抬起,双臂始终保持水平向前伸展的姿势。

4 吸气,继续下蹲,尽量做到臀部触到脚后跟,保持5~8秒,呼气,还原到步骤1站姿。然后重复动作8~10次。

瘦手臂

手臂伸展操，快速瘦手臂

瘦手臂的锻炼是随时随地都能进行的，巧妙利用椅子就能轻松瘦手臂。买两瓶矿泉水，利用看电视的时间也能轻松瘦手臂。

1 托举到肩膀，再向上伸直手臂举过头顶，重复动作50次。

2 手握矿泉水慢慢从身体两侧水平抬起与肩同高，停顿5秒钟，向前平举，停顿5秒钟后慢慢放下。重复动作15次。

小道具轻松瘦手臂

选一个稳定性好的椅子,背对椅子,双手反撑在椅面边缘,先下蹲,再起身让屁股与椅面平齐,反复动作 10 次。

洗澡时捏一捏也能瘦手臂

在洗澡的时候,借着水的润滑作用,用手掌从手腕自下而上揉捏,不用太用力。然后,再用画圈的方式从手腕到肩部揉揉胳膊,重点揉捏一下腋窝下面的肌肉。

瑜伽让你的手臂、肩背线条更优美

1 跪坐在瑜伽垫上,屁股坐在后脚跟上,双手合十在胸前,平稳呼吸。

2 吸气,双臂努力向上抬起,十指交叉,手掌外翻掌心向上。感受到两侧腰部伸展向上。

3 呼气,身体向右扭转,保持姿势30秒。

4 吸气,回到中间,做另一侧动作。

按压曲池穴、内关穴，跟手臂赘肉说再见

穴位按摩有助于加速血液循环，对胳膊变细非常有效。每个穴位每天按摩 10 次。

曲池穴

将手肘内弯约呈直角，用另一只手的大拇指下压手肘横纹尽处凹陷即曲池穴。用右手大拇指尖点按左手曲池穴 1 分钟，然后换左手大拇指点按右手曲池穴 1 分钟。

内关穴

一手握拳，腕掌侧突出的两筋之间的点，距腕横纹三指宽的位置即内关穴。用一只手的大拇指，稍用力向下压对侧手臂的内关穴后，保持压力不变，继而旋转揉动，以产生酸胀感为度。

打造骨感肩背

刮痧刮走"水牛肩"

背部曲线也影响女性整体身材,一个人如果背部堆满赘肉,会给人留下虎背熊腰的印象,俗称"水牛肩"。尤其是肩胛骨下面耸起赘肉,像水牛的肩膀,穿薄一点的衣服就会暴露无遗,很不美观。刮痧可以帮助爱美的女性紧致背部曲线,能塑造完美、性感的"背影"。

具体操作

1. 被刮痧者俯卧,刮痧者站于侧面,在背部均匀涂抹刮痧油,按摩到肌肉松软。
2. 自上而下分别刮拭整个背部的皮肤,出现紫红色痧痕即可。

Tips:

尽量少坐电梯,走楼梯是一种很好的美背方法,不仅可以增强背部肌肉的活动,同时也是对全身肌肉的锻炼。在家中休息时,尽量坐椅子,而不要坐沙发,因为软绵绵的沙发无法保持背部的直立状态,影响背部曲线的美化。

模仿划桨运动，坐拥 X 型形美背

放上一支自己喜欢的乐曲，跟着音乐的频率时而快时而慢地模仿划桨的动作。做完后，可以再做些大幅度的转体动作来强化背部的深层肌肉，注意双臂要随着身体自然摆动。

1 取坐姿，双腿伸直，背部挺直，想象一下双脚踩住船舷，双手握住船桨。

2 开始划船，双臂向后拉摇动船桨，身体随着运动向后倾斜。

随时随处可用的美背小妙招——站墙根

靠墙站立，头部、双肩、臀、脚后跟四个部位全部贴在墙壁上，保持 10～20 分钟即可。每天坚持，不但可以美背，还有助于养成挺胸抬头的习惯。

美肩瘦背瑜伽，修饰迷人后背

旋肩式

1 坐在椅子上，双手的指尖轻轻搭放在肩部上方。

2 吸气，挺胸，感觉背部用力，用双臂肘尖带动整个臂部向上运动，手背贴近双耳。

3 呼气，臂部继续向前运动，前臂贴紧头部，再向下、向后如此循环的绕双肩3圈。调整自然的呼吸，反方向练习3圈。

Tips:
此套动作可以锻炼背肌，补养加强背部，特别是肩胛骨区域。灵活放松两肩关节，消除肩部酸疼的现象，减少肩膀处脂肪的堆积。

向阳式

1. 坐姿准备。双腿自然并拢伸直,背部挺直,双手自然放在身体两侧。

2. 保持背部的挺直,双膝弯曲,脚掌完全平放在地面。双手指尖相对平放在胸前,保持小臂与地面平行。

3. 呼气,身体转向左侧,眼看左前方;吸气,身体转回正前,调整呼吸。呼气,身体转向右侧;吸气,身体转回正前。重复动作2-3次。

Tips:

此套动作收紧整个后背的肌肉,促进气血通畅,稳定背部神经,调整情绪,使背部更富有支撑力,帮助纠正驼背,减缓背部僵硬的现象。

直角式

1 双脚分开与肩同宽，吸气，双臂从身体两侧打开向上，双手在头顶上方掌心相对合十。

2 呼气，以髋关节为折点，双臂引领上半身向前向下，与地面平行，保持10秒。此时注意不要弓背，双膝不要弯曲，保持肩部的放松。

3 一边吸气，一边慢慢起身直立，呼气，双臂放松回到身体两侧。

Tips:

这套动作伸拉整个背部的肌肉，促进背部血液循环，滋养脊柱神经，消除双肩僵硬。

美臀

洗澡时按一按轻松瘦臀部

穴位按摩可以刺激身体的内部肌肉，帮助消除脂肪，特别是在洗澡的时候进行穴位按摩会起到很好的翘臀、减肥效果。

1. 双手手掌分别贴放在臀部，画圈按摩，从大圈逐渐缩小范围。

2. 双手向上托起臀部，食指按压承扶穴，力度保持在通过按压将臀部抬高 2 厘米左右，保持 3 分钟。

取穴：大腿后面，左右臀下臀沟中心点即是承扶穴。

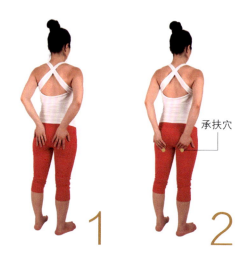

承扶穴

美臀坐垫，随时随地轻松美臀

美臀坐垫是根据人体工学而设计的，它能支撑骨盆、矫正坐姿，阻止臀部肌肉的下垂和外扩，抑制臀部脂肪向下堆积，帮助塑造圆润翘臀。美臀坐垫没有立竿见影的效果，它是在你享受舒服坐姿的同时，悄悄地改变臀部线条。

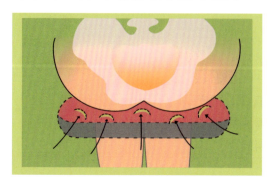

坐垫合理承载了身体的压力，有效挤压臀部，达到美臀提臀的效果。

塑造 S 曲线的瘦腿美臀操

臀部臃肿、没有曲线主要是因为运动不足、脂肪过多，通过有效地锻炼完全可以收紧臀部肌肉，塑造 S 曲线。

工具：三块瑜伽砖，或者 15 厘米高度的一摞书

功效：这套简单的动作操，能帮助减少腿部脂肪的堆积，改善上半身肥胖的体型，又可以把脂肪导向臀部，起到翘臀的作用。

1 双脚微分开站立，将书放在距双脚一步的位置，双手放在髋骨处，背部挺直，吸气时左腿抬起，左脚踩在书面上。

2 呼气，左腿用力上蹬，单腿站在书上，上身保持不动，右腿稍向后抬起。

3 吸气，收回右腿，双脚站在书上。换腿重复动作 8~10 次。

Tips：
坚持锻炼的同时，也要养成经常用脚尖走路的习惯，有助于使臀部收紧上抬。

丰臀瑜伽瘦身不反弹

第一组

工具：拉力带。借助拉力带进行运动，有助于加强核心的稳定性。

功效：第一组练习，帮助加强腿部外展肌群的力量，对于提臀及燃脂有很好的效果。

1. 双手握住拉力带两端，交叉踩在脚下，双脚分开与肩同宽站立，身体挺直。注意拉力带应控制在双臂伸直、微绷紧的长度。

2. 保持步骤1姿势，吸气，重心移至左脚，呼气，右腿向外侧打开，撑起拉力带。

3. 吸气，右腿收回至起始位置，换左侧进行。重复8组动作。

第二组

功效： 这一组动作能更好地锻炼臀部肌肉，帮助打造性感翘臀。

1 双脚分开与肩同宽站立，拉力带踩在脚下，两端缠绕几圈在手上，吸气，背部挺直，屈膝下蹲。

2 呼气，向上起身，双腿挺直站立。重复步骤1-2动作8组。

3 呼气，顺势屈膝下蹲，保持背部挺直，双臂向后拉紧拉力带，不要曲臂。

4 将拉力带踩在右脚下方，吸气，左脚向后一步，脚跟提起。重复步骤3-4动作8组。

瘦脸

水肿、脂肪、肌肉松都会变成大胖脸

血液和淋巴循环不畅，水分代谢能力减弱使体内废水囤积造成水肿型胖脸。皮下脂肪囤积，表情机能衰退，脸部多肉而结实就是脂肪型胖脸。年龄增长导致再生机能衰退，过度日晒使真皮层的胶原蛋白含量减少，皮肤缺乏弹性不紧实，就变成肌肉松弛型胖脸。一般产后妈妈大多是因为水肿或者脂肪堆积造成大胖脸。

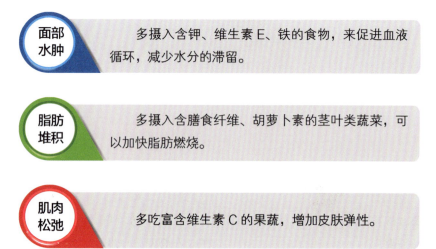

面部水肿：多摄入含钾、维生素E、铁的食物，来促进血液循环，减少水分的滞留。

脂肪堆积：多摄入含膳食纤维、胡萝卜素的茎叶类蔬菜，可以加快脂肪燃烧。

肌肉松弛：多吃富含维生素C的果蔬，增加皮肤弹性。

脂肪堆积型胖脸的妈妈，建议搭配脸部按摩增进瘦脸效果。每天洗过脸后，将按摩霜涂抹于脸部肉多的地方，反复按摩至按摩霜完全吸收后轻拍200下。

多吃消肿利湿、富含膳食纤维的食物

多吃某些消肿利湿的食物，如薏米、红豆，可以有效瘦脸。同时，利湿的果蔬含有的膳食纤维较多，如白萝卜、豆芽、黄瓜、冬瓜等，能增进肠道蠕动，利于排便，以此排出肠内过多的营养成分及代谢废物，对瘦脸会有非常好的效果。

8种瘦脸食材

菠菜

瘦脸关键词：富含钾、铁、酶

菠菜是生活中很常见的一种蔬菜，富含人体所需要的钾元素、铁元素、膳食纤维、胡萝卜素、维生素A等。其中，钾元素、铁元素对于水肿型大胖脸有针对性功效。

冬瓜

瘦脸关键词：胡萝卜素、钾、铁

冬瓜中所含的丙醇二酸能有效地抑制糖类转化为脂肪，而且冬瓜本身所含的脂肪量可以忽略不计，热量很低，是瘦身瘦脸佳品。

柠檬

瘦脸关键词：钾、维生素C

柠檬中钾、柠檬酸和水分的含量较高，鲜柠檬维生素含量颇为丰富，能有效防止和消除皮肤色素的沉淀，瘦脸的同时还能美白。

芹菜

瘦脸关键词：钙、钾、膳食纤维

芹菜属于粗纤维食材，咀嚼和消化芹菜所需要的热量将超过它自身的热量，咀嚼的过程中就会消耗脸部脂肪的热量，达到瘦脸效果，而且芹菜中的膳食纤维能刺激肠道蠕动，加速身体废物排出，避免脂肪堆积。

胡萝卜

瘦身关键词： 胡萝卜素、维生素A

胡萝卜富含的维生素和胡萝卜素能有效地刺激皮肤新陈代谢，增进血液循环，而其所含的胡萝卜素还能加快脸部脂肪的燃烧，从而帮助你快速变成紧致小脸美人。

纳豆

瘦身关键词： 膳食纤维、蛋白质、纳豆激酶

纳豆比直接煮熟的大豆营养更丰富，蛋白质、膳食纤维、钙、铁等含量更高，纳豆中含有纳豆激酶，可加速新陈代谢，利于瘦身。

苦瓜

瘦身关键词： 维生素C、钾

苦瓜富含维生素C等营养成分，可提高免疫细胞的活性，有效清除体内有害物质。中医专家认为，用苦瓜泡茶或榨汁来喝，排毒瘦身的功效非常好。

豆苗

瘦身关键词： 维生素C、钙、胡萝卜素

豆苗富含钙、维生素C、胡萝卜素等，还含有一定量的蛋白质，营养丰富热量低，非常适宜瘦身期间食用。

没了双下巴，脸也会变小

1 取适量颈霜在手掌中揉开，然后用手掌沿着颈部从下往上铺开涂抹。

2 四指并拢，用手指从脖子一侧推至耳后并轻压几下，再向下推至锁骨轻压几下。左右两侧分别推5次。

Tips:

因为颈部肌肤比较脆弱，所以最好买专门的颈霜进行推压，否则容易出现皱纹。

3 用右手虎口托住下巴，然后从下巴往颈部推压出下巴线条，双手交替推压5次。

第八章
积极调理和预防产后不适

妈妈经历十月怀胎后分娩,体力消耗很大,子宫及阴道的创伤需要时间慢慢恢复,在身体的恢复阶段抵抗力相对较低,所以产后比较容易引发多种不适症状。因此,产后的异常现象与病症要及时发现,妥善处理,避免留下健康隐患。

恶露不尽

恶露是指分娩后由阴道排出的分泌物,它含有胎盘剥离后的血液、黏液、坏死的蜕膜组织和细胞等物质。产后恶露不尽则指产后满月仍有恶露,且颜色和气味有异常,如呈脓性,并有臭味。

根据颜色、内容物及时间不同,恶露可分为三种:

名称	时间	性状
血性恶露	产后 1~3 天	恶露呈鲜红色、量较多,有血腥
浆液恶露	产后 4~10 天	恶露为淡红色血液、黏液和较多的阴道分泌物
白色恶露	产后 2 周后	含有白细胞、胎膜细胞、表皮细胞等,分泌物呈淡褐色或白色,质黏稠,量稍多一些

产后恶露不尽,大多由感染引发

1. 身体虚弱或产生病变而引起的。当抵抗力下降时,常会引起感染,破坏阴道内的生态平衡而形成恶露异常。

2. 由于分娩时器械消毒不严或产时进行过多不必要的阴道检查,产后不清洁而引起产褥感染。

3. 妈妈产后长期不下床活动,或行房事太早,卫生巾不洁,造成感染,进而导致恶露异常。

产后恶露不尽不容忽视,依情况及时就医

如果恶露量多或慢慢减少后又突然增多,血性恶露持续 2 周以上,且为脓性,有臭味,那么可能出现了细菌感染,应及时到医院就诊。如果伴有大量出血,子宫大而软,则表明子宫可能恢复不良。

如果血性恶露颜色灰暗且不新鲜,并伴有子宫压痛,这说明子宫感染,应及时请医生检查,用抗菌药物控制感染。

需要注意的是,恶露量也会因为用力或喂哺宝宝而增加,或是服用大量的生化汤,造成出血。万一恶露量太多(半小时浸湿2片卫生巾)、血块太大或血流不止等状况,就必须咨询医生,以免发生危险。

缓解产后恶露有良方

保持阴道清洁

因为有恶露排出,所以新妈妈要勤换卫生巾,保持局部清爽。此外,要暂时停止性生活,避免受感染。大小便后用温水冲洗会阴部,擦拭时一定要从前往后擦拭或直接按压拭干,并选用柔软的消毒卫生纸。

生活调理方

1. 产后未满50天不要过性生活。
2. 使用垫纸质地要柔软,要严密消毒,防止发生感染。
3. 身体趋向恢复时,可以适当起床活动,有助于气血运行,可促进恶露排出。

饮食注意事项

1. 血热,血淤、肝郁化热的新妈妈,可以喝一些清热化淤的果蔬汁,如藕汁、梨汁、橘子汁、西瓜汁等。
2. 熬粥的时候加入一些红糖食用,可以活血补虚,适合恶露不尽的新妈妈食用。
3. 产后服用生化汤可活血散寒、祛淤止血,帮助排出体内恶露。
4. 少吃温、热性的食物,如羊肉、榴莲等,以免助邪,不利于恶露排出,可多吃新鲜蔬菜。

"妈妈腕"

"妈妈腕"是产后妈妈常见的一种手腕疼痛,临床上又称为"手腕狭窄性肌腱滑囊炎",又简称为腱鞘炎。

"妈妈腕"是大拇指底部的肿痛造成大拇指或手腕活动不便,做抓、握、拧、捏等动作时,会引发或加剧腕部的疼痛,做事时常使不上劲,严重时还会影响睡眠,疼痛有时像神经痛一样,会往上痛到手臂,往下痛到大拇指末端,症状呈慢慢加重状态。

在手腕桡骨附近,能摸到脉搏的突出部位,有一点水肿,按压时疼痛。

"妈妈腕"的判定

用一只手将另一只手大拇指握住,然后将后者的手腕弯向小指侧时,如果出现疼痛加剧,那么您就有可能得了"妈妈腕",因为发炎的肌腱滑囊受到拉力牵扯而引发了更强烈的疼痛。

妈妈分娩后易出现"妈妈腕"

激素变化:怀孕后期及产后,因为体内激素水平的变化,易引起手腕韧带的水肿、肌腱韧带也变得松弛、强度变差,长时间活动少,使肌力减退。

气虚受风寒:月子期间由于产妇气血虚弱,若受风寒侵袭,寒气则滞留于肌肉、关节间,就容易引起肌腱、神经发炎。

产后抱孩子的姿势不对:有些妈妈一开始不太知道怎样抱孩子,常常是长时间用手腕托住婴儿头部,或是抱孩子的时间太久,都会拉伤手腕的肌腱。

如何预防"妈妈腕"的产生，如何缓解"妈妈腕"

手部不适可佩戴护腕

孕妈妈或产后妈妈若感到手部不适可佩戴护腕，以保护手腕，有效预防外来刺激对手腕的影响。

手腕活动很必要

手腕部适当的转动活动是有必要的，特别在冬春易发生关节疼痛的季节，孕妈妈和产后妈妈都要做好预防工作。

> **缓和期手腕拉伸运动**
>
> 在"妈妈腕"发作的急性期，应尽量让患处休息，待疼痛稍微缓解，妈妈再开始做一些温和的拉伸运动：
> 大拇指的弯曲、伸直、外展、内收。
> 手腕的弯曲、伸直、侧弯、旋转等动作。

抱宝宝姿势要正确

分娩后有手部不适的妈妈要减少每天抱宝宝的次数及时间，或更换抱宝宝的姿势，尽量不要单手抱，不要抱得太久，也不要过分依赖手腕的力量。应将宝宝靠近自己的身体，以获得较好的力学支撑，减轻压在手腕的重量。

不过度使用手腕

妈妈若是手腕感觉不适，应避免大拇指、手腕的过度负担，像是提重物、拿炒菜锅、拧毛巾、打保龄球等重复性地进行手腕下弯的动作，以让手腕多休息。做家务时减少长时间过度使用手腕的动作，像是烹饪、打扫、缝纫等，要适当地休息，避免大拇指、手腕过度劳累。

产后爸爸多出力

患"妈妈腕"后，手腕如果得不到很好的休息，症状就难以得到改善。有的"妈妈腕"恢复时间较长，甚至达3个月、半年仍未痊愈。此时，做爸爸的要多体谅孩子妈妈，主动地多承担家务、多照顾婴儿，使"妈妈腕"尽早康复正常。

产后便秘

产后便秘是指妈妈产后正常饮食，但接连好几天都不排大便或排便时干燥疼痛，难以排出，这是最常见的产后疾病之一。

产后便秘的发生，一般有以下几方面原因：

1. 产褥期胃肠功能减弱，肠蠕动慢，肠内容物在肠内停留时间长，吸收水分造成大便干结。
2. 与分娩有关。妊娠使得腹部过度膨胀，导致腹部肌肉疲劳，盆底组织松弛，故而排便力量减弱。
3. 产后体质虚弱或手术后有伤口，使产妇排便力量减弱。
4. 卧床时间多，活动量减少，影响直肠的蠕动，导致便秘。
5. 饮食结构不合理，蔬菜、水果吃得少。

Tips:

如果产前灌肠的产妇，产后2~3天才解大便；若产前没有灌肠者，产妇可能1~2天首次排便。一旦在产后超过3天还没有解大便，就应注意是否发生了便秘，如果便秘持续3天以上，一定要就医，请医生给予适当的处理。

产后便秘的影响

引起产后疼痛

有的妈妈产后因便秘而不敢排便，这导致便秘更严重，每次排便都非常困难，使肛门疼痛更厉害了，甚至引起其他一些产后疼痛。

诱发肛裂和痔疮

便秘的持续造成盆腔和肛周血液回流障碍，多数会形成不同程度的肛裂和痔疮，严重时会使局部水肿、疼痛，大便时出血。

食欲减退

便秘使肠道排空减缓，新陈代谢减慢，使腹中胀满，饭后饱胀不适，食欲不振。

毒素的蓄积和吸收

粪便在肠道内停留过久，其中的一些有害毒素逐渐蓄积，难免会有一部分被肠壁所吸收，它们通过静脉循环进入体内，给患者的身体带来毒素，不但影响妈妈的健康与美容，还会通过哺乳影响宝贝的健康。

出现体臭口臭

便秘还可能会使产后妈妈出现体臭，有时候只是局部体臭，如口臭就是其中的一种。

影响生殖系统的恢复

肠道蠕动减缓使盆腔的血液循环放慢，不利于妈妈产后生殖系统的康复，也会影响到产后性生活的恢复。

内分泌的改变

长期便秘造成内分泌系统的改变，月经周期紊乱，皮肤色素沉着、并产生黄褐斑及痤疮等，还会使乳房组织细胞变异，增加诱发乳腺癌的可能性。

产后便秘的预防

1. 注意调整好膳食。每日进餐应适当配有一定比例的杂粮，要粗细粮搭配做到主食多样化。注意荤素结合，在吃肉、蛋等食物的同时，也要摄入富含膳食纤维的绿叶蔬菜和水果。少吃辣椒、胡椒、芥末等刺激性食物，尤其是不可饮酒。植物油和蜂蜜有润肠通便的作用，产后宜适当多食用。适当食用豆类、红薯、土豆等"产气"食物。

2. 进行适当的活动，不要久卧不动。产后妈妈不要长时间卧床，而应适当增加活动量，以促进肠道蠕动，帮助恢复肌肉紧张度，缩短食物滞留肠道的时间，并能增加排便量。健康、顺产的产妇，产后第二天即可开始下床活动，逐日提早起床时间并加大活动范围。

3. 多喝水。可在清晨起床后空腹喝一杯放有蜂蜜的温开水（水温不宜超过60℃）或凉开水，以刺激肠管的蠕动，从而促进排便。另外，还要养成并保持每日定时排便的习惯。

产后水肿

妈妈在产褥期内出现下肢甚至全身水肿的现象，称为产后水肿。产后水肿是因皮肤内积聚水分而产生的，严格来说，不是水肿而是"水气"。

产后水肿的原因

在怀孕后期，有的孕妇会因子宫变大，压迫下肢回流的静脉，影响了血液循环而引起水肿，有些在产后坐月子期间还不会消退。

还有一些妈妈的内分泌系统受怀孕的影响，身体水分代谢的功能出现变化，出于一种生理的特殊需要，而保留部分多余的水分，表现为水肿，典型症状就是下肢的浮肿。

中医则认为，产后水肿是因为肺、脾和肾等脏腑的功能障碍，导致体内的水分滞留过多所造成的。怀孕期孕妈妈多吃少动，脏腑功能本身就被抑制，加上分娩后气血的伤损，运化水分的功能进一步下降，这时多余的水分就停留在腿部不能被代谢出去。

产后水肿的影响

如果妈妈的水肿是发生在下肢，没有超过膝盖，那么这种水肿一般是孕期水肿遗留的问题，这种水肿随着排尿和排汗的增加，会慢慢消失，大概在产后 4 周就会恢复正常。

剖宫产手术后，妈妈如果出现了小腿水肿、疼痛，千万不要忽视，这很可能是静脉血栓的先兆，是一种严重的并发症，应及时就医。

如果妈妈出现全身水肿，且持续时间很长，并伴有食欲不振、头晕眼花、尿涩疼痛的症状，就需要到医院进行检查，需要检查心脏、肾脏、肝脏等部位有无疾病，以及是否出现了凝血或者静脉血栓的情况。

Tips:

如果浮肿是从脸部开始，继而扩大到全身时，那么患上肾脏病的可能性很高，不过也有可能是急性肾炎或肾病变。

如果是从脚开始浮肿，那么可能是心脏病、低蛋白血症、肝硬化等。

产后水肿的调理

通过饮食调理，少吃盐，因为吃盐过多会使体液浓度增加，让水分难以排出体外。同时也可以吃一些利水消肿的食物，比如薏米、红豆、鲤鱼等。另外，带皮的生姜也可以起到消肿的作用，家人在做菜时，不妨放点带皮的生姜进去。

少吃或不吃难消化和易导致胀气的食物，如油炸的糯米糕、白薯、洋葱、土豆等，这些食物会引起腹胀，使血液回流不畅，加重水肿。

虽然不必控制妈妈的饮水量，但睡觉前尽量不要喝水。不要吃过多补品，以免加重肾脏的负担。少吃高热量食物有助消除水肿，可以多吃脂肪较少的肉类或鱼类。

产后水肿需要通过出汗才能消肿，所以妈妈要注意保持身体温暖。

哺乳期适当进行运动可促进全身血液循环，增加母乳量，对产后消肿也有很好的效果。活动时，不要长时间保持同一个姿势，久站或者久坐都会形成水肿。休息时，适当抬高腿部，在腿部垫一个枕头或者小凳子，有利于缓解水肿。

红豆薏米水

● 缓解产后水肿

红豆热量低，富含维生素E及钾、镁、磷、锌、硒等成分，有养血益气、利水消肿、除热毒、散恶血、消胀满等功效；与清热排毒的薏米一起煮水后，缓解产后水肿的作用很好。

> 材料 红豆50克，薏米30克。
> 做法

1. 红豆、薏米分别淘洗干净，用清水浸泡2～3小时。
2. 锅置火上，放入红豆、薏米，加入1000毫升清水，大火烧开后改小火，煮至红豆裂开后，继续小火熬煮1小时即可。

产后乳腺炎

产后乳腺炎是产褥期常见的一种疾病，多为急性乳腺炎，常发生于产后3~4周的哺乳期妇女，所以又称之为哺乳期乳腺炎。

产后乳腺炎一般分为三个时期

早期：乳房胀满，疼痛，哺乳时更甚；乳汁分泌不畅，或明显减少；乳房肿块或有或无；皮肤微红或不红，或伴有全身不适、食欲欠佳、胸闷烦躁等。

化脓期：局部乳房变硬，肿块逐渐增大，此时可伴高烧、寒战、全身无力、大便干燥、脉搏加快、同侧淋巴结肿大等，常可在4~5日形成脓肿，可出现乳房跳痛，局部皮肤红肿透亮，肿块中央变软，手按有波动感；若为乳房深部脓肿，可出现全乳房肿胀，疼痛、高热，但局部皮肤红肿及波动不明显，有时一个乳房内可同时或先后存在数个脓腔。

溃后期：浅表的脓肿常可穿破皮肤，形成溃烂或乳汁自创口处溢出而形成乳漏；较深部的脓肿，可穿向乳房和胸大肌间的脂肪，形成乳房后位脓肿，严重者可发生脓毒败血症。

初产妇更易得乳腺炎

研究发现，初产妇患乳腺炎的比例要比经产妇高1倍，这是为什么呢？

这是因为初产妇的奶头皮肤更娇嫩，更不耐受婴儿吸奶时对奶头的刺激，常造成奶头组织的损伤，形成奶头裂口。尤其是奶头短，奶头勃起不良的初产妇，更易出现这种情况。

奶头出现裂口后，婴儿吸吮就会引起剧痛，造成喂奶时间减短，甚至不敢再让婴儿吮吸奶头，这就会使大量乳汁积蓄在乳腺内，以致乳汁在乳腺内逐渐分解，给细菌的生长提供了最佳温床。此时若外部的化脓性细菌从奶头裂口侵入，就会在乳腺内迅速、大量的繁殖，从而引发乳腺炎。

产后乳腺炎的预防与调理

产前

1 怀孕末期，用75%的酒精擦拭或用温水清洗乳头，以增强乳房皮肤的柔韧性和抵抗力；同时，还要注意挤出乳管内的脂栓。

2 乳头内陷者，怀孕前需用手挤出乳头，按摩牵拉纠正之。

产后

1 保证正确的喂养姿势，以及宝宝吸吮方式的良好，不要让宝宝只含到乳头。

2 哺乳时让宝宝吃空一侧乳房再吃另一侧，不要两边乳房交替吃，以防宝宝长时间吃不到奶后引起乳汁淤积。若妈妈的奶很充足，宝宝只吃一边就饱了，另一边又很胀，就一定要把胀的一边乳房的乳汁挤掉，不要留在乳房里，以防形成硬结造成急性乳腺炎。同时养成定时哺乳的习惯，不让宝宝含着乳头睡觉。

3 妈妈宜侧卧睡与仰躺睡交替进行，忌趴着睡，以免因挤压乳房引起乳汁淤积造成急性乳腺炎。

4 不戴有钢托的胸罩。妈妈的乳汁会时常不经意地流出，加上因乳房有乳汁充盈造成乳房下垂，这时候新妈妈最好戴专门的哺乳胸罩，不要戴带有钢托的胸罩，以防乳腺管受挤压造成局部乳汁淤积引起急性乳腺炎。

5 要注意乳房的清洁与卫生，喂宝宝前后最好先用清水擦洗，然后用洁净的毛巾将乳头擦拭干净。

6 产后催奶不宜过急。产后营养补充并不是多多益善，应从少量开始，以免因奶水开始分泌时，乳腺管尚未通畅，再加上新生儿吸吮能力弱，如果大量分泌乳汁容易造成奶胀结块而带来不利影响。

7 乳腺炎的成脓期，应少吃有"发奶"作用的荤腥汤水，忌食辛辣、刺激、荤腥油腻之品，以免加重病情。饮食宜清淡而富于营养，宜多吃具有清热作用的蔬菜水果，如番茄、青菜、丝瓜、黄瓜、绿豆、鲜藕、金橘饼等。海带具有软坚散结的作用，可多吃些。

8 注意保持心情舒畅，以免因心情抑郁加重病情。

外敷法

● 缓解乳房疼痛

> **材料** 葱白20根、蜂蜜15克、鸡蛋清1个。

> **做法**

将葱白捣烂，然后加入蜂蜜、蛋清，稍加热后，趁热敷在患病的乳房上，温度不宜过高，以免烫伤，持续用几日即可。

> **功效**

疏通郁室、解散通气。

乳腺增生

乳腺增生症是正常乳腺小叶生理性增生与复旧不全，乳腺正常结构出现紊乱，属于病理性增生，它是既非炎症又非肿瘤的一类病。产后妈妈在哺乳期间如果没有注意到正确的哺乳方法，也容易诱发产后乳腺增生。

产后乳腺增生的症状

乳房疼痛： 常为胀痛或刺痛，可累及一侧或两侧乳房，以一侧偏重多见，疼痛严重者不可触碰，甚至影响日常生活及工作，疼痛以乳房肿块处为主，亦可向患侧腋窝、胸胁或肩背部放射。

乳房肿块： 肿块可发于单侧或双侧乳房内，单个或多个，好发于乳房外上象限，亦可见于其他象限。

乳头溢液： 少数患者可出现乳头溢液，为自发溢液，草黄色或棕色浆液性溢液。

月经失调： 可兼见月经前后不定期，量少或色淡，可伴痛经。

情志改变： 患者常情志不畅或心烦易怒，遇生气、精神紧张或劳累后加重。

乳腺增生的原因

目前来说，乳腺增生真正的发病原因还不明确，一般认为，可能与体内激素水平不均衡或乳腺组织对性激素的敏感性较强有关，黄体素分泌减少、雌激素相对增多可能是本病的重要原因。

此外，长期的饮食结构不合理、生活习惯不好、心理压力过大等造成体质酸化，人体的机能下降，进而引起身体代谢循环变慢，大量物质沉积在体内无法排出，造成气血不畅，内分泌激素失调、月经失调等现象，也是引起本病的重要因素。

产后乳腺增生的判定

有一侧或双侧乳房出现单个或多个肿块，检查乳房可触及单个或多个大小不等之不规则结节，质韧，多位于外上方，结节与周围组织不粘连，可被推动，常有轻度触痛，腋下淋巴结不大。

多数伴有周期性乳房疼痛，且多与情绪及月经周期有明显关系，一般月经来潮前一周左右症状加重，行经后肿块的疼痛明显减轻，且连续3个月不能自行缓解，排除生理性乳房疼痛。

注意调理情绪，以免加重病情

紧张、焦虑、抑郁等不良情绪，是诱发乳腺增生的重要原因。同时，不良情绪也对病情的发展有着非常重要的影响。

出现乳腺增生后，妈妈更要注意情绪的调整，因为心理因素对乳腺增生的治疗非常重要。乳腺增生的危害更多地表现在心理的损害上，因缺乏对此病的正确认识，过度紧张刺激使妈妈忧虑悲伤，造成神经衰弱，会加重内分泌失调，促使增生症的加重，故应解除各种不良的心理刺激。

心理承受能力差的新妈妈，更要注意少生气，保持情绪稳定、活泼开朗的心情，以促进乳腺增生的缓解或消退。

产后乳腺增生的预防与调理

改变饮食结构，防止肥胖。饮食要清淡，少吃油炸食品、动物脂肪、甜食及过多进补食品，忌食生冷和辛辣刺激性的食物；多吃蔬菜和水果类，多吃粗粮，多吃黑豆、黄豆、核桃、黑芝麻、蘑菇等食物；海带、橘子、牡蛎等食物有行气散结作用的食物，平时可经常吃一些。

生活规律、劳逸结合，保持和谐的性生活。调节内分泌可以对乳腺增生的预防起到一定作用。保持心情舒畅、情绪乐观，避免不良情绪的影响。

注意调整生活节奏，减轻各种压力，改善心理状态；注意防止乳房部的外伤等等。

多运动，防止肥胖，提高免疫力。

忌滥用避孕药，以及含雌激素的美容用品或食品。

避免人流，坚持哺乳，能防患于未然。

腰酸背痛

妈妈生产后，如果出现生理性缺钙、劳累过度、喂奶姿势不当、寒湿侵袭、子宫脱垂、产后房事不节、避孕方法不当、起居不慎、不注意休息、活动过活、闪挫腰肾以及腰骶部先天性疾病等因素，都可能会引发产后腰酸背疼。

此外，妈妈分娩后内分泌系统尚未得到调整，骨盆韧带还处于松弛状态，腹部肌肉也由于分娩而变得较为松弛；加上产后照料宝贝要经常弯腰，或恶露排出不畅引起血淤盆腔等，也易引发产后腰酸背痛。

产后不宜过早穿跟鞋

产后过早地穿高跟鞋，使身体重心前移，除了引起足部疼痛等不适外，也会增加脊柱压力，使腰部产生酸痛感。

需要注意的是，这里的跟鞋不只是指高跟鞋，中跟鞋和坡跟鞋的影响也是一样的，它们和高跟鞋的差异只是程度的问题，没有本质的差别。

建议妈妈产后以穿鞋底较为柔软的布鞋为好。

喂奶时注意采取正确姿势

哺乳妈妈喂奶时，既可采取坐着，也可采取躺着的姿势，只要自己感到轻松和舒适即可。

坐姿喂奶时，以坐在低凳上为好，如果坐得较高，如坐在床边，可把一只脚放在一个脚踏上，或身体靠在床头；同时最好在膝上放一个枕头抬高宝贝，这样还可承受重量。

躺姿喂奶时，可把宝贝放在腿上，让头枕着妈妈的胳膊，妈妈可舒服地用手臂托着宝贝的后背，让脸和胸靠近妈妈，下颌紧贴着乳房。

1. 侧卧：妈妈侧卧在床上，让宝宝面对乳房，一只手揽着宝宝的身体，另一只手将奶头送到宝宝嘴里，然后放松地搭在枕侧。这种方式适合早期喂奶，妈妈疲倦时喂奶，也适合剖宫产妈妈喂奶。

2. 摇篮抱：在有扶手的椅子上（也可靠在床头）坐直，把宝宝抱在怀里，胳膊肘弯曲，宝宝后背靠着妈妈的前臂，用手掌托着宝宝的头颈部（喂右侧时用左手托，喂左侧时用右手托），不要弯腰或者探身。另一只手放在乳房下呈"U形"支撑乳房，让宝宝贴近乳房，喂奶。这是早期喂奶比较理想的方式。

3. 足球抱：将宝宝抱在身体一侧，胳膊肘弯曲，用前臂和手掌托着宝宝的身体和头部，让宝宝面对乳房，另一只手将奶头送到宝宝嘴里。妈妈可以在腿上放个垫子，宝宝会更舒服。剖宫产、乳房较大的妈妈适合采用这种喂奶方式。

呵护女性，打造健康生活

一网打尽各年龄段的月经问题
完美护肤、轻松减肥、调理疾病，
打造冻龄逆生长体质

主编　毕蕙
北京大学第一医院妇产科主任医师
定价：39.90 元

选用地道食材，煲出 158 道
超人气汤品
养精力、调体质、去病痛

主编　史文丽
中国康复研究中心北京博爱医
院临床营养科副主任营养师
定价：36.00 元

妈妈怎么养、孩子怎么带
都靠月子期打基础

主编　马良坤
北京协和医院妇产科主任医师、
教授
定价：49.90 元

怀孕所有的担忧都是因为不了解
了解后你就不再害怕

主编　陈倩
中华医学会围产医学分会常务
委员兼秘书长
定价：49.90 元